TEXTES DE LA RENAISSANCE
Série « L'éducation féminine, de la Renaissance à l'âge classique »
Sous la direction de Colette H. Winn
50

PROTESTATIONS
ET
REVENDICATIONS FÉMININES

Dans la même collection

(suite en fin de volume)

PROTESTATIONS
ET
REVENDICATIONS FÉMININES

Textes oubliés et inédits
sur l'éducation féminine (XVIe-XVIIe siècle)

Édition établie, présentée et annotée
par
Colette H. WINN

PARIS
HONORÉ CHAMPION ÉDITEUR
7, QUAI MALAQUAIS (VIe)
2002

www.honorechampion.com

Diffusion hors France: Editions Slatkine, Genève

www.slatkine.com

ISBN: 2-7453-0649-9   ISSN: 1262-2842

À Liliane

Mais je me plains à vous, belles et saintes Dames,
Doctes et grands esprits qui escoutez vos blasmes,
Sans vous en émouvoir .....
Jacqueline de Miremont, *Apologie pour les Dames* (1602)

Les personnes du Sexe ne pourront jamais se relever
de cette injuste privation qu'elles endurent, si elles ne
travaillent à détruire l'ignorance ....
Gabrielle Suchon, *Traité de la morale et de la politique* (1693)

INTRODUCTION

Le débat sur les mérites comparés des deux sexes et le droit de la femme au savoir, connu sous le nom de *querelle des femmes*, est à l'origine de la vaste production polémique qui vit le jour avec *La Cité des Dames,* publié par Christine de Pisan en 1405, et se poursuivit jusqu'à la fin du dix-huitième siècle[1]. Tandis que les traités masculins foisonnent, les ouvrages portant une signature féminine sont relativement peu nombreux ou du moins ceux qui sont parvenus jusqu'à nous. Les textes réunis ici, publiés entre 1595 et 1699, fournissent un échantillon représentatif de la part prise par les femmes dans ce débat littéraire. Pour la grande majorité, ils n'ont pas encore fait l'objet d'une édition moderne[2].

Les dates de parution de ces ouvrages font apparaître deux périodes importantes pour la littérature féminine de combat : de 1595 à 1625 (quatre titres : les *discours* [1595] et [1597] de Marie Le Gendre, l'*Apologie* de Jacqueline de Miremont [1602], la *Harengue* de Charlotte de Brachart [1604], le *Discours* posthume de Marguerite de Valois [1618]) et de 1660 à 1699 (trois nouveaux titres : *Les Dames illustres* de Jacquette Guillaume [1665], le *Traité de la morale et de la politique* de Gabrielle Suchon [1693], *Les differents caracteres* de Mme de Pringy [1694] et [1699]).

---

[1] Sur ce débat, voir M. Albistur et D. Armogathe, *Histoire du féminisme français*, 2 vol., Paris, 1977, vol. I ; M. Angenot, *Les champions des femmes. Examen du discours sur la supériorité des femmes, 1400-1800*, Montréal, 1977; I. Maclean, *Woman Triumphant. Feminism in French Literature, 1610-1652*, Oxford, 1977, p. 25-64 et L. Timmermans, *L'accès des femmes à la culture (1598-1715)*, Paris, 1993.

[2] Pour les *discours* de Marie Le Gendre, voir *L'exercice de l'âme vertueuse*, éd. C. H. Winn, Paris, 2001. J'ai appris après avoir entrepris ce travail qu'Éliane Viennot préparait une édition du *Discours docte et subtil* de Marguerite de Valois. Cet ouvrage est paru chez Champion en 1999.

La première période qui correspond au règne d'Henri IV, ce "Roi soldat et provincial" comme dit Marc Fumaroli[1], et à la première moitié du règne de Louis XIII, voit l'humanisme érudit disparaître progressivement. Les cercles aristocratiques abandonnent la culture humaniste pour se tourner vers une "culture vernaculaire, souvent d'origine orale, acquise par et pour la conversation [...] L'honnête homme, cultivé mais non docte, devient l'idéal des mondains" (Timmermans, p. 71) et la grande dame humaniste est pratiquement un phénomène du passé[2]. À la cour et dans les milieux mondains s'établit alors un esprit antiféministe[3]. Témoin la prolifération de pamphlets défavorables aux femmes qui fait naître une extrême sensibilité à la question féminine et déclenche la réaction féministe, notamment la fameuse *querelle des alphabets*[4].

Après 1625 un creux qui s'explique en partie par le fait que les femmes tiennent alors une large place dans la société et le monde des lettres. Les apologies féminines se raréfient (un seul titre : l'*Apologie* de Susanne de Nervèse en 1642) avant que le genre ne connaisse un nouvel essor, dans un registre et un moule nouveau, dans le dernier quart du siècle. La période qui va de la Fronde à la fin du règne de Louis XIV est marquée dans le domaine politique par le triomphe de la monarchie absolue et dans le domaine social et moral par le triomphe de conceptions

---

[1] *L'âge de l'éloquence. Rhétorique et "res literaria" de la Renaissance au seuil de l'époque classique*, Paris, 1994, p. 521.

[2] On ignore la date de la mort de Marie Le Gendre. Cependant son activité littéraire cesse en 1597. La maréchale de Retz meurt en 1603, Marguerite de Valois en 1615.

[3] Cf. Maclean, p. 142 : "in the years of Henri IV's official reign, an atmosphere of masculinity and mild anti-feminism seems to have been predominant at Court".

[4] On désigne ainsi la controverse suscitée par *L'alphabet de l'imperfection et malice des femmes* (1617) d'un certain Jacques Olivier, pseudonyme d'Alexis Trousset, et les nombreuses répliques jusqu'en 1631. Sur cet épisode, voir Albistur et Armogathe, p. 176-177 ; Maclean, p. 30-34.

extrêmement défavorables à la femme[1]. La belle société insiste sur les qualités et le comportement spécifique de chaque sexe ; les milieux plus traditionnalistes s'attachent à maintenir la hiérarchisation des fonctions et des connaissances attribuées aux hommes et aux femmes (Timmermans, p. 352).

Certes, par rapport aux siècles qui précèdent, il semblerait que le dix-septième siècle ait marqué un progrès réel dans le domaine de l'éducation féminine. Le nombre de femmes qui ont accès à la culture va croissant et l'éventail social s'est élargi. La grande majorité d'entre elles appartient encore à l'aristocratie, mais la présence des bourgeoises n'est pas négligeable[2]. Avec les progrès de la Réforme catholique on voit se multiplier les congrégations féminines qui se consacrent à l'éducation des jeunes filles pauvres. Citons pour mémoire le nom de celles qui jouèrent un rôle essentiel dans la fondation ou la propagation des congrégations vouées à l'instruction des filles : Angela Merici, Mary Ward, Jeanne de Lestonnac, Jeanne de Chantal, Louise de Marillac[3].

Cependant, on peut se demander si les mentalités ont véritablement changé. Au siècle précédent, quelques esprits éclairés s'étaient montrés favorables à l'éducation féminine, mais les programmes d'instruction étaient étroitement surveillés et visaient toujours un but unique : celui de former de bonnes épouses, de bonnes mères chrétiennes, de bonnes maîtresses de maison. Au dix-septième siècle nul ne s'étonne plus de voir des femmes cultivées comme le montre bien cette déclaration de

---

[1] L. Abensour, *La femme et le féminisme avant la Révolution*, Paris, 1923, p. xx.

[2] Cf. M. Sonnet, "Une fille à éduquer", in *Histoire des Femmes*, éd. G. Duby et M. Perrot, vol. 3, *XVIᵉ-XVIIIᵉ siècles*, sous la dir. de N. Z. Davis et A. Farge, Paris, 1991, p. 111-139.

[3] Cf. Sonnet, p. 112-115 ; J. Combes Taylor, *From Proselytizing to Social Reform. Three Generations of French Female Teaching Congregations, 1600-1720*, thèse non publiée, Arizona State University, 1980 ; *Les religieuses enseignantes, XVIᵉ-XXᵉ siècles*, actes de la 4ᵉ rencontre d'histoire religieuse à Fontevraud le 4 oct. 1980, Angers, 1981.

François de Souci, escuyer, sieur de Gerzan, dans son *Triomphe des Dames* (Paris, chez l'auteur, 1646, p. 134-135) :

> Paris est maintenant tout remply de Dames, soit de la Cour, ou d'ailleurs, qui accordent tres-judicieusement & delicatement, la science avec l'eloquence, les Muses avec les Graces, & l'art avec la nature. Elles s'expriment avec clarté, elles raisonnent avec jugement. Il n'y a point de profonde doctrine dont elles n'ayent une cognoissance parfaite.

Cependant on est bien loin de les tenir sur un pied d'égalité avec les hommes. Outre la condition inférieure où les tient toujours la loi civile et religieuse (Abensour, p. x), l'"indiscutable dualité de formation grammaticale, littéraire et culturelle" entre les hommes et les femmes de cette époque[1] montre bien que la théorie des deux poids deux mesures n'a pas disparu. D'où la forte présence des femmes dans les milieux mondains alors qu'elles continuent d'être exclues des milieux érudits. Les femmes animent les salons où s'épanouit la pensée. L'autorité du goût leur revient pour les questions de langue et de littérature (on voit se développer l'esthétique de la grâce et du naturel), mais l'arbitrage littéraire des femmes n'est pas accepté pour les grands genres. En outre, le personnage de "la femme sçavante", loin d'être "le symbole triomphant d'un savoir et d'une dignité nouvelle" comme il l'avait été au siècle précédent, évoque désormais "une burlesque figure"[2]. Témoin de cette hostilité à l'égard des femmes savantes, et en particulier, des cartésiennes, les diatribes et les portraits satiriques qui sont légion à la fin du siècle. Après les *Satires* de Boileau et tout spécialement la dixième qui se déclare tout de go "Contre les femmes" (1694), on voit paraître *Les portraits sérieux, galants et critiques* de J. P. Brillon (1696) et plusieurs ouvrages anonymes,

---

[1] R. Duchêne, *Écrire au temps de Mme de Sévigné. Lettres et texte littéraire*, 2ᵉ éd. augmentée, Paris, 1982, p. 72.

[2] On paraphrase É. Berriot-Salvadore, "Les femmes et les pratiques de l'écriture de Christine de Pisan à Marie de Gournay", *Bulletin de l'Association d'Étude sur l'Humanisme, la Réforme et la Renaissance*, 9ᵉ année, n° 16, janvier 1983, p. 52.

parmi lesquels *Les portraits des filles du siècle, Dialogue satirique* (1695), *Contre les femmes sçavantes* (1699), etc.[1]

Il est donc peu surprenant que sur le plan des idées le discours féministe ne connaisse pas de mutations importantes. À la fin du seizième siècle et dans le premier quart du dix-septième siècle (autrement dit, dans les ouvrages appartenant au premier groupe), la question du droit de la femme au savoir reste subordonnée à celle de la supériorité féminine. Les auteurs continuent de sentir le besoin de démontrer les mérites des personnes du Sexe afin de revendiquer un droit qui ne laisse d'être contesté. Dans le dernier tiers du siècle (en particulier dans les ouvrages plus tardifs), les arguments ne changent pratiquement pas, mais le problème du savoir est envisagé dans un contexte plus large et la démarche semble plus philosophique que polémique. L'évolution du genre se fait davantage sentir au niveau des voies d'expression. Dans les premières décennies, le discours féministe se coule dans des traités scolastiques, pédants et méthodiques, qui peuvent prendre des formes variées, plutôt brèves : discours, harangue, apologie. En fin de siècle, par contre, il s'introduit dans des genres hybrides en général peu dogmatiques, réflexions morales, recueils de portraits, de caractères, d'éloges, qui fleurissent dans ces années. En adoptant les pratiques littéraires en vogue, le discours féminin va favoriser un renouvellement et une expansion du genre oratoire.

Un discours en creux

"[A]u rebours de ce que nous avons vu se produire à l'époque moderne, l'antiféminisme précède le féminisme et, par une réaction naturelle, le suscite", dit Léon Abensour (p. v). Or le discours féministe est dès lors un "genre" autonome avec son stock d'arguments, de jugements tout prêts, tout énoncés. On en doit la codification à Henri Corneille Agrippa, dont le *Declamatio de nobilitate et praecellentia foeminei sexus* (composé en 1509, mais

---

[1] Cf. Timmermans, p. 125-132

publié pas avant 1529) sera abondamment réédité, réadapté, retraduit jusqu'au milieu du dix-huitième siècle. Les ouvrages féminins, s'inspirant de cette tradition, reprennent les arguments les plus usés de la querelle des sexes en apportant dans l'ensemble peu de neuf. Ces arguments, on les rappellera ici brièvement. La femme n'est inférieure à l'homme ni par les qualités du corps, ni par celles de l'esprit. La prétendue infériorité intellectuelle des femmes a pour cause principale "l'inique coutume" qui les maintient dans l'ignorance. Les femmes ont non seulement des qualités particulières à leur sexe (la piété, la douceur, la compassion, la finesse, la souplesse d'imagination et une facilité de parole), mais aussi un certain nombre de qualités masculines (le courage, la constance). "Elles sont capables de toutes les disciplines" (S. de Nervèse, *Apologie en faveur des femmes*, p. 86). Privées comme elle le sont d'instruction, elles se montrent plus aptes que les hommes à la conduite des affaires, à l'exercice du pouvoir car elles "sont naturellement sages [...] les esprits en sont sublimes, les raisonnemens fermes, et les executions plus vigoureuses" (*Apologie en faveur des femmes*, p. 86-88). Le savoir n'est ni malséant pour les femmes ni incompatible avec l'idéal féminin de chasteté, d'humilité, de modestie comme on le prétend depuis l'Antiquité. Les droits des femmes ont été spoliés injustement[1]. Les mobiles derrière le projet d'assujettissement et d'exclusion de la femme sont clairs : la jalousie, l'envie et surtout

---

[1] Dans un cas en particulier, la protestation contre l'injustice ressentie se présente comme une véritable plaidoirie judiciaire (*apologia*) pour la défense de l'innocence persécutée :

Le Laurier n'est tousjours au soldat plus agile,
Ny l'arrest favorable à l'Advocat habile,
Le bon droit bien souvent quoy que mal disputé,
Gagne l'effort gaucher du bravache éfronté.
Je ne veux donques plus sous un muet silence
Approuver le mocqueur, condamner l'innocence :
C'est trop, c'est trop souffert, et peu avoir de cœur.
(J. de Miremont, *Apologie pour les Dames*, f. A v v°)
D'où le souci de clarté dans la présentation des arguments et les nombreuses apostrophes lancées à l'intention de l'auditoire.

la crainte que l'émancipation intellectuelle de la femme n'aboutisse au changement des rôles traditionnels réservés aux deux sexes :

> [M]ais je vois bien ce qui les offence et qui leur cause cette envie contre celles qui ont les yeux un peu clairs aux affaires du monde, c'est que [...] si une miserable subjection, à laquelle ilz nous ont tiranniquement soubsmises, ne nous ostoit tous moyens de pratiquer les sciences, ilz seroient contraints de quiter le maniement des affaires plus importantes, pour nous en laisser l'auctorité, comme estant recogneues plus capables qu'eux, de toutes choses grandes et hautes.
> (C. de Brachart, *Harengue*, f. A ij v°-A iij)

La critique a souligné l'ambiguïté inhérente au discours féministe. Est-ce simplement un exercice de virtuose ou l'exposé d'une position personnelle, "une forme–équivoque certes–de déviance et de contestation plus ou moins radicale" (Timmermans, p. 258-259) ? Nées d'un divertissement de lettrés, les protestations et revendications féminines sont intéressantes comme signe de l'état d'esprit féministe de leurs auteurs. Elles montrent bien que les femmes sont conscientes de ce qu'elles valent, de ce qu'elles peuvent, de ce qui leur est dû, conscientes aussi de la force des préjugés et surtout du fait qu'elles sont dans une position d'inégalité. Sur le point de soutenir le paradoxe extrême de l'égalité spirituelle des deux sexes et de se mesurer avec ceux qui sont passés maîtres dans l'éloquence de la chaire ou du barreau, celles-ci se sentent inadéquatement préparées pour le combat :

> Je sçay que j'entrepren un trop loingtain voyage,
> Que je balance mal ma force à mon courage,
> Que mon cœur est aislé, mais qu'il se traine à bas
> Et qu'un zele impuissant ne nous excuse pas.
> (J. de Miremont, *Apologie pour les Dames*, f. A v)

Leur isolement, la passivité générale des intéressées mêmes,

> Mais je me plains à vous, belles et saintes Dames,
> Doctes et grands esprits qui escoutez vos blasmes
> Sans vous en émouvoir ....
> Non, vous ne voulez pas ? vostre esprit tout tranquille
> Veut garder son repos, et que le mien debile

> Signalant ses effects en vainquant face voir
> Combien plus grand effect feroit plus grand pouvoir.
> Je prends donc ce labeur, mais sous vostre conduitte,
> Escortez mes desseins ....
> (J. de Miremont, *Apologie pour les Dames*, f. A v v°-A vj)

ou encore l'hostilité des femmes à l'égard de celles qui s'efforcent d'améliorer la condition féminine, joue à leur désavantage :

> [B]ien loin de se supporter les unes les autres, et de s'unir ensemble pour étudier les sciences et raisonner des choses graves et sérieuses, elles [=les femmes] sont toujoûrs prestes à blâmer celles qui travaillent à se relever de la poussiere de l'ignorance et de la stupidité. Et ces esprits curieux mettent toute leur sagesse à condamner ce qu'ils n'entendent pas ; soûtenant opiniatrement que c'est une vertu de témoigner de l'éloignement et de l'aversion pour la recherche des connoissances qui ne sont pas communes et usitées parmi celles du Sexe.
> (G. Suchon, *Traité de la morale et de la politique*, II, f. A iiij).

Dans leur combat pour la parole et la science, ces femmes ont éprouvé les différences qui existent en pratique à cause des mentalités du temps. Dans la société patriarcale d'Ancien Régime, la parole féminine n'est pas prise au sérieux, dit Marie de Gournay dans son *Grief des Dames* (1626) :

> Eussent les Dames ces puissans argumens de Carneades, il n'y a si chetif qui ne les rembarre avec approbation de la pluspart des assistans, quand avec un souris seulement, ou quelque petit branslement de teste, son eloquence muette aura dit : "C'est une femme qui parle"[1].

À la fin du siècle, G. Suchon note encore : "Tout ce qui vient de l'esprit des femmes étant toûjours suspect à celui des hommes, j'ay été longtemps en doute si je laisserois le Lecteur en suspens pour sçavoir si c'est un homme qui soutient le parti des femmes, ou si c'est une femme qui deffend toutes celles de son sexe" (*Traité de la morale et de la politique*, Preface generale, f. O). Selon elle, la

---

[1] Cf. *Égalité des hommes et des femmes, Grief des Dames*, suivis du *Proumenoir de Monsieur de Montaigne*, éd. C. Venesoen, Genève, 1993, p. 63.

seule manière pour la femme d'affirmer quoi que ce soit, c'est de s'abriter derrière d'incontestables autorités. Ainsi chaque fois qu'elle avance une thèse, elle refuse en même temps de s'en avouer la responsable : "Le Sage nous assure, que la sagesse marche toûjours avec les nobles et vertueuses femmes [...]" (p. 131) Ailleurs, elle s'empresse d'authentifier le dit par le dire de l'Autre: "Les paroles de Dieu rendront cette verité encore mieux établie [...] Je me serviray des sentimens des plus grands personnages de l'Antiquité pour l' [=cette proposition] établir encore plus fortement, et pour la rendre incontestable" (p. 130-131). Marguerite de Valois, probablement parvenue à la même conclusion, songe aussi à déguiser sa voix afin d'être entendue. Sur le point de conclure son *Discours docte et subtil*, elle implore le P. Loryot de le présenter comme sien :

> Ces raisons escrittes par une femme ne peuvent avoir beaucoup de force: mais si elles estoient si heureuses d'estre adoptées de vous, et comme telles despoüillées de mon rude et grossier langage, pour estre revestuës et parées des fleurs de vostre eloquence, et mises au pied d'un de vos chapitres de ce suject, comme vostres : je crois que nostre sexe en recevroit un immortel honneur, pour luy estre par un Autheur si celebre comme vous, attribué telle dignité.
> (f. B iij-B iij v°)

On s'explique aisément que ces femmes aient choisi des moyens détournés (ventriloquisme, masque), qu'elles aient abordé les questions de biais, cherchant à se concilier les esprits de leur temps. Par exemple, elles supputent les avantages que l'émancipation féminine comporte pour l'homme, ou soutiennent que le savoir conjure l'oisiveté ou qu'il engendre la vertu[1]. Aux

---

[1] Au siècle précédent, Catherine des Roches soutenait que le savoir favorisait l'appropriation des vertus indispensables dans le mariage (fidélité, obéissance, soumission), laissant à son lecteur le soin de faire par transfert les déductions qui s'imposent, à savoir les fâcheuses conséquences de l'ignorance féminine : le mépris du ménage et l'émancipation sexuelle.
(PLACIDE) [...] Mais estant guidées par les bonnes letres, elles [=les femmes] ne voudront rien faire, qui ne soit raisonnable. [...]
(SEVERE) Apprendront-elles la Theologie, pour se presanter en chaire,

yeux du lecteur moderne leur approche peut paraître conservatrice. Cependant il importe d'en juger selon la conjecture de l'époque et selon les moyens que ces femmes avaient à leur disposition. Au dix-septième siècle, le discours féminin est un discours en creux qui sous son innocence laisse découvrir la pensée la plus hardie, le questionnement le plus radical :

> Je n'ay point eû d'autre intention en tout ce traité que d'inspirer aux personnes du Sexe des sentimens genéreux et magnanimes *afin qu'elles se puissent garentir d'une contrainte servile, d'une stupide ignorance, et d'une dépendance basse et ravalée.* Ce qu'elles pourront faire tres-facilement si elles suivent ce qui est inseré à ce propos sur chacun de ces sujets, *sans qu'il soit besoin pour cela de se revolter contre les hommes ni de secouër le joug de leur obeïssance, comme firent autre fois les Amazones, que les femmes de ce tems pourront imiter par une force et generosité Chrétienne,* laquelle pour être moins éclatante ne laissera pas d'en être plus utile et plus profitable. *Et sans rien diminuer de la soumission et deference qu'elles doivent à ceux du premier Sexe, elles les laisseront paisiblement dans la possession de tous leurs avantages. Pendant qu'elles feront un bon usage de ceux qu'on ne peut leur refuser sans une tres-grande injustice,* et dont elles ne pourront se priver elles-mêmes que par une extréme stupidité ou notable négligence[1].
>
> (G. Suchon, *Traité de la morale et de la politique,* Preface generale, f. I iiij v° - f. O ; nous soulignons)

Pierre Ronzeaud a noté dans ce traité "l'existence d'une face cachée [...] que révèlent les fulgurations de certaines formules et dont G. Suchon évoque la présence masquée par des allusions à un

---

faire un sermon devant le peuple, acquerir des benefices?
(PLACIDE) Non, mais elles aprendront la parole Divine, pource qu'elle commande aux Femmes d'obeïr à leurs maris, ainsi que l'on peut voir dans Genese. Aiant des enfans, il leur sera plus facile aussi de les maintenir en la crainte de Dieu, de leurs Peres, et d'elles mémes. Davantage, elles se guident heureusement par les preceptes des vertus, qui sont les plus riches Benefices, que l'on puisse acquerir.
Voir *Dialogue de Placide et Severe* (1583), in *Les secondes œuvres,* éd. A. R. Larsen, Genève, 1998, p. 193, 199-200.
[1] Cf. Note sur l'article de P. Hoffmann, *Dix-septième siècle,* n° 121, 1978, p. 277 et n. 2.

non-dit corrosif et dangereux" : "Je pourrois dire beaucoup de choses en cet endroit touchant les transgressions où peuvent tomber les personnes du Sexe, que je passe sous silence pour beaucoup de raisons" (*Traité de la morale et de la politique*, III, p. 103).
Particulièrement éclairante est encore la déclaration qui suit. Mme de Pringy, comme G. Suchon, a l'air de s'accommoder des règles en vigueur, des limites imparties à la femme, mais sous l'approbation, l'ombre de la révolte se profile déjà :

> Il faut chercher le plan d'érudition le plus approuvé, s'arrester à ses régles pour conduire nos connoissances et *lorsque par des maîtres que tout le monde approuve on s'est instruit sur toutes choses, il ne faut pas croire en sçavoir assez.*
> (*Les differens caracteres*, f. H 7 v° - H 8, nous soulignons)

Conformisme d'apparence donc, qui, dans bien des cas, s'avéra autrement efficace que les véhémentes protestations d'une Hélisenne de Crenne ou d'une Marie de Gournay. Celles-ci essuyèrent toutes sortes d'humiliations. Les autres, par contre, gagnèrent l'admiration de leur entourage tout en transgressant les conventions (le silence que respectaient dans l'ensemble les femmes de cette époque) et le rôle qui leur était imparti (celui d'épouse et de mère).

La rhétorique de combat

C'est toute la dialectique aristotélicienne avec ses catégories qui guide l'argumentation, même dans les ouvrages plus tardifs, tout imprégnés des idées de Poullain de la Barre[1]. Pour une

---

[1] À la manière de Descartes, Poullain de la Barre fait table rase de toute la science incertaine, à commencer par les préjugés : "Les hommes sont persuadez d'une infinité de choses dont ils ne sçauroient rendre raison; parceque leur persuasion n'est fondée que sur de legeres apparences, ausquelles ils se sont laissez emporter; et ils eussent crû aussi fortement le contraire, si les impressions des sens ou de la coûtume les y eussent determinez de la même façon" (*De l'égalité des deux sexes*, première partie, Paris, 1984, p. 15).

étude exhaustive qu'on se reporte à l'analyse de M. Angenot (p. 151-172). Il suffira ici d'évoquer les éléments les plus remarquables : la complexité syntaxique, l'archaïsme lexical, la structure imbriquée, l'aspect touffu dû largement à la *division*[1], l'effet de masse obtenu par l'appel à une multiplicité de sources (antiques, scripturaires, patristiques)[2] et à l'accumulation d'arguments (ou "preuves"[3]) et d'exemples (femmes savantes, amazones, femmes modèles de dévouement conjugal, femmes modèles de piété, etc.).

Dès le quatorzième siècle, on voit se développer la mode des listes de femmes illustres suite à la tradition médiévale des *exempla*[4] et à la tradition antique de recueillir les faits et dits mémorables, généralement associée avec Valère Maxime (*Facta et dicta memorabilia*) et Plutarque (*Moralia*). Boccace inaugure le genre (*De claris mulieribus*)[5] mais c'est véritablement Christine de Pisan qui en lance la mode avec *La Cité des Dames* (1405). Au seizième siècle, avec, d'une part, les nombreuses réimpressions et

---

[1] Selon la méthode aristotélicienne on divise la thèse en diverses parties qui sont ensuite examinées successivement afin de créer l'impression que le tour de la question a été effectué.

[2] Les sources, rarement identifiées ou citées avec exactitude, sont appropriées pour servir les buts de l'auteur sans souci de leur sens véritable dans le contexte d'origine. Aussi n'est-il pas surprenant de voir féministes et antiféministes interroger les mêmes passages, les mêmes versets bibliques et en donner des interprétations contradictoires. Cf. C. Venesoen, "Mademoiselle de Gournay et l'érudition classique", *Les Lettres Romanes*, t. XLIII, n° 4, 1989, p. 283-296.

[3] Preuve par la Création *e nomine, ex ordine, e materia, e loco, e conceptione*; preuve par le genre ; preuve par l'étymologie ; preuves historiques, etc. (Angenot, p. 12-14 ; Maclean, p. 25 sq.)

[4] Sur la tradition des *exempla*, voir E. R. Curtius, *La littérature européenne et le Moyen Âge latin*, trad. J. Bréjoux, Paris, 1956, p. 70-75.

[5] On attribue à Laurent de Premierfait la traduction française du *De claris mulieribus* sous le titre *De la louenge et vertu des nobles et cleres femmes* (Paris, Antoine Vérard, 1493). Cet ouvrage constitue la première histoire des femmes. Cf. N. Z. Davis, "'Women's History' in Transition : The European Case", *Feminist Studies*, t. III, n° 3-4, 1976, p. 83-103.

les traductions françaises des textes classiques[1] et, d'autre part, les florilèges comme le *Thesaurus* de Stobée (éd. par Guessner en 1543), les compilations de lieux communs ou autres ouvrages s'en inspirant comme les *Factorum dictorumque memorabilium libri IX* de Baptiste Fulgore (1508), l'*Officina* de Ravisius Textor (1520), les *Antiquae Lectiones* de Cœlius Rhodiginus (1542), etc., très souvent réédités[2], la popularité de ces listes ne cesse de croître. Ce succès s'explique aisément. En tant que mémoire de la culture antique particulièrement admirée et ornement rhétorique caractéristique du style savant, la liste répond au goût humaniste[3]. Du reste, l'énumération d'exemples ressortit à la logique argumentative en conformité avec les prescriptions d'Aristote et de Cicéron[4]. La liste qui peut aller de quelques *exempla* à plus d'une centaine de figures, sert de caution et plus généralement d'illustration.

Comme dit M. Angenot, "[i]l ne s'agit pas pour nos zélateurs de se montrer originaux, mais de s'inscrire dans une continuité où on recherchera avec soin tous les précédents, toutes les traces, au plus loin de la culture antique et de la tradition chrétienne" (p. 52). Du quinzième au dix-huitième siècle, les arguments, les exemples et l'ordre de leur présentation ne changent

---

[1] À la Renaissance on compte plus de 40 éditions en latin des *Facta et dicta memorabilia* et au moins 6 en traduction française. J. Amyot donne une traduction française des *Moralia* qui connaîtra plusieurs réimpressions. Sur la fortune de Plutarque, voir R. Aulotte, *Amyot et Plutarque. La tradition des Moralia au XVIe siècle*, Genève, 1965.

[2] Sur cette tradition littéraire, voir A. Moss, *Printed Commonplace-Books and the Structuring of Renaissance Thought*, Oxford, 1996, ch. VII ; J. Céard, "Listes de femmes savantes au XVIe siècle", in *Femmes savantes, savoirs des femmes*, éd. C. Nativel, Genève, 1999, p. 85-94.

[3] Sur le statut et le rôle de la liste dans le discours apologétique, voir G. Matthieu-Castellani, "Le cas Cornelia. Métamorphoses d'une figure dans le discours féministe", in *Women's Writing in the French Renaissance*, Proceedings of the Fifth Cambridge French Renaissance Colloquium, 7-9 July 1997, Cambridge, 1999, p. 171-186.

[4] Cf. Aristote, *Rhétorique*, I, 2 ; II, 20 ; III, 13-14 & 17 et les *Topiques* (en particulier ch. XIII et XIV), ouvrage dans lequel Cicéron expose de manière concise les éléments de la topique aristotélicienne.

pratiquement pas. Ce qui mérite mention chez les femmes écrivains, c'est le soin qu'elles prennent à décrire leurs héroïnes, le souci d'individuation qui annonce les modifications apportées au genre dans la seconde moitié du dix-septième siècle, suite à la mode des portraits[1] et des *caractères*[2] qui fleurit sous la plume des grands écrivains du temps comme Mlle de Montpensier, Mlle de Scudéry, Mme de La Fayette, La Rochefoucauld et La Bruyère.

J. de Miremont, cherchant à faire connaître les traits admirables de ses héroïnes, relate les épisodes les plus remarquables de leur vie, tout spécialement les faits susceptibles de provoquer l'émotion (admiration et pitié), par exemple les moments de souffrance et de deuil dans lesquels transparaît le mieux le sens du sacrifice, la grandeur et la dignité de la femme[3]. Le catalogue, exploité à des fins nouvelles (pour sa portée émotionnelle plus encore que pour sa valeur démonstrative ou illustrative), se rapproche des genres à la mode dont il a été fait mention plus haut[4].

---

[1] La mode du portrait littéraire se développe en parallèle avec celle du portrait peint. Voir R. Crozet, *La vie artistique en France au XVIIe siècle (1598-1661)*, Paris, 1954. Timmermans a souligné la part prise par les femmes dans la mode du portrait littéraire lancée par Mlle de Montpensier (p. 179-180). Sur la technique du portrait, voir aussi J. Plantié, *La mode du portrait littéraire dans la société mondaine (1641-1681)*, thèse Paris-Sorbonne, 1975 ; J. Lafond, "Les techniques du portrait dans le *Recueil des portraits et éloges*", *Cahiers de l'Association Internationale des Études Françaises*, n° 18, 1966, p. 139-148 ; Erica Harth, *Ideology and Culture in Seventeenth-Century France*, Ithaca & London, 1983, ch. 3 ; F. E. Beasley, "Rescripting Historical Discourse : Literary Portraits by Women, *Papers on French Seventeenth Century Literature*, n° 27, 1987, p. 517-535.

[2] Les *Caractères* de la Bruyère furent l'ouvrage du siècle le plus admiré. On ne compte pas moins de neuf éditions entre 1668 et 1696.

[3] Sur ces mises en scène et autres techniques visant à solliciter les sens comme l'hypotypose (la vue) et l'emploi du discours direct (l'ouïe), voir notre article "Portraits d'épouses exemplaires dans l'*Apologie pour les Dames* de Jacqueline de Miremont (1602)", in "Le mariage sous l'Ancien Régime", éd. Claire Carlin, *Dalhousie French Studies*, 2001.

[4] Dans l'*Apologie*, le portrait prend la forme d'un collage. C'est une sorte de bricolage (assemblage) réalisé par la juxtaposition d'images diverses capables d'éclairer les aspects multiples et variés de la personnalité féminine.

J. Guillaume consacre tout un volume aux "Dames renommées pour leur science" dans le paganisme, dans la chrétienté, en France et dans le reste du monde[1]. Elle trace elle aussi de longs portraits de femmes, à la suite desquels elle donne "une rapsodie de [leurs] differents ouvrages [...] pour faire admirer [leur] Esprit". En ce sens on pourrait dire que *Les Dames illustres* constitue la première anthologie de textes scientifiques écrits par les femmes[2]. Cependant J. Guillaume "s'interdit" de nommer les auteurs "par l'obeissance qu'elle leur doit" et condamne à l'anonymat celles à qui elle prétendait redonner la voix. Elle dit aussi son admiration pour les femmes lettrées du siècle précédent et pour ses contemporaines et évoque quelques noms, parmi lesquels celui de Marie de Gournay, d'Anne Marie de Schurman et de Mlle de Scudéry.

G. Suchon consacre elle aussi un chapitre aux femmes de son temps qui se sont illustrées dans la poésie. Mais, au lieu d'identifier le nom de celles-ci afin de leur rendre l'honneur qui leur revient, elle se contente de citer le nom de ceux à qui les auteurs féminins pourraient être comparés :

> Il s'est trouvé en ce siecle un trés-grand nombre de personnes du beau Sexe qui ont si bien reüssi dans la Poësie, que si leurs ouvrages étoient mis en lumiere, elles pourroient être comparées aux Godeaux, aux Corneilles aux Malherbes ...
> (*Traité de la morale et de la politique*, II, ch. 21, p. 144).

L'habitude de rendre hommage à des contemporaines, étrangère aux traités féminins du dix-septième siècle[3], naît "en dehors de la querelle des femmes [...] sous l'impulsion de genres à l'honneur

---

[1] Vers ces années-là le catalogue des femmes savantes va supplanter celui des femmes illustres.

[2] Pour un répertoire des "Dames Françaises illustres en science", voir le P. Dinet, *Le théâtre françois des seigneurs et dames illustres* (1642), ch. XII, p. 54-59.

[3] Au seizième siècle, par contre, il n'est pas rare de louer ses contemporaines. Cf. Hélisenne de Crenne, *Epistres invectives* (1539), IV ; Marie de Romieu, *Brief discours que l'excellence de la femme surpasse celle de l'homme* (1561); Catherine des Roches, *Dialogue de Placide et Severe* (1583).

dans la haute société : l'épître dédicatoire et le portrait littéraire, tous deux caractérisés par une tendance à l'éloge hyperbolique" (Timmermans, p. 255, n. 119). Une autre particularité des traités féministes de cette époque est leur caractère paradoxal. Le genre du paradoxe, on le sait, avait connu un immense succès au seizième siècle[1]. Riposte aux critiques injustifiées dont la femme a fait l'objet, ces textes sont construits sur le simple renversement de l'opinion (la *doxa*). La rétorsion qui consiste à retourner contre l'opinion établie ses propres textes, ses autorités, ses arguments[2], "est le seul mode de critique concevable dans une société à monovalence idéologique", dit Angenot (p. 162).

Dans les textes féminins, la démarche paradoxale prend des formes multiples et variées. Marie Le Gendre par exemple prend le contrepied de l'opinion répandue par certains "Qu'il vault mieux estre ignorant que sçavant"[3]. J. Guillaume met l'accent sur le caractère paradoxal de la position adverse :

> Bien que la Science soit un don de Dieu, l'ornement, et la beatitude de la principale puissance de l'ame raisonnable, l'elevant dans la jouïssance de son objet, qui est la verité, et la delivrant de deux ennemis qui l'attaquent à son insçeu, l'ignorance des choses qu'elle doit faire, et de plus celles qu'elle doit eviter : nonobstant tous les grands

---

[1] Voir R. Colie, *Paradoxia Epidemica*, Princeton, 1966 ; N.N. Condeescu, "Le paradoxe bernesque dans la littérature française", *Beiträge zur romanischen Philologie*, II, 1963, p. 27-51 ; A. E. Malloch, "The Technique and Function of the Renaissance Paradox", *Studies in Philology*, III, 1956, p. 191-203 ; *Le paradoxe au temps de la Renaissance*, Paris, 1982 ; A. M. Tomarken, *The Smile of Truth. The French Satirical Eulogy and its Antecedents*, Princeton, 1990.

[2] "La réversion fait revenir sur eux-mêmes, avec un sens différent, et souvent contraire, tous les mots, au moins les plus essentiels d'une proposition". Cf. P. Fontanier, *Les figures du discours*, Paris, 1977, p. 381.

[3] Cf. Charles Estienne, *Paradoxes, Declamation III*. Libre adaptation des *Paradossi* d'Ortensio Lando, publiés à Lyon anonymement en 1543, les *Paradoxes* parurent dix ans plus tard et connurent une faveur sans pareille jusqu'au milieu du dix-septième siècle (19 éditions entre 1553 et 1638). Dans *Les Dames illustres*, seconde partie, ch. I, J. Guillaume reprend presque mot à mot la troisième déclamation (*Paradoxes*, p. 40-43).

avantages que nous en tirons, il s'est rencontré des hommes [...] qui
neantmoins ont voulu faire croire qu'ils en faisoient tres peu d'estime.
(*Les Dames illustres*, seconde partie, ch. I, p. 181)

Soutenir que l'ignorance est préférable au savoir après
l'énumération de ses nombreux bienfaits, ce serait donner la
preuve même de sa sottise. G. Suchon adopte la même stratégie.
Elle dénonce avec force la débilité de l'argumentation adverse,
mais consciente du risque qu'elle prend, elle invoque plusieurs
autorités (Dieu, s. Augustin, Sénèque), qui viendront renforcer sa
propre position et rendront plus éclatant l'illogisme de son
adversaire :

> Ce seroit non seulement contrarier la raison, mais encore s'opposer à la
> creance Catholique, de soutenir que la difference des sexes se trouve
> entre les ames aussi bien que dans les corps, puisqu'elles sont toutes
> également creées de Dieu et formées à son image et ressemblance.
> (*Traité de la morale et de la politique*, p. 128)

En guise de conclusion elle déclare simplement :

> Bien que tous ces raisonnemens fondez sur les choses naturelles et sur
> les proprietez de l'être, soient assez puissans pour prouver que les
> personnes du beau sexe sont capables de la connoissance des lettres : les
> paroles de Dieu rendront cette verité mieux établie.
> (p. 130)

Enfin, à partir de l'opinion communément admise ou présentée
comme telle, C. de Brachart tire des conséquences qui mettent en
cause la crédibilité des affirmations adverses : "si la science n'a de
soy rien de deffectueux, comme on me le doit avoüer, les effectz
n'en peuvent estre que bons" (f. A j v°).

La réfutation cependant ne se borne pas toujours à
renverser une thèse en sapant les unes après les autres les preuves
adverses. Elle peut prendre une forme indirecte, par exemple viser
à disqualifier l'adversaire lui-même en le donnant à voir sous un
aspect peu flatteur ou encore en dévoilant les véritables raisons ou
mobiles de sa position (attaques *ad hominem*). Le plaidoyer
s'adresse alors à la passion plutôt qu'à la raison. Le *pathos*,
souvent considéré comme la preuve capitale, inspira de nombreux

traités des passions qui alimentent la longue tradition rhétorique.
Dans l'exemple qui suit, S. de Nervèse, cherchant à déprécier
l'adversaire, fait d'abord apparaître les contradictions entre ses
actes et ses paroles puis elle l'accuse de donner au faux un air de
vraisemblance :

> L'esprit de l'homme a tant de differents mouvemens, qu'il semble qu'il
> veüille tirer la gloire de la honte de ses contradictions ; et c'est
> injustement qu'il s'atribuë les advantages d'une forte raison, puis qu'il
> n'agist jamais qu'il n'en tesmoigne la foiblesse : Ce beau sexe que la
> nature a doüé de toutes les graces, *que quelque ignorant veut faire
> passer pour un defaut de son pouvoir ou de sa matiere*, releveroit son
> éclat avec tous les advantages que son autheur luy a communiquez, si
> sa seule modestie n'en arrestoit le premier instant.
> (*Apologie en faveur des femmes*, p. 83-84; nous soulignons)

L'arbitraire est tenu pour la sagesse, c'est en quelque sorte le
monde à l'envers (*mundus inversus*). Autre représentation
déconcertante, celle d'un monde qui s'effondre, désormais privé
de valeur (thème de la dégénérescence morale) donc de sens :

> Je ne puis assez m'estonner de la perversité d'une grande partie du
> monde qui foulant aux piedz la vertu veult deffendre l'usage à ceux, qui
> par une labourieuse estude, desirent s'en rendre capable.
> (C. de Brachart, *Harengue*, f. A j v°)

Évoquer l'atteinte portée aux valeurs les plus fondamentales selon
la *doxa* éthique du temps (la vertu foulée chez C. de Brachart,
l'innocence souillée chez J. de Miremont) ou encore les conduites,
les actions propres à exciter la passion, par exemple les abus de
pouvoir, la médisance, l'envie, en particulier lorsque celles-ci ont
pour les autres des conséquences graves, sont autant de procédés
qui visent à discréditer l'ennemi des personnes du Sexe afin
d'emporter l'adhésion affective du lecteur. La recherche de
l'efficacité conduit à utiliser toutes les armes possibles : le portrait

satirique, la caricature[1], l'appel aux faits susceptibles de provoquer l'émotion, l'usage de mots comportant des charges affectives, le sarcasme, l'ironie, l'invective. L'*Apologie* de J. de Miremont tout particulièrement surprend par sa charge de passion et l'absolu des formules critiques. Dès les premiers vers, le discours féminin qui semble naître de l'incapacité de l'auteur de contenir plus longtemps son émotion (la colère, l'indignation) et la parole que la société lui dénie, atteint au pathos maximum :

> Sortez, sainctes fureurs, sortez, mes justes plaintes,
> Renforcez vos souspirs, aigrissez vos complaintes,
> L'impudent soit muet, l'ignorant soit transi,
> Vaincu des veritez que vous peindrez icy.
> (f. A v)

J. de Miremont transgresse ici les règles spécifiques au genre oratoire, le proème (*proemium*) étant généralement défini comme "le commencement d'un discours par lequel on tasche d'abord de disposer l'Auditeur à estre favorable & attentif"[2]. Elle transgresse

---

[1] Marie de Gournay excelle à l'art de la caricature. Le passage qui suit, tiré du *Grief des Dames*, dénonce la tyrannie masculine qui s'exerce au dépens de la femme qui s'arroge le droit de prendre la parole en public : "Tel rebutte pour aygreur espineuse, ou du moins pour opiniastreté, toute resistance d'elles contre son jugement, pour discrette qu'elle se montre ; [...] Un autre s'arrestant par foiblesse à my chemin, soubs couleur de ne vouloir pas importuner personne de notre robe, sera dit victorieux et courtois ensemble. [...] Cestuy-cy sera frappé, qui n'a pas l'entendement d'appercevoir le coup rué d'une main féminine. Et tel autre l'apperçoit, qui pour l'éluder tourne le discours en risée, ou bien en escopetterie de caquet perpetuel, ou le destord et divertit ailleurs, et se met à vomir pedentesquement force belles choses qu'on ne luy demande pas ; ou par sotte ostentation l'intrigue et confond de bastelages logiques, croyant offusquer son antagoniste par les seuls esclairs de sa suffisance, de quelque biais ou lustre qu'il les estale. Telles gens scavent, d'autre part, combien il est aisé de faire profit de l'oreile des spectateurs [...] Ainsi pour emporter le prix, il suffit à ces messieurs de fuir les coups, et peuvent moissonner autant de gloire qu'ils veulent espargner de labeur" (p. 63-65).

[2] Cf. René Bary, *La rhetorique françoise*, À Paris, chez Pierre Le Petit, 1653, 2e partie, p. 206.

aussi les règles de l'honnête débat et le comportement spécifique de son sexe, modération, discrétion, retenue, maîtrise de soi. On a souligné ailleurs la dimension autoréférentielle de la polémique féminine, dont la manifestation la plus évidente est cet engagement personnel, entendre "de toute la personne"[1]. On notera l'emploi de la première personne du singulier et du pluriel, du "nous" collectif, du "nous" de participation, qui montre la conscience que ces femmes ont de participer d'une même histoire, d'une même culture, de combattre le même adversaire, de lutter pour la même cause. Parler au nom de l'Autre, parler en faveur des femmes, c'est bien évidemment une manière de légitimer la prise de parole, de parler de soi en restant à l'intérieur des limites imparties à la femme. D'une manière générale, l'incapacité de se distancier d'une situation trop proche de soi se traduit par une éloquence qui relève davantage de l'ordre des passions que de la rationalité démonstrative, et donne à l'écriture féminine ce côté si manifestement transgressif. C. de Brachart arrive à la conclusion de sa *Harengue*, encore toute animée de sa rancune à l'égard des hommes[2] :

> Voila sur quoy j'ay conçeu mon discours en ferme creance que ces messieurs nous voudroient veoir des pauvres imbecilles affin de servir comme d'un ombre pour donner tousjours davantage de lustre à leurs beaux espritz.
> (f. A iiij v°)

G. Suchon clôt son propos par un mandat qui porte le germe de la révolte :

> En un mot, qu'elles [=les femmes] aiment mieux être spirituelles et censurées, que d'être rampantes et avoir l'approbation des hommes.
> (p. 137)

---

[1] Voir "Les femmes et la rhétorique de combat : argumentation et (auto) référentialité", in *Femmes savantes, savoirs de femmes*, p. 39-50.

[2] La péroraison réaffirme la thèse de départ en indiquant une dernière fois l'enjeu du débat. Elle appelle d'ordinaire un changement de ton.

Chez M. de Valois, par contre, l'effort de distanciation se fait sentir davantage et l'expression de la désapprobation demeure dans les limites de la conversation courtoise :

> J'oseray [...] vous dire que, poussée de quelque ambition pour l'honneur et la gloire de mon sexe, je ne puis supporter le mespris où vous le mettez, voulant qu'il soit honoré de l'homme pour son infirmité et foiblesse; Vous me pardonnerez si je vous dits, que l'infirmité et foiblesse n'engendrent point l'honneur, mais le mespris et la pitié.
>
> (*Discours docte et subtil*, f. B j v°)

L'efficacité du propos dépend aussi de l'image oratoire (*ethos*) comme le montre bien Gilles Declercq : "C'est une condition technique et intrinsèque du processus de persuasion" [1]. La femme de la Renaissance cherchait à légitimer sa prise de parole en se parant des qualités féminines susceptibles d'inspirer la confiance publique : humilité, modestie, honnêteté, vertu. Elle évoquait le bien qu'engendre l'application aux sciences, outre l'enrichissement spirituel, l'amélioration de l'âme, et prétendait n'avoir d'autre but que celui de poursuivre la vertu[2]. Au dix-

---

[1] *L'art d'argumenter. Structures rhétoriques et littéraires*, Paris, 1992, p. 47.

[2] Cf. Madeleine des Roches, *Les œuvres*, éd. A. R. Larsen, Genève, 1993, p. 82, "Epistre à ma fille" : "La lettre sert d'une saincte racine,/Pour le regime, et pour la medecine ; /La lettre accroist le cueur du vertueux". Louise Labé sacrifie aux préjugés de la modestie féminine, alléguant que ce n'est que sur les instances de ses amis qu'elle a consenti à publier ses écrits. L'image oratoire est d'autant plus puissante qu'elle est légitimée par l'Autre masculin (*Epistre dedicatoire A.M.C.D.B.L.*). Chez Hélisenne de Crenne, par contre, l'évocation de l'Autre ne vise pas tant à légitimer l'entrée en littérature qu'à intimider l'adversaire :

> O que ce m'est une inestimable felicité, quand je medite que mes livres ont leurs cours en ceste noble Parisienne cité : Laquelle est habitée d'innumerable multitude de gens, merveilleusement scientificques, & amateurs de l'amenité, doulceur & suavité, qui se retreuve en la delectable accointance de Minerve.
>
> (*Les epistres invectives*, IV, éd. J. C. Nash, Paris, 1996, p. 154)

Par l'image ostentatoire et vindicative qu'elle donne souvent d'elle-même et par son refus catégorique de se conformer à ce que les Classiques appelaient "l'honnêteté oratoire" ou même d'en jouer (comme le fait Louise Labé), Hélisenne de Crenne fait figure d'exception.

septième siècle on voit se développer une nouvelle image oratoire qui met en lumière les qualités intellectuelles de la femme (plutôt que la personnalité morale), et en particulier, la compétence technique. M. de Valois déclare d'emblée qu'elle parle en connaissance de cause, "sans sortir du suject qui est propre à ma foible cognoissance [...], ains m'appuyant sur ce commun dire, que chacun doit estre sçavant en son propre faict" (f. B j v°). C. de Brachart parle comme une personne pleine de bon sens, capable de se prononcer sur n'importe quelle question :

> [I]lz veuillent dire que la science est propre et particuliere aux hommes et non pas à ce sexe qu'ilz appellent fragille, et qui doit retenir son ancienne simplicité. Je leur respons à cela qu'il faut que la simplicité soit au cœur et en la conscience et non en l'esprit car c'est celle que Dieu demande de nous et d'eux aussi [...] ; s'ilz m'aleguent des femmes scavantes qui ayent fait une mauvaise fin, je leur en puis bien amener d'autres de qui la vertu est assez celebre et claire pour confondre la difformité de ces forlignantes de la vraie regle.
> (f. A ij v°-A iij v°)

G. Suchon se montre à nous comme une redoutable dialecticienne qui n'hésite pas à exposer les fautes de raisonnement de son adversaire. Cependant, on l'a vu plus haut, c'est toujours sous le couvert d'une autorité qu'elle avance son point de vue. Cette attitude tantôt d'une hardiesse surprenante, tantôt d'une modestie extrême, explique l'image paradoxale que les femmes donnent d'elles-mêmes ainsi que l'ambiguité de leurs écrits.

Même si toutes ces protestations et revendications féminines n'ont pas la même valeur littéraire, toutes sont d'un très grand intérêt : elles nous permettent de retracer les fortunes d'un *genre*, elles éclairent une prise de conscience féministe naissante, elles marquent un moment capital dans l'histoire du féminisme français. Elles n'ont pas eu d'influence directe sur la situation concrète de la femme du dix-septième siècle. Car leurs auteurs ne réclamaient aucun amendement aux lois, ne remettaient en cause ni les institutions, ni les structures traditionnelles de la société. Il n'empêche que les questions essentielles avaient été posées. On trouve là l'expression d'une pensée proprement féministe[1], non plus imaginée par des panégyristes bénévoles, mais clairement formulée par celles qui sont directement concernées. Le discours féministe du reste a eu un profond retentissement sur le mouvement féministe du dix-septième siècle, même dans la deuxième moitié du siècle, alors qu'il disparaît comme genre autonome[2]. Il n'a pas "ferm[é] la bouche" aux détracteurs du sexe, comme le prétend Marguerite Buffet dans ses *Nouvelles observations sur la langue françoise* (À Paris, chez Jean Cusson, 1668, p. 276), mais il a contribué largement à la bonne réception d'ouvrages on ne peut plus subversifs pour l'époque, parmi lesquels *De l'égalité des deux sexes* de Poullain de la Barre (1673).

Organisation du volume et principes d'édition

Les rapprochements qui s'imposent entre ces ouvrages, ont dicté l'organisation du volume. En outre, on a jugé bon d'ouvrir un recueil sur les bienfaits de la science par un *discours* combattant l'ignorance et ceux qui cherchent à maintenir les femmes dans cet état sous le prétexte de l'importance de la chasteté pour la femme. *L'exercice de l'ame vertueuse* (1597), d'où provient le premier discours, ne ressortit pas à la veine polémique (Marie Le Gendre se fait rarement l'avocat de son sexe), mais à la littérature morale de la fin du seizième siècle. Cependant il nous a paru intéressant d'inclure ce texte afin de montrer l'ampleur que prit alors le débat sur la question du savoir. On suivra avec intérêt les modifications que Marie Le Gendre fait subir à la cause qu'elle défend (l'apologie de la science dans la tradition humaniste dont elle se réclame) pour se lancer à son tour à la défense des femmes et

---

[1] Dans le cas de G. Suchon, P. Hoffmann parle d' "un féminisme intérieur, spirituel". Cf. "Le féminisme spirituel de Gabrielle de Suchon", *Dix-septième siècle*, n° 121, 1978, p. 274.

[2] "En effet, la revalorisation de la femme passe alors souvent par l'affirmation de sa supériorité ou, du moins, par l'adhésion à une partie des thèses soutenues par les apologistes de la supériorité féminine" (Timmermans, p. 265 ; voir aussi p. 259-266).

revendiquer leur droit au savoir. D'esprit tout différent est la *Harengue faicte par damoiselle de Brachart* (1604), bien qu'elle reprenne pratiquement les mêmes thèmes. L'attitude défensive et le ton partisan caractérisent bien les traités de cette époque particulièrement défavorable aux femmes. Le plaidoyer de Marguerite de Valois en réponse aux *Secretz moraux concernans les passions du cœur humain* (1614) du Père François Loryot a pour thème la supériorité morale de la femme et s'inscrit dans la tradition de la dignité des femmes qui vit le jour en Italie en 1525 avec le fameux traité de Galeazzo Flavio Capra (Capella en latin) sur l'excellence et la dignité des femmes (*Della eccellenza e dignità delle donne*). On a mis l'une à la suite de l'autre les deux *apologies*, en premier celle de Susanne de Nervèse qui, bien qu'elle ne paraisse qu'en 1642, se rattache davantage par sa brièveté, l'esprit franchement scolastique qui l'anime et les arguments qui y sont invoqués, aux textes qui précèdent. On y trouvera brièvement esquissé l'art de la conversation féminine qui devient à l'époque où S. de Nervèse écrit la mesure de l'esthétique mondaine. L'*Apologie pour les Dames* de Jacqueline de Miremont, publié en 1602, annonce par son aspect massif et le souci d'exhaustivité les textes qui suivent et par l'attention portée aux caractéristiques psychiques de ses héroïnes la mode des portraits et celle des *caractères* qui connaîtront leur apogée dans le dernier tiers du siècle. Les trois derniers textes, extraits d'ouvrages touffus visant à démontrer non seulement la supériorité intellectuelle, mais toutes sortes de supériorités de la femme, illustrent l'élargissement du genre au milieu du dix-septième siècle, et en particulier, la floraison de genres divers (réflexions morales, éloge, portrait), auxquels les auteurs empruntent librement.

Les notices bio-bibliographiques, les annotations en bas de page, un glossaire et un index des noms propres faciliteront la lecture des textes et permettront aux lecteurs qui le souhaitent de prolonger plus avant leurs recherches.

Nous avons rendu u et i consonnes par v et j, résolu les abréviations, ajouté quelques apostrophes et cédilles. Nous avons aussi accentué à préposition, dès, jà, là, où adverbes. L'accent aigu a été mis pour indiquer l'e fermé final. L'emploi des majuscules a été reproduit tel quel. La ponctuation a été normalisée dans certains cas pour faciliter la lecture des textes. Nous avons corrigé les coquilles évidentes et avons indiqué dans les notes la nature de nos interventions.

* * *

Je souhaite remercier ceux qui m'ont fait bénéficier de leur savoir lors de la réalisation de cet ouvrage, et en particulier, Alain Vizier, Claire Carlin, George Pepe et Constant Venesoen. Enfin j'adresse une pensée à la mémoire de Michel Simonin. Son érudition, sa passion et ses nombreux ouvrages sur le seizième et le dix-septième siècle continueront d'être une source d'inspiration.

TEXTES

L'EXERCICE
DE L'AME
VERTVEVSE,

DEDIÉ

A TRES-HAVTE,

TRES-ILLVSTRE, ET
tres-vertueuse Princesse, Madame
la Princesse DE CONTY.

PAR MARIE LE GENDRE
DAME DE RIVERY:
Reueu, corrigé, & augmenté par elle-mesme
d'vn Dialogue des chastes Amours
d'EROS, & de KALISTE.

A PARIS,

Chez GILLES ROBINOT,
à l'enseigne de L'abre sec
pres S. Iean de Latran.

M. D. LXXXXVII.

Auec Priuilege du Roy.

Marie Le Gendre, *L'exercice de l'ame vertueuse* (1597)
8⁰ B. L. 20993 (page de titre)
Paris, Bibliothèque de l'Arsenal

Pl. 1

MARIE LE GENDRE, DAME DE RIVERY

La vie de Marie Le Gendre est mal connue. Plusieurs pièces liminaires suggèrent qu'elle a été en relation avec des personnages haut placés, notamment la Princesse de Conty à qui elle adresse le seul ouvrage qu'il nous reste d'elle[1]. *L'exercice de l'ame vertueuse*, publié en 1597 (l'achevé d'imprimer date de 1596), n'est pas passé inaperçu à l'époque. François Le Poulchre, sieur de La Motte-Messemé, en loue les mérites dans son *Passe-temps* (À Paris, chez Jean Le Blanc, 1595, f. 33 v°) :

> L'exercice de l'ame vertueuse, composé & mis en lumiere de n'agueres par Marie Le Gendre Dame de Rivery, semble se faire adjuger la préeminence tant de bien faire un vers tragique, & expressif de sa passion, que bien escrire en prose, en l'eslite des belles dictions en l'elegance de ses phrases à mon advis peu imitables, & en la disposition de sa matiere qu'elle traite avec un artifice merveilleux, uniforme & tousjours semblable à soy-mesme.

Cependant le succès de cet ouvrage n'a guère dépassé le seizième siècle.

Outre les douze discours contenus dans ce volume et publiés une première fois dans l'édition de 1595 du *Cabinet des saines affections*, ouvrage attribué à présent à Madeleine de L'Aubespine[2], Marie Le Gendre a composé un dialogue dans la tradition néoplatonicienne et des poèmes de qualité inégale dans lesquels elle déplore les douleurs du veuvage et s'efforce de concilier la morale chrétienne et la philosophie stoïcienne. Les *Stances,* publiées pour la première fois dans les *Saines affections* (1595), ont été réimprimées l'année suivante dans *L'exercice.* Les

---

[1] Jeanne de Bonnétable, dame de Lucé et de Cœsmes, veuve de Louis de Montafié, baron de Lucé, épousa François de Bourbon, Prince de Conti en 1581. Cf. "À tres-haulte, tres-illustre, et tres-vertueuse Princesse, Madame la Princesse de Conty" (*L'exercice,* f. A ij-A iij).

[2] Voir notre édition critique, Madeleine de L'Aubespine, *Cabinet des saines affections*, Paris, 2001.

Sonnets à Monsieur de Rivery et le *Dialogue des chastes Amours d'Eros, et de Kalisti* sont parus uniquement dans ce recueil. Les discours présentent de nombreux traits en commun avec les débats prononcés à l'Académie du Palais qui réunissaient sur l'ordre du roi Henri III l'élite intellectuelle française, Ronsard, Baïf, Belleau, Jamyn, Du Perron et Pibrac[1]. Par les questions qui y sont abordées (la pratique des vertus, le gouvernement des passions, la connaissance de soi), ils rappellent aussi les *Essais* de Montaigne[2] et par delà toute la littérature morale de la fin du seizième siècle[3].

Le discours reproduit ci-dessous est tiré de la dernière édition des discours. Cette édition "revue, corrigée, augmentée" aurait pu être publiée du vivant de l'auteur. L'exemplaire que nous avons consulté se trouve à la Bibliothèque Mazarine sous la cote 27909.

L'EXERCICE// DE L'AME VERTUEUSE// DEDIE// A TRES-HAUTE,// TRES-ILLUSTRE, ET// tres-vertueuse Princesse,

---

[1] Voir notre étude "Les *discours* de Marie Le Gendre et l'Académie du Palais: quelques repères et définitions", in *La femme lettrée à la Renaissance/De geleerde vrouw in de Renaissance*, éd. M. Bastiaensen, Bruxelles, 1997, p. 165-175. Sur l'Académie du Palais, voir É. Frémy, *L'Académie des derniers Valois (1570-1585)*, Paris, 1887 ; R. Sealy, *The Palace Academy of Henri III*, Genève, 1981; F. A. Yates, *The French Academies of the Sixteenth Century*, London, 1947.

[2] Selon L. Warner, les *Saines affections* se trouvaient sur les étagères d'Abel L'Angelier bien avant les *Essais* de Montaigne. Guillaume du Vair, découvrant le "petit livre", eut l'idée d'entreprendre à son tour l'ambitieux projet de restaurer la pensée antique (*La philosophie morale des Stoïques*, 1585) : "J'ay veu un petit livre qui m'a bien pleu, pour estre plein de belles & graves sentences, pour affermir noz esprits en un tel temps que cestui-cy. Il m'a faict envie de repasser sur les livres des Stoïques, & y cercher quelque consolation" ("Au lecteur", in *Le manuel d'Epictète*, À Paris, chez Abel L'Angelier, 1591, f. A ij). Sur l'histoire de la publication et de la réception des *Saines affections*, voir L. Warner, "Marie Le Gendre, the *Saines affections* and Moral Thought in the Late Sixteenth Century", in *Women's Writing in the French Renaissance*, p. 221-238.

[3] Sur les *discours*, les sources classiques et les écrits moraux de la fin du seizième siècle, voir l'introduction à notre édition critique (Paris, 2001). Voir aussi L. Zanta, *La renaissance du stoïcisme au XVIe siècle*, Paris, 1914.

Madame// la Princesse DE CONTY.// PAR MARIE LE GENDRE// DAME DE RIVERY : // Reveu, corrigé, & augmenté par elle-mesme// d'un Dialogue des chastes Amours// d'Eros, & de Kalisti// A PARIS,// CHEZ CLAUDE MICARD// à l'enseigne de la Bonne Foy// pres S. Jean de Latran.// M. D. LXXXXVII.// Avec Privilege du Roy.//

Autres exemplaires consultés :

Bibliothèque Mazarine (27909A)
Bibliothèque de l'Arsenal (8⁰ B. L. 20993)

L'EXERCICE
DE L'AME
VERTVEVSE,

DEDIÉ
A TRES-HAVTE,
TRES-ILLVSTRE, ET
tres-vertueuse Princesse, Madame
la Princesse DE CONTY.

PAR MARIE LE GENDRE
DAME DE RIVERY:
Reueu, corrigé, & augmenté par elle-mesme
d'vn Dialogue des chastes Amours
d'EROS, & de KALISTE

A PARIS,
Chez CLAVDE MICARD
à l'enseigne de la Bonne Foy
pres S. Iean de Latran.

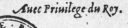

M. D. LXXXXVII.

Auec Priuilege du Roy.

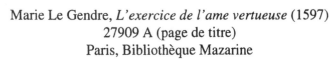

Marie Le Gendre, *L'exercice de l'ame vertueuse* (1597)
27909 A (page de titre)
Paris, Bibliothèque Mazarine

Pl. 2

L'EXERCICE DE L'AME VERTUEUSE

(1597)

DE L'IGNORANCE

DISCOURS VII

L'ignorance est le defaut en l'homme le plus insupportable
et incommodant de tous[1] : Et qu'il ne soit

---

[1] La première partie du discours s'attache à renverser la thèse adverse "Qu'il
vaut mieulx estre ignorant que sçavant". On comparera à Charles Estienne,
Paradoxes, Declamation III. Afin de saisir plus clairement la démarche, on
reproduit le passage en question : "Plus je y pense, et plus je me resouds et arreste
en ceste opinion, que mieux vault n'estre sçavant aux lettres que d'y estre tant
expert ou entendu, puis que ceux qui ont consumé la meilleure partie de leur aage
à l'estude des sciences s'en sont à la fin repentis, et souvent mal trouvez. [...]
Vous plaist-il, que je vous montre comment ces lettres, ainsi qu'une Circe,
transforment ceux qui s'adonnent à elles, et leur oster [*sic*] grande partie de leur
naturel? Trouvez un jeune homme bien deliberé et dispos de sa personne, affable,
poly, et garny de ce qui se peut dire estre bien seant à son aage ; faictes le mettre
à ces lettres, vous le trouverez en peu de temps lourdaut, mal propre, inepte à
toutes choses, et qui hors de ces livres demeurera tout cours en propos, comme le
poisson hors de l'eau. Je vous prie considerez le visage de ces pauvres gens
d'estude, comment ils sont tristes, melancoliques, haves, affreux, langoureux,
catareux, plombez, somme approchant au pourtraict d'une mort contrefaicte ou de
quelque anatomie seche. Et quant à leurs complections, ce sont les [plus] difficiles
à choyer que l'on sache trouver entre les hommes, tousjours ont suspicion de
quelque meschanceté, tant sont malings, et au demeurant haultains, presomptueux,
mesprisans toutes honnestes compagnies, ennemis mortelz de ce noble et tant
doux sexe feminin, vanteurs au possible, luniques, et grans planteurs de bourdes"
(*Paradoxes*, éd. T. Peach, Genève, 1998, p. 83 et 86).
Bien évidemment, on pourrait rapprocher aussi ce discours de
Montaigne, *Essais*, II, 12 : "C'est, à la vérité, une très-utile et grande partie que
la science. Ceux qui la mesprisent, tesmoignent assez leur bestise". Mais celui-ci
d'ajouter : "mais je n'estime pas pourtant sa valeur jusques à cette mesure extreme
qu'aucuns luy attribuent, comme Herillus le philosophe, qui logeoit en elle le
souverain bien, et tenoit qu'il fut en elle de nous rendre sages et contens ; ce que
je ne croy pas, ny ce que d'autres ont dict, que la science est mere de toute vertu,

[f. B v v°]

ainsi que quelqu'un manque de beauté de corps, ou de quelque membre, qu'il aye encore faute de bonne fortune d'amis, et de commoditez, et qu'il n'ayt point besoing de suffisance d'entendement, si pourra-il obvier à la necessité, couvrir par de belles raisons ses imperfections corporelles, et captiver par sa dexterité quelque bien-veillance. Mais qu'il soit ignorant et qu'il aye toutes les beautez ensemble, aussi accomplies en leurs parties et proportions qu'elles se puissent figurer, outre plus tous les moyens et prosperitez du monde, si sera-il tousjours en premier desagreable et importun par une certaine impertinence qui luy paroistra transfuse de son esprit en toutes ses façons, gestes, et actions, et avec ses richesses pauvre au milieu de son abondance, ne sçachant pas comment en devoir dignement user : Que si casuellement* il entreprend l'execution de quelque exploict, où le courage soit requis, et qu'il s'y comporte par hazard aussi valeureusement qu'il faut pour en rapporter de la gloire, et qu'en effect il

[f. B vj]

en demeure victorieux l'on n'en fera nulle estime : Ains l'on dira qu'il aura plus esté favorisé du bon-heur que de son jugement, et que s'il eust eu de l'esprit assez pour remarquer le danger, qu'il eust possible esté aussi coüard comme il auroit paru vaillant. Et ainsi ne le pouvant tenir en aucune bonne estime, l'on taxera* sa proüesse d'inconsideration s'il est homme de bien, l'on croira que ce sera faute d'invention pour pouvoir estre meschant, s'il est de bonne et illustre race, l'on dira que ce sera fort à propos qu'il aura pour se parer une medale antique et enfumée, n'ayant rien sans cela d'assez recommandable en luy-mesme. Et en fin mettez-le en telle et plus avantageuse posture que vous voudrez, si ne sera-il jamais utile en aucune chose, pas mesme à se rendre digne de l'amitié de qui que ce soit, ne sçachant pas que c'est qu'aymer ny que hayr :

---

et que tout vice est produit par l'ignorance. Si cela est vray, il est subject à une longue interprétation". Voir *Œuvres complètes*, éd. A. Thibaudet et M. Rat, Paris, 1962, p. 415.

Et si par cas fortuit il affectionne quelqu'un, ce sera si à contre temps et avec une tant grossiere methode, qu'il des-obligera, au lieu de ce faire recipro-

[f. B vj v°]

quer en une affection : Et tant s'en faut que l'on puisse, ny doyve-on desirer de se maintenir en telle amitié, que la plus belle acquisition que l'on[1] sçache faire, est de la perdre : Il s'ensuit donc que telles gens ne sont pas seulement inutiles pour eux, mais aussi pour tous les autres, ne se pouvant servir ny soulager autruy. C'est pourquoy je blasme infiniment ceux qui veulent que l'ignorance seule soit gardienne de la Reputation et honneur des Dames[2] : Il faut confesser que c'est mettre la chasteté à trop bas pris, que croire qu'il faille estre sotte et mal-habille pour estre vertueuse et honneste femme[3], ne plus ne moins qu'il n'y a point de sobrieté, à ne boire ny manger quand l'on n'a ny faim ny soif : Aussi n'y a il point de merite à faire bien sans y penser[4]. Les vertus ne sont belles que par l'appetit de leurs debats contraires[5] : C'est enquoy Socrates estoit d'autant plus admirable qui d'une nature vitieuse et

---

[1] 1595 : l'on y sçache.

[2] L'Antiquité soutenait que le savoir mène la femme au vice. Voir Juvénal, *Satires*, VI, 184-189, 434-455.

[3] Cf. Mlle de Gournay, *Proumenoir de Monsieur de Montaigne*, éd. C. Venesoen, Genève, 1993, p. 150 : "Le vulgaire dit qu'une femme, pour estre chaste, ne doit pas estre si fine ; vrayement, c'est faire trop peu d'honneur à la chasteté que de croire qu'elle ne puisse estre trouvée belle que des aveugles. Au contraire il la faut subtiliser tant qu'on peut, afin que si chacun est assez meschant pour la vouloir tromper, personne ne soit assez fin pour le pouvoir". Sur la dialectique vice/ignorance, vertu/connaissance, voir Pernette du Guillet, *Rymes*, Épigr. XII, etc. ; Catherine des Roches, *Dialogue de Placide et Severe*, in *Les secondes œuvres*, p. 37 : "Mais estant guidées par les bonnes letres, elles ne voudront rien faire, qui ne soit raisonnable".

[4] Allusion à Aristote qui dit que la vertu est le fruit de l'habitude. Cf. *Éthique à Nicomaque*, 1103a 17-25.

[5] Cf. Sénèque, *De la providence*, II, 4 et IV, 4, in *Les Stoïciens*, sous la dir. de P.-M. Schuhl, trad. É. Bréhier, Paris, 1962, p. 759 et 765 : "Une vertu sans adversaire se flétrit. Sa grandeur, sa valeur, sa puissance paraissent quand elle montre ce qu'elle est capable de subir" ; "La vertu est avide de périls; elle pense au but à atteindre, non à ce qu'elle aura à subir".

depravée comme estoit la sienne, s'estoit[1] sçeu tellement dompter
par la consideration de la sapience,

[f. B 7]
qu'il se fist l'un des plus grans et plus sages personnages de son
temps. Aussi de mesme que la candeur du blanc a bien plus
d'esclat lors qu'il est oposé au noir, qu'une extreme foelicité
comparée à une excessive douleur, paroist bien plus douce que
l'opulence se monstre d'autant plus sumptueuse qu'elle est
affrontée à la pauvreté et necessité. Ainsi une vertu se remarque-
elle bien plus excellente lors qu'elle est apperceuë dans une ame
fort capable de bien et de mal : Ce sont abus de penser que si les
propensions de nostre nature panchent à quelque vice, l'ignorance
soit assez forte pour les redresser, rien ne nous fait trouver le
tourment si odieux que la cognoissance que nous avons qu'il est
mauvais. Il est tres-necessaire de cognoistre les maux en toutes
leurs parties, accidens, et evenemens, pour les hayr, eviter, et
detester. Et tout de mesme est-il utile de sçavoir tous les biens et
la gloire que l'on en peut raporter, les exerçant pour jouyr d'un
esprit reposé, doux, pacifique, et tranquile : Et se rendre assez
vigoureux

[f. B 7 v°]
pour resister aux agitations, traverses, et mal'heurs, sans s'ébranler
en sa constance, ny contrevenir à son devoir. Themistocles
respondit à Simonidas qui le prioit de faire quelque chose d'injuste,
tu ne serois pas bon Musicien si tu chantois contre mesure, ny moy
bon Magistrat si je jugeois contre les loix : Il luy monstroit par
ceste responce qu'il sçavoit quelles estoient non simplement les
loix de la Justice, ains encore celles de la conscience, ce qu'il n'eust
sçeu s'il eust esté offusqué de l'ignorance[2].

---

[1] Corr. de c'estoit.
[2] Plutarque, *Thémistocle*, X.

CHARLOTTE DE BRACHART

(1580-1637)

On a identifié Charlotte de Brachart avec Jeanne-Charlotte de Brechard (1580-1637), la compagne de la vénérable mère de Chantal[1]. Elle a pris l'habit de l'ordre de la Visitation Sainte Marie en 1610[2] et a été la première supérieure du monastère de Nevers (1620), puis de Riom en Auvergne (1623) où elle est décédée le 18 novembre 1637.

La *Harengue* est le seul ouvrage qu'il nous reste d'elle. Les poésies vraisemblablement composées à la suite du tragique accident du baron de Chantal (automne 1601) et l'élégie sur la mort de madamoiselle de Montaignerat ne figurent pas dans l'exemplaire consulté à la Bibliothèque Nationale. Selon Constant Venesoen, Marie de Gournay a pu s'inspirer de la *Harengue* pour l'*Égalité des hommes et des femmes,* publiée une vingtaine d'années plus tard (p. 59 n. 2).

Le texte présenté ici est basé sur l'exemplaire cote R 54526 de la Bibliothèque Nationale :

HARENGUE FAICTE// PAR DAMOISELLE CHAR-// lotte de Brachart surnommée Aretu-// ze qui s'adresse aux hommes qui veuil-// lent deffendre la science aux femmes : // avec quelques

---

[1] Cf. Timmermans, p. 283. Voir aussi la notice consacrée à Jeanne-Charlotte de Brechard, in *Correspondance de Jeanne de Chantal,* éd. M.- P. Burns, Paris, t. I, 1986, p. 674.

[2] La fondation de la Visitation Sainte Marie à Annecy date du 6 juin 1610. Jeanne de Chantal, Jacqueline Favre et Jeanne-Charlotte de Brechard font profession l'année suivante. Cette congrégation à l'origine à vœux simples et sans clôture sera transformée en ordre religieux à vœux solennels en 1618. Voir R. Devos, *Vie religieuse féminine et société. L'origine sociale des Visitandines d'Annecy aux XVIIe et XVIIIe siècles,* Annecy, 1973, p. 18 sq.

poësies faictes par la-// dite damoiselle, sur la blessure, mort,// & tombeau du Baron de Chantal.// Ensemble une elegie sur la mort de madamoiselle de Montaignerat.// À CHALON SUR SAONE// Par Jean Des Preyz Imprimeur & Li-// braire, ruë S. George.// M. DC. IIII.

LA VÉNÉRABLE MÈRE Jeanne Charlotte de Brechard, compagne de la Vénérable Mère de Chantal, troisième Religieuse de l'ordre de la Visitation S.te Marie, et première Supérieure du Monastère de Riom en Auvergne, où elle est décédée en odeur de Sainteté, le 18. Nov.bre 1637. agée de 57. ans.

Portrait de Jeanne-Charlotte de Brechard
Collection La Ruelle
Paris, Cabinet des Estampes

Pl. 3

HARANGUE PROPOSÉE PAR
DAMOISELLE CHARLOTTE DE BRACHART SURNOMMÉE ARETUZE.

(1604)

[f. A j v°]

Je ne puis assez m'estonner de la perversité d'une grande partie du monde qui foulant aux piedz la vertu veult deffendre l'usage à ceux, qui par une labourieuse estude, desirent s'en rendre capable, car si la science n'a de soy rien de deffectueux, comme on me le doit avoüer, les effectz n'en peuvent estre que bons, rencontrant une ame heureusement née, que si au contraire elle tombe en un esprit de mauvaise inclination, il est plus ordinaire qu'elle change ceste vitieuse habitude que d'en augmenter la malinité.

[f. A ij]

Combien voyons nous de personnes ignorantes et sans aucune literature pratiquer des meschancetez insignes, et avec des inventions estrangements subtilles; c'est un erreur envielly* en l'opinion du vulgaire de penser que la cognoissance des lettres amene aux espritz humains des dessains pernitieux, ni en rendent l'execution plus facile, et pour tesmoigner comme ilz se trompent, nous ne trouvons jamais par les histoires tant sainctes, prophanes, anciennes que modernes, qu'une mechanceté soit demeurée impunie; je dis exemplairement sans y comprendre les remortz de consciences, les craintes et aprehentions desquelles les mal vivans sont cruellement travaillez*, avons nous pas un livre ouvert à toute sorte de personnes, qui est ce miserable monde où les artiffices, la tromperie, impieté, la tirannie, et mil aultres sortes

[f. A ij v°]

de malheurtez* s'exercent avec une trop licentieuse liberté et sans correction quelconque; il ne nous faut donc point travailler* à l'estude du mal, puis que nous y sommes nez et nourris et encores, qui pis est, le vice s'en va tantost usurper les prerogatives de la vertu, coulant son contagieux poison soubz la faveur de la tollerence et du temps, pervertissant les mœurs de ceux qui par une

imbecille ignorance se laissent sans jugement conduire à ce qu'ils
appellent coustume[1] ; ilz veuillent dire que la science est propre et
particuliere aux hommes et non pas à ce sexe qu'ilz appellent
fragille, et qui doit retenir son ancienne simplicité. Je leur respons
à cela qu'il faut que la simplicité soit au cœur et en la conscience et
non en l'esprit car c'est celle que Dieu demande de nous et d'eux
aussi : mais je vois bien ce qui les offence et qui leur

[f. A iij]

cause cette envie contre celles qui ont les yeux un peu clairs aux
affaires du monde, c'est que pour peu de soing qu'elles y apportent
elles se rendent plus capables de raison, plus prudentes en toutes
choses, mieux temperées en leurs affections et qui conduiroient
avec un jugement plus solide, ce dont elles entreprendroient la
charge, que si une miserable subjection, à laquelle ilz nous ont
tiranniquement soubsmises, ne nous ostoit tous moyens de pratiquer
les sciences, ilz seroient contraints de quiter le maniement des
affaires plus importantes, pour nous en laisser l'auctorité, comme
estant recogneues plus capables qu'eux[2], de toutes choses grandes
et hautes ; s'ilz m'aleguent des femmes sçavantes qui ayent fait une
mauvaise fin, je leur en puis bien amener d'autres de qui la vertu est
assez celebre et claire pour confondre la difformité de

[f. A iij v°]

ces forlignantes* de la vraie regle ; les histoires nous rapportent
cela plustost pour une forme de prodiges que pour blasmer la
science aux femmes, comme estant chose monstrueuse qu'un bon
arbre aye produit de mauvais fruictz, mais quoy ? se peut il pas
treuver en tous sexes, des naturelz estrangementz rebours et qui
convertissent les choses bonnes d'elles mesmes en contraires

---

[1] Comparer à Artus Thomas, *Qu'il est bienséant que les filles soyent
sçavantes,* Paris, 1600, "Contre la Coustume et l'Opinion" et p. 7-8.

[2] Comparer à Louise Labé, *A.M.C.D.B.L.,* in *Œuvres complètes,* éd. F.
Rigolot, Paris, 1986, p. 42 : "Et outre la reputacion que notre sexe en recevra,
nous aurons valù au publiq, que les hommes mettront plus de peine et d'estude
aus sciences vertueuses, de peur qu'ils n'ayent honte de voir preceder celles,
desquelles ils ont pretendu estre tousjours superieurs quasi en tout".

effectz, tout de mesmes qu'un vaisseau* infect*, corrompt toutes
sortes de liqueurs, et ce qui les faict ainsi remarquer, c'est pource
que les choses eslevées sont tousjours plus apparentes, et que
comme nous voyons les haultes montaignes plus assiduëment
esclairées du soleil que les petitz thertres, ou campagnes plates,
ainsi telz espritz qui surpassent de beaucoup le commun, sont sugetz
à estre surveillez de tout un monde qui fait quelquefois

[f. A iiij]

d'une mouche un ellephant, tirant à grande consequence de bien
petites fautes, soit que aux uns l'ingnorance leur face croire que
ceux qui ont l'usage des lettres doivent estre exemps de toutes
erreurs, ou que aux autres, une certaine envie les esmeuve ; en fin
ilz n'ont contentement plus doux qu'en la recherche des subjetz,
propres à vomir le venin contre nous, de la medisance, je croy que
l'on voudroit volontiers nous donner ce beau precepte d'Espicure.
Cache ta vie, qui est proprement haïr la vie. Car celuy qui se jette en
l'ignorence, et s'en revest, faict de sa vie une representation de mort,
et semble qu'il se lasse d'estre si bien que l'on cognoit par là qu'il n'y
a rien au monde qu'une belle ame haisse tant que l'ignorence pource
qu'elle est obcure et tenebreuse, et par consequent incapable de
servir de guide à la vertu :

[f. A iiij v°]

Voila sur quoy j'ay conçeu mon discours en ferme creance*
que ces messieurs nous voudroient veoir des pauvres imbecilles
affin de servir comme d'un ombre pour donner tousjours davantage
de lustre à leurs beaux espritz.

MARGUERITE DE VALOIS OU DE FRANCE

(1553-1615)

On ne manque pas de renseignement sur la vie de Marguerite de Valois car si les circonstances politiques de son temps ne lui ont pas permis d'accomplir la mission à laquelle elle se croyait destinée, elle ne reste pas moins la fille et la sœur de rois[1]. Elle a laissé aussi de nombreuses lettres ainsi qu'un récit détaillé de sa vie, en particulier les années 1558-1582, qui a connu un succès retentissant depuis sa publication en 1628[2].

Née à Saint-Germain-en-Laye le 14 mai 1553, Marguerite de Valois est la fille d'Henri II et de Catherine de Médicis, la sœur des derniers Valois (François II, Charles IX et Henri III), la petite-nièce de François Ier et de Marguerite de Navarre, l'auteur de *L'Heptaméron*. Elle a été élevée avec le plus grand soin dans le château de Saint-Germain-en-Laye. Princesse catholique, elle a été mariée le 18 août 1572 au futur Henri IV, alors roi de Navarre et leader du parti protestant. Cette alliance a précipité les événements sanglants de la s. Barthélémy. Marguerite et Henri s'entendaient mal. Leur union n'ayant donné point d'enfant a pu être dissolue en 1599.

---

[1] Sur sa vie, voir J. - H. Mariéjol, *La vie de Marguerite de Valois, reine de Navarre et de France (1553 - 1615)*, Paris, 1928 ; Rpt. Slatkine, 1970 ; É. Viennot, *La vie et l'œuvre de Marguerite de Valois : discours contemporains, historiques, littéraires, légendaires*, 2 vol., Paris III, 1991 ; *Histoire d'une femme, histoire d'un mythe*, Paris, 1993; A. Castelot, *La reine Margot*, Paris, 1993.

[2] *Les mémoires de la roine Marguerite*, par Mauléon de Granier, Paris, Claude Chappelain, 1628 . On ne compte pas moins de quinze rééditions au dix-septième siècle, deux au siècle suivant, six au dix-neuvième et une en 1920. Voir *Mémoires de Marguerite de Valois (la reine Margot) suivis de Lettres et autres écrits*, éd. Y. Cazaux, 1971, Paris, 1986, p. 23.

Portrait de Marguerite de Valois
Anonyme, XVIe siècle
Blois, Musée des Beaux-Arts

Pl. 4

Les écrivains du seizième siècle et ceux du siècle suivant ont rivalisé de superlatifs pour décrire la beauté "surnaturelle" de Marguerite, son grand pouvoir de séduction, son intelligence vive ainsi que son goût passionné pour les arts et les lettres. Ronsard lui a dédié plusieurs poèmes[1], Brantôme a célébré en elle les qualités féminines de beauté, de grâce, d'élégance :

> Pour parler donq de la beauté de ceste rare Princesse, je croy que toutes celles qui sont, qui seront et jamais ont esté, près de la sienne sont laides, et ne sont point beautez ; car la clarté de la sienne brusle tellement les esles de toutes celles du monde, qu'elles n'osent ny ne peuvent voler, ny comparestre à l'entour de la sienne ..... Or, notez que si nostre Reyne estoit toute belle de soy et de sa nature, elle se sçavoit si bien habiller, et si curieusement et richement accommoder, tant pour le corps que de la teste, que rien n'y restoit pour la rendre en sa plaine perfection[2].

Au siècle suivant, Hilarion de Coste l'a décrite comme la "Princesse qui avoit l'esprit le plus gentil et le plus fort, et qui estoit la plus sçavante de toutes les Dames de son siecle"[3]. Marguerite Buffet l'estimait "tres-habile & une des plus sçavantes & des plus grandes politiques de son temps" (p. 301). Ses aventures galantes ont suscité de violentes réactions. Témoin ce virulent pamphlet anonyme, *Le Divorce satyrique, ou les amours de la Royne Marguerite* (in *Recueil de diverses pièces servans à l'histoire de Henry III*, Cologne, Pierre Du Marteau, 1660), qui dresse la liste

---

[1] Cf. *La Charite* qui comprend *À l'unique perle, Marguerite de France, Royne de Navarre* et *L'Amour amoureux*, parus d'abord dans le *Premier Livre des Poëmes* en 1578 puis dans le recueil collectif des *Œuvres* en 1587.

[2] Cf. Discours sur la Reyne de France et de Navarre, in *Recueil des Dames, Poésies et tombeaux*, éd. E. Vaucheret, Paris, 1991, p. 119-120, 124 sq. Dans la préface à ses *Mémoires* (éd. Y. Cazaux, p. 35-38), alors qu'elle s'apprête à faire son propre portrait, Marguerite réprimande son admirateur pour ses louanges excessives et pose la question de la représentation de la femme. Sur cette question on lira avec profit l'étude de P. F. Cholakian, "Marguerite de Valois and the Problematics of Female Self-Representation", in *Renaissance Women Writers : French Texts/American Contexts*, éd. A. R. Larsen & C. H. Winn, Detroit, 1994, p. 67-81.

[3] *Les eloges et les vies des reynes, des princesses, et des dames illustres en pieté, en courage & en doctrine, qui ont fleury de nostre temps, & du temps de nos Peres*, 2 t., À Paris, chez Sébastien et Gabriel Cramoisy, 1647, t. II, p. 292.

exhaustive de tous les amants qu'elle aurait eus. Au dix-neuvième et au vingtième siècle on voit naître la fabuleuse légende de la Reine Margot[1]. On doit à Éliane Viennot d'avoir rétabli la distinction qui s'imposait entre le mythe créé par les romanciers et les cinéastes et la vérité historique[2]. Marguerite de Valois a été la protectrice généreuse des gens de lettres tout au long de sa vie. "Cette Princesse aimoit si fort les sciences, que sa table estoit tousjours environnée d'hommes les plus doctes", dit M. Buffet (p. 301). Hilarion de Coste la présente comme "la mere & la protectrice des Doctes & des Sçavans, mais aussi des pauvres, ayant employé charitablement la pluspart de son revenu à leur nourriture & entretenement" (II, p. 308). Elle connaissait le latin, l'italien, l'espagnol, et s'intéressait aux domaines du savoir les plus divers. Aux environs de 1570, elle a fréquenté le salon de la maréchale de Retz (le fameux "cabinet de Dictynne")[3] ainsi que l'Académie du Palais où l'on discutait de morale et de philosophie[4]. Elle aimait les lectures du meilleur choix[5]. Pendant sa résidence forcée dans l'austère forteresse d'Usson (1586-1605), elle s'est occupée à développer sa bibliothèque, a pris le goût de fréquenter une élite de dames et gentilhommes, de prélats, de savants et de lettrés et pour ainsi dire a reconstitué une cour. De retour à Paris où elle a passé les dix dernières années qui lui restaient à vivre (1605-1615), elle a ouvert

---

[1] Cf. Alexandre Dumas, *La Reine Margot* (Paris, 1887) et le film qui s'inspire de ce roman (*La Reine Margot* par Patrice Chéreau, 1994) ; Jeanne Galzy, *Margot, reine sans royaume* (Paris, 1939).

[2] Cf. *Histoire d'une femme, histoire d'un mythe*, op. cit.

[3] Claude-Catherine de Clermont-Dampierre (1545?-1603), épouse de Jean, baron d'Annebaut et de Retz (mort en 1562) et à partir de 1565 d'Albert de Gondi, sieur du Perron. Elle réunissait en son hôtel de Dampierre au faubourg Saint-Honoré ou au château de Noisy-le-Roi près de Versailles les beaux esprits de l'époque. Sur ce salon, voir C. Keating, *Studies on the Literary Salon in France, 1550-1615*, Cambridge, Mass., 1941.

[4] Sur l'Académie du Palais, voir p. 36 n. 1.

[5] Lors de son séjour à Nérac, la bibliothèque s'enrichit de livres rares. Sur la vie littéraire à Nérac, voir É. Droz, "La reine Marguerite de Navarre et la vie littéraire à la cour de Nérac, 1579-1582", *Bulletin de la Société des Bibliophiles de Guyenne*, n° 80, juillet-décembre 1964, p. 77-120.

un salon, le fameux hôtel de la rue de Seine, en face du Louvre, qui est devenu le centre de la vie culturelle parisienne. Les plus beaux esprits du temps l'ont fréquenté, hommes d'état, parlementaires, historiens, philosophes et gens de lettres, notamment Marie de Gournay, Malherbe, Racan, Maynard, d'Urfé et plus rarement Vincent de Paul.

Marguerite de Valois a pratiqué plus d'un registre. Outre le *Discours docte et subtil* reproduit ici, elle est aussi l'auteur de *Mémoires*, d'un plaidoyer pour le compte du futur Henri IV son époux (*Mémoire justificatif pour Henri de Bourbon*, 1574), de nombreuses lettres et de pièces poétiques récemment mises en lumière par Éliane Viennot[1].

En 1614, dans un ouvrage intitulé *Les secretz moraux concernans les passions du Cœur humain, divisez en cinq Livres* (À Paris, chez Joseph Cottereau), le jésuite François Loryot soutenait, en réponse à la question "Pourquoy le sexe feminin est tant honoré de l'homme", que c'est la faiblesse des femmes (entendre la faiblesse de corps et d'esprit) qui inspire aux hommes le désir de les protéger et de les honorer. Le *Discours docte et subtil* a été composé en guise de réplique. Marguerite de Valois, refusant de s'accorder avec Loryot, y démontre l'excellence de la femme et exprime le souhait que le bon Père écrive un nouveau chapitre sur la question: "Pourquoy il se trouve souvent des femmes qui ont tant d'esprit, & de capacité & au delà de plusieurs hommes?" Loryot qui sans doute ne voulait pas perdre les faveurs de celle qui s'était montrée très généreuse à l'égard des Jésuites, n'a pas tardé à s'exécuter. Toujours en 1614 paraissait une nouvelle édition des *Secretz moraux* sous un nouveau titre *Les fleurs des secretz moraux concernans les passions du Cœur humain*. Dans sa dédicace à la Reine Marguerite, duchesse de Valois, Loryot soutient : "la meilleure piece de cet ouvrage, [...] vrayment Royalle [...] étoit

---

[1] *Correspondance (1569-1614)*, Paris, 1998 ; "Les poésies de Marguerite de Valois", *Dix-septième siècle*, n° 183, avril-juin 1994, p. 349-375.

vostre docte et sublime discours qui est son ame, ce que j'y ay
contribué n'y tient rang que de corps"[1].

Le texte présenté ici se trouve dans *L'excellence des
femmes, avec leur response à l'autheur de l'alphabet, accompagnée
d'un docte et subtil Discours de la feu Reyne M. envoyé sur le
mesme suject à l'autheur des Secrets moraux*, Paris, P. Passy, 1618.
(BNF Rés. R. 2187 & microfiche Rp 1623)

---

[1] Sur le *Discours docte et subtil*, voir É. Viennot, *Mémoires et autres écrits*,
p. 253-266 ; M. Lazard, "Le *Discours docte et subtil*", in *Marguerite de France,
reine de navarre et son temps*, Actes du colloque Agen-Nérac, octobre 1991,
Agen, 1994, p. 227-237 ; I. Maclean, "Marie de Gournay et la préhistoire du
discours féminin", in *Femmes et pouvoirs sous l'Ancien Régime*, sous la dir. de
D. Haase-Dubosc et É. Viennot, Paris, 1991, p. 122-123.

DISCOURS DOCTE ET SUBTIL
FAIT PAR LA FEU REYNE MARGUERITE,
ET ENVOYÉ À L'AUTHEUR DES
SECRETS MORAUX

(1618)

[f. B j vº]
Mon Pere, l'heur m'ayant esté si grand, lors qu'il vous pleust me bailler* vostre beau livre, de m'estre rencontrée en quelqu'une de vos conceptions aux raisons que vous apportez sur la question, *Pourquoy la femme est plus propre à la devotion que l'homme?* Et maintenant sans sortir du suject qui est propre à ma foible cognoissance ;   comme fist le Cordonnier, duquel le Peintre se mocqua, quand il le voulut reprendre d'autre chose que de son soulier : ains m'appuyant sur ce commun dire, que chacun doit estre sçavant en son propre faict[1].

J'oseray, ayant leu tous les chapitres que vous faittes sur ceste question, sçavoir, *Pourquoy l'homme rend tant d'honneur à la femme?* vous dire que, poussée de quelque ambition pour l'honneur et la gloire de mon sexe, je ne puis supporter le mespris où vous le mettez, voulant qu'il soit honoré de l'homme pour son infirmité et foiblesse ;   Vous me pardonnerez si je vous dits, que l'infirmité et foiblesse n'engendrent point l'honneur, mais le mespris et la pitié. Et qu'il y a bien plus d'apparence que les femmes soient honorées des hommes par leurs excellences :   esperant par les raisons qui s'ensuivent, vous prouver que non par l'infirmité, mais par l'excellence de la femme, l'homme luy rend honneur.

[f. B ij]
I. Dieu procede par tel ordre en ses oeuvres, qu'il fait les premieres les moindres, et les dernieres les plus excellentes, les plus

---

[1] Souvenir peut-être de l'anecdote concernant Apelles et Megabyses rappor-tée par Plutarque, *Œuvres morales & meslées*, 58d, 472a.

parfaittes et les plus dignes : comme il a monstré en la creation du monde, faisant l'homme le dernier, pour lequel il avoit fait toutes les autres creatures. Dont il faut advouër, que la femme estant encore faitte apres l'homme, et comme derniere creation de Dieu, que l'excellence et suprème degré de dignité luy doit estre attribué : ainsi que les plus grandes perfections sont en elle, estant formée comme l'homme des mains de Dieu ; mais d'une matiere d'autant plus elabourée, que la coste de l'homme surpasse la fange en degré d'excellence.

2. L'on void la Nature proceder en l'Embrion de mesme sorte : formant premierement le corps humain, elle commence par les organes de la Vegetale, puis de la Sensitive, et pour le dernier, de la Raisonnable, qui est le degré de perfection autant eslevé au dessus de la Sensitive, que celle-cy surpasse la Vegetale[1]. Aristote tient ce mesme ordre aux biens et aux fins, disant que la derniere fin est tousjours la plus excellente[2].

3. Et faut advouër que là où les organes sont composez d'une matiere plus delicate et excellente, qu'ils seront au prealable mieux proportionnez : comme il se void exterieurement au visage et au corps de la femme tant delicatte : d'où il faut inferer l'interieur semblablement estre plus delicatement et mieux organisé pour les fonctions de l'ame[3]. Et par consequent l'ame de la femme sera plus propre à faire des plus belles actions, que celle de l'homme fait de fange, matiere rude, salle et grossiere, qui le doit

[f. B ij v°]
rendre plus grossier et lourd en toutes ses actions tant de l'esprit que du corps.

4. Cecy convia les hommes au commencement qu'ils s'assemblerent de rejetter la premiere election qu'ils avoient faitte des plus forts du corps pour les gouverner et deffendre des bestes

---

[1] Aristote, *Éthique à Nicomaque*, 1097b 33 -1098a 1-3.
[2] Aristote, *Éthique à Nicomaque*, 1097a 15-30.
[3] Aristote, *De la physiognomonie*, 809b 1-14.

sauvages, pour se faire regir par les plus beaux esprits, plus capables de raison, justice et equité, qui les feroient plus heureusement vivre; enquoy la femme excellant, comme la derniere et plus parfaitte œuvre de Dieu, et l'homme le cognoissant, se recogneut obligé à luy rendre ce grand honneur, et presque l'adorer, comme plus saincte et plus vive image de la Divinité, et en qui reluit plus de ses graces[1].

Parquoy il ne faut plus dire le monde avoir esté faict pour l'homme, et l'homme pour Dieu : mais il faut dire, le monde avoir esté faict pour l'homme, l'homme pour la femme, et la femme pour Dieu.

5. Dieu a tousjours voulu que les Sacrificateurs fussent bien accomplis et que ses offrandes se choisissent des choses les plus excellentes et parfaittes : comme vous voyez en l'ancienne loy avoir esté ordonné aux sacrifices, de n'estre offertes à Dieu aucunes victimes viciées ou imparfaittes. De sorte que le plus parfaict estant le plus aggreable à Dieu, nous pouvons clairement inferer, que la femme a cest advantage sur l'homme : car si c'est pour le corps, c'est chose trop cogneuë, que celuy de la femme est trop plus beau, plus delicat et mieux elabouré que celuy de l'homme : et si c'est pour l'ame, Dieu se plaist aux esprits tranquilles, reposez, devots, et tels que celuy de la femme : non aux esprits tumultueux et sanguinaires, comme est celuy de l'homme, n'ayant voulu

[f. B iij]
pour ceste cause, que David homme de guerre, fist son Temple, mais Salomon qui fut paisible, et qui en la douceur de ses humeurs, approchoit de fort pres du naturel de la femme[2].

6. Partant puis qu'elle surpasse l'homme en toute sorte d'excellence, de perfection et de dignité, et que toutes choses se

---

[1] "Théorie du matriarcat" (Abensour, p. viii) qu'on trouve à l'époque à la fois dans le discours féministe et dans "le roman tendre" (Maclean, p. 156-171). Voir Timmermans, p. 257 : "Le mythe d'un âge d'or où la femme possédait le pouvoir et le savoir compense son assujettissement dans la réalité. La supériorité des dames du temps jadis est une revanche symbolique sur l'infériorité de la condition actuelle des femmes".

[2] 1 Rs 5 : 5

rapportent au plus excellent, plus parfaict et plus digne, comme sa derniere fin : il faut dire la femme avoir esté faitte comme chef de toute la creation du monde, et son dernier œuvre qui possede le Transcendant de toutes choses creées en plus pur et parfaict degré. Et par consequent, elle est une digne offrande pour estre presentée à Dieu, et pour estre plus capable de luy rendre graces de toutes celles qu'il a espanduës en la Nature, et sur toute sa creation.

7. Et tout ainsi qu'il n'y a rien en la Nature, si digne d'estre dit estre faict pour Dieu que la femme, aussi toutes choses en la nature estans sous elle, et l'homme mesme, elles ne peuvent estre dittes faittes que pour la femme, ne pouvant sans se rabaisser, et faire tort à sa dignité, se dire faitte autre que pour Dieu.

Que si on la dit estre descheuë de l'excellence de sa creation par la menace que Dieu luy fist pour le peché de la pomme, disant en courroux, et par punition, qu'elle seroit assujettie à son mary[1]: cela monstre qu'auparavant elle luy estoit superieure: et pour ce juste courroux, il ne la priva de l'excellence de son estre, l'ayant choisie pour mere de Dieu, honneur auquel le sexe de l'homme n'est point parvenu. Parquoy encore il doit honneur et submission à la femme, comme à la mere de son Dieu.

Ces raisons escrittes par une femme ne peuvent

[f. B iij v°]
pas avoir beaucoup de force : mais si elles estoient si heureuses d'estre adoptées de vous, et comme telles despoüillées de mon rude et grossier langage, pour estre revestuës et parées des fleurs de vostre eloquence, et mises au pied d'un de vos chapitres de ce suject, comme vostres : je crois que nostre sexe en recevroit un immortel

---

[1] Gen. 3 : 16.

honneur, pour luy estre par un Autheur si celebre comme vous, attribué telle dignité. Ce que je mettray à vostre discretion : et vous priant que j'aye part en vos bonnes prieres ; je demeureray de toute vostre compagnie, et de vous,

Vostre tres-affectionnée amye,

MARGUERITE.

Vous trouveriez mauvais, Amis lecteurs, si nous voulions parler davantage, veu que les raisons de ceste grande Reyne sont autant dignes d'admiration que de loüange, et qu'elles sont plus que fortes, tant pour vous faire à jamais recognoistre le respect et l'honneur que chacun doit à nostre sexe, qu'aussi faire detester ces Escrivains amateurs du mensonge et ennemis de la verité. Toutefois nous ne nous en souçions pas, car nous sçavons bien que de l'ignorance il ne peut rien sortir que d'injuste.

Je parle de l'ignorance : car qui ne void ceste sotte intitulation, *Alphabet des femmes dedié à la plus meschante*, estre plustost un style

[f. B iiii]
de Rotisseur que d'un Escrivain? et qu'il ne le juge plus capable d'avoir l'intendance de la grande marmitte des Cordeliers, que de l'intelligence de la saincte Escriture, laquelle estimant faire pour luy, il a employé plus pour nostre advantage que pour le sien? Car au lieu de dire suivant l'Escriture, que l'esprit de la femme est à craindre, dautant qu'il est delicat, beau, ingenieux, plus subtil et parfaict que celuy de l'homme, il dit que son corps est dangereux et abominable. Paroles aussi faulses et abominables, comme l'Autheur est detestable. Nous sommes faschées neantmoins que sa vanité l'ait empesché de s'informer de la vraye interpretation, n'y ayant rien de plus asseuré que les petits marmittons mesmes dependans seulement de son intendance, luy auroient sans difficulté donné une explication, qui sans doute n'auroit d'abbord si tost fait recognoistre son audace et ignorance : Partant

l'insuffisance d'un si inepte Autheur ne meritant tant de paroles, nous n'en passerons pas plus avant, ains vous prierons de voir de bon œil ce petit discours, tant pour l'equité du suject, que pour le respect de celle qui en a si dignement d'escrit la verité : et advertissons tels broüillons pour leur proffit et bien sceance de se taire à l'advenir.

SUSANNE DE NERVÈSE

Susanne de Nervèse est la sœur ou la fille du seigneur de Nervèse[1], secrétaire de la chambre du roi Henri IV, auteur de plusieurs ouvrages, parmi lesquels un *Discours de la memoire du très clement, invincible et triomphant Henri IV*, adressé à la reine sa veuve, et la *Guide des courtisans*, dans lequel se trouve un "Avertissement aux dames"[2].

Le peu que l'on sait de Susanne de Nervèse provient de diverses notices. Dans son catalogue des femmes célèbres publié à Paris en 1663 sous le titre *Le cercle des femmes sçavantes,* Jean de La Forge lui consacre une brève notice sous le surnom de NEMESIS:

> Nemesis s'est fait remarquer par tant de beaux ecrits qu'il seroit inutile de vouloir adjouter quelque chose à sa loüange.
>
> (f. D ij-D iij).

Dans son *Dictionnaire des Précieuses* (t. I, p. 74 & t. II, p. 309), Antoine Baudeau, sieur de Somaize, lui attribue sous le surnom de NERESIE une parodie du *Te Deum*, parue dans un recueil de Mazarinades sous le titre *Te Deum des dames de la cour et de la ville en actions de grâce de la paix et l'heureuse arrivée de Leurs Majestez dans leur bonne ville de Paris, presentée à la Reyne par Mademoiselle [Suzanne] de Nerveze* (Paris, Jean Brunet, 1649).

L'œuvre de Susanne de Nervèse est abondante et variée. Outre les *Œuvres spirituelles et morales* (Paris, Jean Paslé, 1642), d'où provient l'*Apologie en faveur des femmes*, il nous reste d'elle

---

[1] Dans son *Dictionnaire des Précieuses* (Paris, 1661, II, p. 309), A. Baudeau, sieur de Somaize s'interroge sur le rapport de Suzanne à ce romancier, qu'il estime du reste le "digne rival de Des Escuteaux". Sur le romancier et sur son style extravagant, voir A. Adam, *Histoire de la littérature française au XVIIe siècle*, 5 t., Paris, 1948-1956, t. I, p. 105-106.

[2] Cf. *Apologie* (exemplaire annoté de la Bibliothèque Nationale), f. D vj.

Le resonnement chrestien sur les vertus cardinales. Dedié à Msgr le Cardinal Mazarin par Mademoiselle de Nerveze (Paris, Jean Paslé, 1643) ; *La nouvelle Armide, dediée au Roy. Par Mademoiselle de Nerveze* (Paris, Jean Paslé, 1645) ; un recueil de méditations intitulé *Les genereux mouvemens d'une dame heroïque et pieuse* (Paris, Jean Paslé, 1644) ; plusieurs épîtres consolatoires datées pour la majeure partie de 1649 (*À la Reyne d'Angleterre sur la mort du Roy son mary, et ses dernieres paroles* ; *À Msgr le duc de Vantadour sur la mort de Msgr le duc de Vantadour, son frere*, etc.) et l'importante correspondance qu'elle a entretenue avec le roi, la reine et des personnages haut placés.

Le texte présenté ici (in *Œuvres spirituelles et morales*, p. 83-92) est basé sur l'exemplaire cote Rés. Z. 3208 de la Bibliothèque Nationale (microfilm m. 20038).

APOLOGIE EN FAVEUR DES FEMMES

(1642)

[83]

L'esprit de l'homme a tant de differents mouvemens, qu'il semble qu'il veüille tirer la gloire de la honte de ses contradictions; et c'est injustement qu'il s'atribuë les advantages d'une forte raison, puis qu'il n'agist jamais qu'il n'en tesmoigne la foiblesse : Ce beau sexe que la nature a doüé de toutes les graces, que quelque ignorant veut faire passer pour un defaut de son pouvoir ou de sa

[84]

matiere, releveroit son éclat avec tous les advantages que son autheur luy a communiquez, si sa seule modestie n'en arrestoit le premier instant; la creation de ce parfait ouvrage ne[1] marque-t'il pas son excellence? La boüe et le crachat sont la composition de l'homme, que le souffle de la Divinité a liberalement animé ; mais dans la tres-haute bonté de ses idées il prend comme la crême, le meilleur de cét homme, pour en créer la femme; ce n'est pas ny son cœur ny son sang, afin qu'elle ne tienne pas de ses dereglemens; mais une partie qui n'altere rien, et qui sous-

[85]

tient beaucoup; apres un si beau labeur le Seigneur se repose, et la complaisance qu'il a pour cét ouvrage divin luy fait dire, que tout en est bon. Il est vray, grand Dieu, puis que ce sont des participations à vostre estre tout bon et tout parfait, et que c'est comme le chef-d'oeuvre de vos operations, c'est aussi l'abregé de vos grandeurs, l'éclat magnifique de vostre gloire, et le plus cher attrait de vos adorables dilections : les sacrez cahiers sont remplis de leurs vertus, le Paradis de leur pieté, et toute la terre de leurs aymables merveilles ; la femme a en

---

[1] Nous ajoutons la particule négative.

[86]

soy la disposition et le caractere de toutes les œuvres plus
heroïques, et si l'ambition des hommes ne les avoit privées des
charges polytiques, les Estats en seroient plus florissans, et le vice
moins en usage : C'est le devot sexe cheri de Dieu, et idolatré
mesme de ses adversaires ; les esprits en sont sublimes, les
raisonnemens fermes, et les executions plus vigoureuses ; et
quelque delicatesse qu'on attribuë à leur corps, elle est plus à la
molesse de leur education qu'à l'imperfection de leur nature : Elles
sont capables de toutes les disciplines, la milice et les

[87]

lettres ne leur sont pas mal-aisées, puis que plusieurs ont excellé,
et excellent en l'un en l'autre ; Judith fist-elle pas toute seule une
deffaite, que tant de milliers d'hommes n'eussent osé
entreprendre[1] ? Et saincte Catherine confondit-elle pas l'orgueil et
la science des Philosophes Payens[2] ? Les Arts liberaux ne sont
jamais si reverés que par leur subtilité, et leurs naturelles graces
suspendent les sens de tous ceux qui ne les considerent que pour
s'en avoüer esclaves et ennemis ; tout flechit à des perfections si
cogneuës, et il n'est pas jusques à la decrepitude

[88]

qui ne soit animée par ces Anges visibles : ce sont des corps qui
n'ont rien de terrestre ny de grossier, et des esprits que les demons
redoutent comme des obstacles de leur ruineuse malice ; les
femmes sont naturellement sages, et s'il y en a quelqu'une qui soit
décheuë d'un apannage si legitime, ce sont les artifices des
hommes qui en ont causé le desordre : mais comme chaque femme
a sa perfection, il y a le plus et le moins dans le commun ; je ne

---

[1] Cf. Jud. 8-16.

[2] *Saincte Catherine*. Vierge et martyre (fête 25 novembre) qui vécut
sous l'Empereur Maxence. Instruite dans les arts libéraux et les questions
philosophiques, elle engagea plusieurs philosophes à embrasser le Christianisme.
Cf. Jacques de Voragine, *Légende dorée*, CLXIX.

conte[1] aussi les choses que par les meilleures, mon objet est le plus digne, et je souhaiteraye que ces ravallées* fussent ostées

[89]

du nombre d'honneur pour augmenter celuy de la brutalité : ma pensée va à ces[2] grandes et fortes creatures, que nulle prosperité n'eleve, et que la douleur ne sçauroit accabler; elles disposent des sceptres, et ne se submettent qu'à la raison; elles ayment rarement pour le peril qui se trouve dans le noir commerce des hommes, mais quand la bonté de leur genie ou la necessité de leur conduite s'est determinée à quelque judicieuse eslection, il n'est point de fidelité qui les égale; l'amour leur donne de nouvelles inventions pour l'expression de sa pureté; le parfait temperament

[90]

de ce beau monde avec cette haute vertu font des merveilles en faveur de ces heureux amans qui en ont acquis la bien-veillance; la liberalité suit l'inclination, et une Dame n'a rien de cher apres l'engagement de ses volontez; mais il faut quelquefois des siecles pour en establir la resolution, et faire voir qu'il n'est rien de si precieux que le cœur d'une Dame bien née. C'est aussi le domicile des bontez, le siege de toutes les douceurs[3], et le vray sejour de la parfaite generosité. La Reyne Semiramis en fait le mesme jugement, lors

[91]

qu'apres la perte de son mary, ayant fait assembler les plus excellens Sculteurs de son Royaume, avec tout ce qui se trouvoit

---

[1] C'est-à-dire compte.

[2] Corr. de ses.

[3] Comme cette douceur (grâce, délicatesse, agrément) que la femme possède naturellement et qui caractérise "l'aimable conversation de ces parfaites Dames". S. de Nervèse écrit au moment où triomphe l'esthétique mondaine qui valorise les qualités féminines de la langue française au dessus des qualités viriles de la littérature à l'antique. Sur les termes douceur versus rudesse/force comme notions rhétoriques, voir Timmermans, p. 147-152 ; G. Declercq, "Représenter la passion: la sobriété racinienne", Littératures Classiques, 11, 1989, p. 76-77.

de plus riche dans son estenduë, pour dresser un tombeau à ce
Prince digne de sa grandeur[1], elle dit que son cœur devoit estre le
plus digne sepulchre de cette chere moitié, et avec les superstitions
de son amour et celles de sa créance, elle fait devorer au feu les
despoüilles de la mort, et donne aux cendres de son amant une vie
fidèle et amoureuse[2] : Où trouverons nous un exemple de cette
nature parmy les hommes? ils en

[92]
doivent sans doubte ceder l'advantage avec tous les autres, et se
contenter de l'honneur d'estre fils de femme, et avoüer apres cela
qu'il n'y a point de creature plus noble, des charmes plus doux que
ceux qui se rencontrent dans l'aimable conversation de ces
parfaites Dames, de qui on n'auroit jamais assez parlé, si la beauté
de leurs presences n'estoit plus eloquente que tout ce qui se peut
dire en faveur d'une verité si sensible, si peu avoüée, et si agreable.

FIN

---

[1] *Semiramis.* Allusion au deuil fait par la loyale épouse à la mort de son
conjoint et à la superbe tombe érigée à sa mémoire. Cf. Diodore de Sicile,
Bibliothèque historique, II, 7.
[2] C'est Artémise qui avala d'un trait la coupe qui contenait les cendres de son
mari. Cf. Aulu-Gelle, *Nuits attiques*, Livre X, 18.

JACQUELINE DE MIREMONT

On ignore tout de la vie et de la personne de Jacqueline de Miremont si ce n'est qu'elle est née à Paris d'une famille noble et qu'elle a composé des vers[1]. Les trois ouvrages qui lui sont attribués nous apprennent qu'elle a reçu une solide formation classique, qu'elle avait une riche connaissance des écrits de ses devanciers et qu'elle était douée d'esprit. Le titre du premier ouvrage, *Le petit nain qui combat le monde,* annonce le ton passionné, presque militant, du dernier recueil. Suit un long poème, *La part de Marie, sœur de Marthe,* dans lequel l'auteur fait l'éloge de la vie contemplative ainsi que la satire des vices de tous les siècles et des mœurs de son temps[2]. Enfin dans l'*Apologie pour les Dames,* long poème de 1885 vers alexandrins publié en 1602, J. de Miremont s'emploie à défendre les droits et les capacités de son sexe.

Pour le texte que nous présentons ici, nous nous sommes servis de l'exemplaire Rés. 8° B. L. 11.012 de la Bibliothèque de l'Arsenal :

APOLOGIE// POUR LES// DAMES,// Où est monstré la précellence de la// femme en toutes actions//vertueuses.// Dedié à Madame la Comtesse de//Mont-gommery.// Par Damoiselle Jacqueline de Miremont.// A Paris,// Chez Jean Gesselin ruë S. Iacques à l'image S.// Martin, & en sa boutique au Palais en la// galerie des prisonniers.// 1602. // Avec Privilege du Roy.

---

[1] Sous ce nom, on a retrouvé un poème de François Le Poulchre "Aux Dames de Miremont" (*Le passe-temps,* À Paris, chez Jean Le Blanc, 1595), qui ne nous renseigne aucunement sur celles à qui il est destiné. Nos recherches sur Jean du Laurens, auteur du sonnet reproduit à la suite de l'*Apologie,* dans lequel il loue les mérites de l'ouvrage et la "belle eloquence" de son auteur, n'ont pas porté plus de fruit.

[2] Léon Feugère, *Les femmes poètes au XVIe siècle,* nouvelle édition, Paris, 1860, p. 67-69.

QUATRAIN À J. D. M.

De la verité guidée
Tu as entonné ces vers
Qui font voir par l'univers
Les beautez de ton Idée.

Par Madame la Comtesse de Montgommery

A POLOGIE
POVR LES
DAMES,

Où eſt monſtré la précellence de la
femme en toutes actions
vertueuſes.

Dedié à Madame la Comteſſe de
Mont-gommery.

Par Damoiſelle Iacqueline de Miremont.

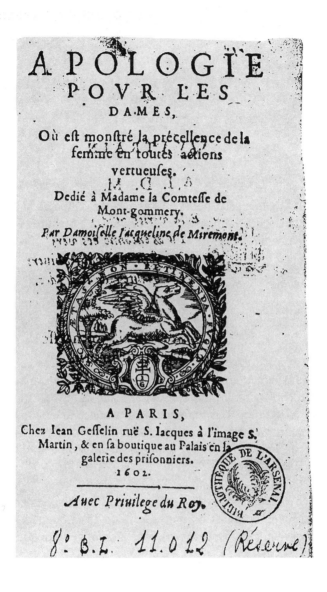

A PARIS,

Chez Iean Geſſelin ruë S. Iacques à l'image S.
Martin, & en ſa boutique au Palais en la
galerie des priſonniers.
1602.

Auec Priuilege du Roy.

Jacqueline de Miremont, *Apologie pour les Dames* (1602)
8⁰ B. L. 11.012 (page de titre)
Paris, Bibliothèque de l'Arsenal

Pl. 5

À TRES-HAUTE ET TRES-VERTUEUSE DAME, ALDONCE
DE BERNY, Dame de Carmang, & Fois ; Comtesse de Mont-
gommery, Vicomtesse de Lautrec, Dame des Barronnies de
Clermont, Venés, Saissac, sainct Gervais, sainct Chantin, etc.

[f. A ij]
Ce livret m'eschape et court à vous, Madame, non qu'il se croye
digne de la douce lumiere de vos yeus, ny des censures de vostre
beau jugement : Mais par-ce que moy

[f. A ij vᵒ]
estant vostre, tout ce qui en despend s'honore de ceste qualité, et
qu'aussi les chardons qui croissent en vos terres vous sont aussi
bien propres comme les roses : Disposez donc, Madame, ainsi qu'il
vous plaira des heures de mon loisir, que je vous offre avec le
canivet* en la main. Je crain qu'il paroisse trop à ces vers que je
les ay faits couler en trepignant, et que c'est en dançant que j'ay
pressées les Muses, comme les vendangeurs les grapes : mais ayant
suivie la route de vos commandemens, je me contente moy mesme
en la creance* que vous en agreerez l'effect tel quel, puis que vous
en estes la cause. J'ay donc atteint au but de mon dessein, Mada-

[f. A iij]
me, si en quelque façon que ce soit mes actions tesmoignent le zele
que j'apporte en la tres-humble servitude de ce que je vous doy,
qui necessitée par vos merites ne me laissent de libre que la seule
puissance d'estre,

VOSTRE.

AUX DAMES

[f. A iij v°]
Je l'advoüe, Mesdames, mes espaules sont trop foibles pour le fardeau de vos merites, vos loüanges ne sont pas en leur lustre en mes paroles, et c'est un oser trop eslevé pour les aisles de mon pouvoir, si devez vous accorder à mon zele qu'il doit ce qu'il peut pour l'étoffement de vos trophées, et s'esmouvoir avec raison: lors qu'il ouyt les chantres du sexe contraire entreprendre la publication de ce que vous valez pour avec une artificieuse malice taire les plus dignes de vos qualitez, et desguiser celles que la force de la verité leur

[f. A iiij]
fera confesser : Recusés ces faux amis, Mesdames, et n'attendez pas que ceux qui n'apprennent à vos jeunes ans que l'ignorance, qui enervent les belles facultez de vos Ames par les manotes* de l'oisiveté, qui ne vous veulent capables que du tournement d'un fuseau, nées que pour leur servir de Marrotes, destinées qu'à l'exercice de leur tyrannie, vous puissent exalter : que ces Naims, dy-je, qui pour s'eslever vous abaissent, et de qui la chassie ne peut observer vos Soleils, ayment les esclats de vostre gloire. Non, Mesdames, leur ancre charbonne* vostre nom : mais voicy vostre propre Apologie, elle sort de vous, parle pour vous, et se fortifie par vous, c'est un petit abregé de vostre excellence où autre que vous ne doit contribuer, c'est un tableau auquel vous fournissez,

[A iiij v°]
et l'art et la matiere, et où brillantes de mille vives couleurs, vous faites flamboyer vostre vertu. À vous donc la deffence de vostre deffence, et à moy le bon heur* que le sort m'ait esveillé des premieres pour crier apres l'ennemy du capitole, hé que de tant que je pourroy nommer d'entre vous, Mesdames, n'en voy-je quelqu'une effacer de lustres les lignes de ce Livret, marquer ses triomphes en l'aneantissement de mon labeur, et se montrer digne

trompette d'une si esclatante verité, mon bon Daemon le prophetisant ainsi me fait taire, Vivez contentes, Dames vertueuses, et triomphez tousjours puis que la vertu ne se desapprend jamais.

APOLOGIE POUR LES DAMES

[f. A v]
1   Sortez, sainctes fureurs, sortez, mes justes plaintes,
    Renforcez vos souspirs, aigrissez vos complaintes,
    L'impudent soit muet, l'ignorant soit transi,
    Vaincu des veritez que vous peindrez icy,
5   Je sçay que j'entrepren un trop loingtain voyage,
    Que je balance mal ma force à mon courage*,
    Que mon coeur est aislé, mais qu'il se traine à bas
    Et qu'un zele impuissant ne nous excuse pas.
    Mais je cognoy aussi celuy qui favorise
10 Les sainctes actions, et jà je prophetise
    Que mon dessein armé pourra d'un coup foiblet*
    Faire arpenter nos champs à l'ennemy desfait.

[f. A v v°]
    Le Laurier n'est tousjours au soldat plus agile,
    Ny l'arrest favorable à l'Advocat habile,
15 Le bon droit bien souvent quoy que mal disputé,
    Gagne l'effort gaucher du bravache éfronté.
    Je ne veux donques plus sous un muet silence
    Approuver le mocqueur, condamner l'innocence :
    C'est trop, c'est trop souffert, et peu avoir de cœur,
20 Qui n'attente au hazard n'a point part à l'honneur.
    Mais je me plains à vous, belles et saintes Dames,
    Doctes et grands esprits qui escoutez vos blasmes
    Sans vous en émouvoir ; hé quoy! les croyez vous
    Indignes des effects d'un punisseur courrous?
25 Luisez, riches flambeaux, fouldroyez ceste audace,
    Qui ose desthrosner vostre nom de sa place,
    Faire taire ces chiens qui aboyent aux cieux,

Et que vos clairs rayons leur[1] aveuglent les yeux!
Non, vous ne voulez pas? vostre esprit tout tranquille
30   Veut garder son repos, et que le mien debile*
Signalant ses effects en vainquant face voir
Combien plus grand effect feroit plus grand pouvoir.

[f. A vj]
Je prends[2] donc ce labeur, mais sous vostre conduitte,
Escortez mes desseins, que ceste Muse instruite
35   Par vos sages leçons, un jour puisse estonner
Celuy qui vostre los osera charbonner*!
Et vous, race du Ciel pour qui seule j'anime
Ce beguayant cayer*, servez luy de Lucine[3],
Reformez cest oursin que jugé par vos yeux
40   Il puisse sans rougir voir le Soleil des Cieux,
Agrées ce tableau où je veux ma Deesse,
Peindre de cent couleurs vostre sage sagesse !
Au lieu plus élevé vostre foy se verra,
Vostre honneur au second le Ciel sonnetera,
45   J'y peindray les beautez de vostre divine ame,
Vos meurs seront le jour, bref, ce sera, Madame,
Le petit abregé de vos perfections,
Les ombrages seront mes imperfections,
Vous le vray Pithias[4] ; parce que cest ouvrage
50   Ne se pourra monstrer qu'en monstrant vostre image :

---

[1]   Corr. de leurs.
[2]   Corr. de prend.
[3]   *Lucine*. Déesse des accouchements. Cf. Ovide, *Héroïdes*, VI, 122 ;
Métamorphoses, V, 304 ; IX, 294, 315, 698 ; X, 507-510.
[4]   Pithias. Allusion à Phintias et Damon, paire d'amis célèbre dans l'Antiquité.
Injustement accusé de conspiration contre Denys l'Ancien, Phintias fut condamné
à mort. Il fut autorisé à quitter la ville pour aller mettre ordre à ses affaires s'il
laissait comme caution de son retour son ami Damon. Phintias ne retournant pas,
Damon allait vers son exécution lorsque son ami traversa la foule et se précipita
dans ses bras. Denys qui assistait à cette scène attendrissante, fut tellement ému
qu'il grâcia Phintias. Cf. Valère Maxime, *Actions et paroles mémorables*, IV, 7.

Ma Comtesse, je sçay que tes dignes effects
N'ont besoin de témoins ny de ces foibles traits,
Ton nom est prou nommé sans le blanc où j'incline,
Mais traçant les vertus de la gent feminine,

[f. A vj v°]
55 Je ne puis t'oublier ; il faut que ce détail
Monstre que tes valeurs m'ont dicté ce travail,
Vous, saints Cupidonneaus, rodez sur cest ouvrage,
Embausmez ce livret, que de vous le plus sage
Vienne tenir ma main ; il s'agit maintenant
60 Du plus de vostre honneur, disputez l'ornement
De vos riches objets, de vos traits, de vos flammes
Qui restent sans pouvoir, s'il ne leur vient des Dames,
S'il n'y a des beautez, s'il n'y a des valeurs,
Et de dignes sujets pour acquerir des coeurs.
65 Avec quoy, petis Dieus, domtez vous les courages?
Par quels tiltres vaillants prenez vous des hommages?
Pourquoy sur vos autels fument les libertez,
Si les femmes n'ont point de dignes qualitez?
Muse, c'est trop tardé, commence ta carriere,
70 Chante l'honneur premier de la femme premiere,
Monstre en son riche Eden nostre Eve en sa beauté
Pour qu'on l'honore au moins en ce qu'elle a esté :
C'est le dernier effect de la dextre Celeste,
C'est d'un sujet parfait l'essence plus parfaite,
75 Ce fut des elemens qu'Adam fut maçonné
Eve le fut de luy jà deus fois façonné[1] ;
Par cest ordre sacré Adam tient en servage

[f. A 7]
La plante et l'animal et doit le droit d'hommage
A celle que son Dieu sent former de ses os,
80 Lors qu'un homme engourdy le tenoit en despos,

---

[1] Gen. 2 : 7, 21-23.

Lors qu'un homme engourdy, d'impuissance l'image,
Luy osta le venter d'un si parfait ouvrage.
. Mais quoy? respond Adam, la femme n'est sinon
Un simple adjoustement, l'architecte maçon
85   De termes advancez faict qu'un beau frontispice
Est du corps, n'est du corps d'un superbe edifice,
Qui s'en pourroit passer, Non, non le sainct ouvrier
Sent le bon et le beau ensemble marier,
Il cymente en tous lieus l'utile et delectable,
90   Et ne faut d'avant traits à son oeuvre admirable[1] :
Apelles et Miron[2] doivent d'un dernier trait
Leur ouvrage mortel rendre moins imparfait,
Non l'artisan divin qui butant à sa gloire
Ne borna son travail par un simple accessoire,
95   Des outils de sa vois l'admirable parleur
Augmentoit tous les jours le pris de son labeur,
Tesmoin l'oeuvre premier qui n'a que le simple estre,
Le second vegetal, le tiers qu'il voulut estre
Capable du sentir, le quart plein de raison,
100   Le quint riche abregé de la perfection

[f. A 7 v°]
Qui peut sans accuser la toute saincte essence
D'un penible travail, ou bien d'une impuissance
Dire qu'elle ne sent formant le monceau joint
De l'argile d'Adam l'accomplir de tout point ;
105   Certes rien n'y manquoit, mais bien à la Nature
Qui attendoit encor sa plus digne parure,

---

[1] Gen. 2 : 8, 21-22.
[2] *Apelles*. Apelle. Le peintre le plus illustre du temps d'Alexandre le Grand.
Cf. Plutarque, *Œuvres morales & meslées*, 243a; Pline, *Histoire naturelle*, XXXV,
10; Lucien, *Traité des images*, 3, 7-8.
          Miron. Myron. Illustre sculpteur d'Eleuthère en Attique (2ᵉ quart du Vᵉ
s. av. J.-C.), auteur du *Discobole* (musée des Thermes, Rome). Cf. Pline, *Histoire
naturelle*, XXXVI, 32. Voir aussi M. Collignon, *Histoire de la sculpture grecque*,
in G. Perrot et M. Collignon, *Études d'archéologie grecque*, 2ᵉ partie, Paris,
1892, p. 194-196.

Lors que les mains du Ciel de mille dons divers
Façonnerent l'honneur de ce grand univers ;
En ce lieu nostre ayeul se vante et glorifie
110 Qu'Eve est prise de luy : Voire ainsi l'eau de vie
A pour pere le vin qu'elle excede en valeur,
Et d'un marc inutil l'eau rose a son odeur.
Car le sainct Empirie voulut alors distraire*
Le pur d'avec l'impur, l'esprit du corps abstraire,
115 Façonner des beautez sur le monde plus beau
Pour clorre l'ornement de son monde nouveau ;
Nostre Eve n'a plustost salué la lumiere
Que l'on la nomme Vie, et qu'on l'appelle mere[1]
Par un presage heureus : Et qu'Adam recognoit
120 Qu'en ce riche thresor son bon heur luy manquoit,
En si belle union tout felice il s'honore.
O bien heureux Adam, bien heureux Eve encore,
Eve aime son Adam, et Adam à son tour,
Croit son Eve sans plus digne de son Amour.
125 Cherchez, esprits perdus dans ce sacré thalame
Les amoureus devoirs de l'homme et de la femme,

[f. A 8]
C'est icy qu'il faut voir si un Adam mary
Veut trancher du tyran, si ireus* et marry*,
Il divorce à son heur, et si son ame estrainte
130 Nomme son beau lien une amere contrainte,
Un necessaire mal, l'amertume du fiel,
Et pour labais humain la vengeance du Ciel.
C'est icy qu'il faut voir tandis que l'harmonie
Y souffle les douceurs d'une celeste vie,
135 Que les nouveaus sujets suyvent leur belle fin,
Si Adam ennuyé despite* son destin,
Plustost encor' qu'il eust pour un riche spectacle,
Les naissantes beautez de son digne habitacle ;

---

[1] Gen. 3 : 20.

Si ne peut-il pourtant sa langue desnouër,
140   Que pour ce beau suject loüer et saluër :
Voicy, dit-il, alors celle qui sort de l'homme,
Non comme amoindrissant, mais augmentant la somme
De mes felicitez* ; Eve je te reçoy
Pour mere des humains, et pour le mieus de moy.
145   Que l'esprit esgaré ne mette en consequence
Qu'Adam luy donne nom, c'est sa recognoissance,
C'est son tres-juste adveu, et comme s'il eust dit,
Je suis de terre et lourd, Eve vie et esprit[1].
Si j'hommage* à bon droit de son tiltre mon Prince,
150   Je ne l'estably pas pourtant en sa Province ;
Je ne le say pas Roy, et ceste verité

[f. A 8 v°]
Sert plus à moy d'honneur qu'à luy de qualité.
Tu parles à des sours, ma Muse, tourne arriere,
Pren pour triste tesmoin ceste revolte entiere,
155   Que si tout l'univers lors qu'un fatal prescheur
Eut fait l'homme mortel aussi tost que pecheur,
La terre paravant offroit avec usure*
Son delectable mets, la paisible nature
Par mille coups d'essay produisoit ses odeurs,
160   Ses bigarez esmaux, ses sucrines* saveurs.
Or trenchée cent fois d'un coutre* impitoyable,
Elle dément l'espoir de l'homme miserable
Qui recueille souvent dans les tristes seillons*
L'yvraye pour le bled, pour roses des chardons[2].
165   Lors la sage Raison donnoit comme Emperiere*
Le mot au corps d'Adam, la servante matiere
Paisible obeissoit, et les sens non pipez*
Rapportoyent au dedans les pures veritez.
Un injuste vouloir maintenant seigneurie,
170   L'esprit perclus* se rend, la chair est obeye

---

[1] Argument développé par Agrippa, *De nobilitate*, p. 55.
[2] Gen. 3 : 17-18.

Et nos sens infectez trahissent ennemis
Le sort duquel ils sont sentinelles commis.
Le serpent paroissoit sur la brutalle tourbe,
Autant que maintenant sur la terre il se courbe[1],
175   Et l'homme de son Dieu estoit autant amy
Qu'ore en son naturel il le trouve ennemy.
Si doncques l'on cognoist la digne architecture

[f. A 9]
De ce riche Palais au bris* de sa masure*,
Puis qu'on juge l'honneur qu'Adam avoit receu
180   Par le honteus mespris où il se voit descheu,
Je puis conclure ainsi, la femme plus parfaite
Regentoit en Eden, si ore elle est sujette,
Son Monarque vouloir prenoit advis de soy,
Adam fut son espous, et l'Eternel sa loy.
185   Tesmoin soit de cecy la sentence hautaine,
Qui tonnant dans le Ciel imposa pour sa peine
À Eve d'obeyr[2], qu'est ce que luy oster
Le sceptreux* ornement qu'elle souloit porter.
Ainsi me dira on une ville mutine*
190   Ne monstre son honneur qu'en sa propre ruyne,
Son lustre est enterré avec l'antiquité,
Sa honte est en effect, et sa gloire a esté.
De mesme Eve pechant perdit son excellence,
Adam la sienne aussi, mais quoy celuy qui tance*,
195   C'est un foible soldat qui par terre abatu,
Mocque son compagnon ayant moins combatu.
C'est un triste hameau qu'à l'ennemy l'on laisse
Au premier mot sommeur*, un logis qui s'affaisse
Au moindre esbranlement, un bravache venteus
200   Qui est lievre aus assaults, et en court l'un des preus,
Dont un pin qui paroist l'honneur de son boscage,

---

[1] Gen. 3 : 14.
[2] Gen. 3 : 16.

[f. A 9 v°]
Qui n'est desraciné que d'un second orage,
Sera mal asseuré, et celuy là puissant
Qui aulne la forest pour l'haleine d'un vent,
205   Dont les meurtris d'Hector diront leur mort honteuse
D'avoir cedé aus coups d'une main valeureuse,
Et ceux qui par hazard de Paris ont pris fin,
Fiers dans leurs tombeaus beniront leur destin.
Non, non Patrocle encor dans la tourbe Elysée,
210   S'honore de sa mort, et l'ame tant prisée
D'un Achille despit ombrage sa valeur
D'avoir peu prendre fin d'un homme sans honneur[1].
Voyons donc l'ennemy dont Eve est assaillie :
C'est d'un sçavant esprit, d'un Doemon plein d'envie,
215   Qui avoit desja peu gagner audacieus
Pour desceptrer son Roy des partisans aus Cieus,
Qui au thresor de paix avoit pu mettre guerre,
Qui le throsne de Dieu avoit voulu conquerre*,
Qui son pesteus venin au Ciel avoit porté,
220   Et des clairs citoyens le Laurier emporté,
Qui armé de Conseil, d'artifice et d'amorce,
De la Brune d'Enfer, des horreurs de sa force,
Vint nostre Eve apaster ; hé! qui la croit avoir,
Tant d'outils deceveurs pour Adam decevoir*[2]?

[f. A 10]
225   Elle pare pourtant une atteinte cruelle,
Elle antidote un coup ceste poison mortelle,
Elle sonde l'esprit, et de plus pres veut voir
Celuy qui à son gré est si riche en sçavoir,
Cest amy si soigneus qui offre sans priere,

---

[1] Allusion aux événements qui marquent le siège de Troie. Achille tue Hector
qui a tué son ami Patrocle, mais il est atteint mortellement au talon d'une flèche
empoisonnée lancée par Pâris. Voir Homère, *Iliade*, XVIII-XXIV ; Ovide,
Métamorphoses, XII, 601-628.
[2] Gen. 3 : 1.

230   Le sens à son esprit, à ses yeus la lumiere ;
       Oyons ce cajolleur, mais non n'escoutons pas
       Ceste impudente vois d'où nasquit le trespas
       Qui refit nostre rien, et qui souvent ensemble
       Tuë l'ame et le corps lors qu'il les desassemble.
235   Eve qui pensoit bien vaincre cest éfronté,
       Creut avoir beaucoup fait, luy ayant raconté
       La loy de l'Eternel où estoit la deffence,
       Qui les felicitoit d'une heureuse ignorance[1].
       Mais las! c'estoit Satan, à qui tu ne devois,
240   Pauvre mere, prester ny le coeur, ny la vois.
       Je voy bien le venin duquel il t'ensorcelle,
       J'entr'oy bien comme quoy ce faus amy appelle
       Ta bonne intention qui ne sert en ce lieu,
       Ny celle de tes fils, pour excuse envers Dieu ;
245   Eve, dit ce trompeur, puis que tant tu admires[2]
       La gloire de ton Dieu, aspire à son Empire,
       Caresse sa grandeur, il ne tiendra qu'à toy
       Que mordant ce beau fruit tu n'esgales ton Roy ;
       Quoy tu tardes encor alleguant la deffence
250   D'un qui doute desja ta future excellence,

       [f. A 10 v°]
       Non Eve il n'en est rien, Dieu n'a jamais donné
       Un si injuste arrest, ayant abandonné
       Ce monde à vos plaisirs, il n'en veut interdire
       Ce qui de vos yeus noirs est l'asseuré colyre ;
255   Sifflant ces mots de mort, la couleuvre inspira
       Mille vapeurs de stix en l'air, qu'Eve aspira[3] :
       Combien, combien de fois avons nous fait naufrage,
       Pour de moindres Autans, combien de droicts d'hommage,
       Rendons nous à Satan, non pas pour tout sçavoir
260   Comme Eve fit alors, mais bien pour tout avoir :

---

[1] Gen. 3 : 2-3.
[2] Corr. de admire.
[3] Gen. 3 : 4-5.

L'indocte rarement se peut rendre heretique,
Et le peintre ignorant se nommer fantastique,
Des vices font honneur, et n'appartient à tous
L'entouziasme heureux qui rend les hommes fous.
265   Revien, Muse, revien, mignonne tu te noyes[1]
En ce grand ocean, ton glissement m'effroye.
Quoy! veux-tu approuver de nostre Eve le faict,
Colorer son peché, ou moindrir* son forfaict?
Loin loin de toy mon coeur un penser si estrange,
270   Il suffit de monstrer qu'Eve plus tard se range,
Que ne faict pas Adam, et que c'est donc à tort
Qu'ayant moins resisté il se nomme plus fort.
Que ne faisoit il lors la preuve plus certaine
D'un coeur plus resolu, en evitant la peine

[f. A 11]

275   Qu'enfanta son peché : que ne se servoit-il
Du sens dont maintenant il dispute subtil?
Quoy? une femme a peu de son Dieu le distraire* ?
Quoy une femme a peu le rendre tributaire
Du diable et de la mort! et luy faire ignorer
280   Ce que Dieu chacun jour luy faisoit decorer!
O Adam ne mets plus d'une inutile ruse
La faute à ta moitié, pour t'en donner l'excuse,
L'effect a trop monstré ton debile* pouvoir,
Ton aisance au peché et[2] méprisé devoir,
285   Car si tu estois fort, où paroist ta puissance,
Qu'à trebucher au mal, faciliter l'offence[3]?
Miserable! signer ton damnable contract,

---

[1] Corr. de noye.

[2] Corr. de est.

[3] Vv. 275-288 : argument avancé par G. Postel in *Les tres-merveilleuses victoires des femmes du nouveau monde*, À Paris, chez Jehan Ruelle, 1553, p. 4-5: "On debvroit [...] en beaucoup plus accuser les hommes qui ont esté si lourdautz et malusantz de la plus grande excellence que Dieu leur ha baillé [...] les dictz hommes, mal ou nullement victorieux de leurs desordonnez appetitz, se sont laissés et se laissent comme pauvres bestes surmonter du moindre sexe".

Et au premier¹ assaut succomber tout à plat :
L'homme se taist icy, et icy je me bride,
290   En ce sainct dedalus nostre sens n'est point guide,
Nos ayeuls sont tombez, adorons ce secret,
L'Eternel a voulu, accomply et parfait,
Ainsi nostre salut, compte n'en pouvons rendre ;
Plus en sçait celuy-là qui moins en veut apprendre.
295   Mais j'entens qu'en ce lieu une indiscrette vois
M'accuse d'arguer les sacré sainctes lois,
De disputer l'arrest de la haute justice,
Car si le plus pecheur a le moindre supplice,
La femme est donc grevée, et la perfection
300   A doncques peu gauchir pour quelque passion.

[f. A 11 v°]
Pardon, Seigneur, pardon d'avoir osé escrire
Ce damnable penser, plustost humble j'admire
Ton extreme bonté qui peust garder alors
Ton juste bras vengeur de foudroyer ces corps :
305   Certes, le juge sainct en égale balance
Ne voulut tresbucher la peine avec l'offence,
Pour nos tristes ayeuls son amour prist le faict,
Et promist reparer leur indigne forfaict.
Advocat tout divin, medecin salutaire,
310   Asile des perdus, mort de nostre adversaire,
Permets qu'en ce discours je devise pourquoy
Eve sent les rigueurs d'une plus dure loy.
Est ce pas que le sainct veut par sa fletrissure
Tesmoigner comme il hait le peché et l'ordure,
315   Ordonnant que le lieu soit beaucoup plus puny
Où premier s'est éclos ce cruel ennemy?
Et de faict nous voyons l'animal miserable
Dont Satan se servit puni comme coulpable,
Pour avoir employé son canal tortueus

---

¹ Corr. de premiere.

320   Aux sinistres desseins de l'ennemi des cieux[1].
         Dieu vouloit donc monstrer combien fort il deteste
         Celuy qui ses edicts ou mesprise, ou conteste,
         Puis qu' Eve pour avoir dans le fatal morceau
         Mit[2] la premiere dent, dessert* plus grand fleau.
325   Ainsi le Roy benin bien souvent se contente

         [f. A 12]
         Qu'un des premiers mutins* sa juste fureur sente,
         Punissant en leur bien les autres qui n'ont pas
         Moins que le condamné merité de trespas ;
         Si ne veus je pourtant de ce discours conclure
330   Qu'Eve aye en cest arrest une esclave navreure*
         Que ce soit sa leçon, qu'il luy soit ordonné
         De suyvre d'un Adam le vouloir forcené.
         Le Dieu Pere tout bon plustost luy veut apprendre
         Le mal de son peché : Celuy qui devroit rendre
335   Tes jours felicitez*, dit l'Eternelle vois,
         Sera le fier tyran qui d'importables lois
         Gesnera ton vouloir, sa nature sauvage
         Te le rendra cruel. Or ce triste message,
         Dicté par le seigneur, n'est pas pour eriger
340   Un estat de tyran, ains pour le presager,
         Mais pour comme j'ay dit apprendre que le vice
         Est toujours talonné d'un bourelant* supplice.
         Ce n'est hors de propos que l'on lise en ce lieu
         Les tiltres de Cain, puis que la vois de Dieu
345   De qui se sert Adam pour preuve d'excellence,
         À Cain sur Abel donna mesme puissance[3],
         Voire plus grande encor', car à Eve il predit
         Les malheurs à venir, à Abel il les dit :
         Si voit on toutesfois que ce dicton s'efface
350   Par Jacob par Joseph, par David, par sa race,

---

[1] Gen. 3 : 14.
[2] Corr. de mis.
[3] *Caïn* et *Abel.* Cf. Gen. 4 : 1-16.

[f. A 12 v°]
Voire par le commun, ou souvent les puisnez,
Saincts, Monarques et Rois commandent leurs aisnez :
Qu'Adam ne vente donc icy sa preference,
Son devoir est premier, et non son excellence,
355 Il commence, Eve suit, mais sa sujection
N'est une exclave horreur moins imperfection.
Nous honorons nos Roys comme chose divine,
Et tel qui quelquefois sera le plus indigne,
A qui un vil bouvier ou pauvre laboureur
360 Ne cederoit en sens, en vertus et valeur.
Diray-je point encor que le pere de l'ordre
Pour garder ses sujets de se perdre en desordre,
Sage Roy à chacun donna sa qualité,
Voulant qu'un sainct amour y mist l'égalité :
365 Et que ce Cupidon qui dedans leur courage
Estoit encor resté des ais de leur naufrage,
Quoy que fort difformé deust encor toutefois
Esteindre ces deus cœurs de ses heureuses lois,
Tenir en bons devoirs leur ame chaste et saincte
370 Et les faire entre aimer, non cherir pour la crainte.
Faut il d'autres chesnons* pour deus coeurs enlacez,
Faut il de plus forts nœuds que de myrthe lacez,

[f. B]
Et faut il enseigner à une Eve amoureuse
Ses honorés respects, sa charge officieuse,
375 Ou à un sage Adam recorder* l'amitié
Qu'il doit au second soy, à sa propre moitié?
Adam commande donc, et Eve est obeye,
Eve sert son Adam, de luy elle est servie,
Ce couple en tout heureus n'a autre ambition
380 Qu'exceder en amour : voire leur passion
Croit qu'en ce sainct lien celuy doit estre maistre,
Qui fait de son amour un plus digne effect naistre.
Voyla aussi pourquoy le divin magistrat
Veut qu'un don mutuel asseure leur contrat.

385   Car Adam ne reçoit que le pris de sa somme,
         La femme est toute à luy, tout à la femme est l'homme :
         Ils partagent esgaus, et chaque portion
         A deus corps deus esprits, et double affection,
         Que si en tous sujects ce bon heur ne se treuve,
390   Si tout logis nopcier ceste douceur n'espreuve,
         Accusons leurs erreurs, leurs traistresses amours,
         Leurs lubriques desirs, leurs inconstans destours.
         J'auray tousjours prouvé que l'amour toute saincte
         Qu'Eve doit à Adam n'hommage* point la craincte,

[f. B v°]
395   Que c'est un franc vouloir qui, esclavé des peurs,
         Rend un party retif*, et l'autre plein d'horreurs,
         Qu'amour ne veut tiran rendre une ame sujette,
         Qu'amour ne veut tiran commander à baguette,
         Qu'amour ne veut qu'amour, et qu'il se rend parfait
400   Lors qu'il est guerdonné* par son semblable effect.
         Car qui esteint plustost la vive ardeur d'une ame
         Que les glaçons de peur, l'Esclave sous la rame
         Ira il benissant le comite* impiteus*
         Qui imprime ses lois sur son corps souffreteus*,
405   Plustost naistra le jour de l'ombre de la terre,
         Le dous miel de la mer, le repos de la guerre,
         Plustost sera l'enfer des heureus le sejour
         Qu'au coeur tyrannisé se trouve un vray amour [1];
         Aussi ne veut le sainct de qui nous tenons l'estre,
410   Qu'éfrayez en Satans nous le tenions pour maistre,
         Il ne commande pas que nostre œil estonné

---

[1] Vv. 378-408 : à la mystique de l'amour tel que l'homme médiéval la comprenait (voir par exemple le concept de don et de sacrifice de soi chez Marie de France), fait place une théorie quasi-juridique (réf. au "contrat") qui en revendiquant la liberté et la puissance égale de chaque sexe (d'où le don de soi *mutuel*, le partage des obligations) vient modifier l'histoire des rapports entre hommes et femmes. Je remercie Alain Vizier pour avoir attiré mon attention à ces notions.

Vise à son bras vengeur de flamme environné,
Mais il nous nomme enfans, il desarme son foudre
Pour faire nos frayeurs en vraye amour resoudre,
415   Voire le grand Sauveur reduit toute sa loy,
En l'amour du prochain, et en l'amour de soy ;
Il faut maintenant voir si le tout benin pere
Recuse Eve en ses dons, si sa bonté opere
Par effects differens, donnant moins de pouvoir

[f. B ij]
420   À Eve qu'à Adam, d'apprendre et de sçavoir,
Au contraire il promet une mesme couronne,
Un mesme rendez vous, voire l'on voit qu'il donne
Ce privilege heureus au sexe feminin
D'estre plus à vertu, et moins au vice enclin,
425   Où paroist mieus à clair la sage Temperance,
La saincte charité, l'heureuse patience,
Où luit la Chasteté qu'en ce sexe devot
Qui les plus sainctes moeurs monstre avoir en son lot?
J'en appelle à tesmoin la Liberté inique
430   Que l'homme intemperé* ose prendre lubrique
Contre les sainctes lois qu'il veut retrograder
Et commettre à autruy ce qu'il ne peut garder,
Choisissant, efronté, d'un oeil louche et impie,
Pour gloire le mespris, pour honneur l'infamie,
435   Car ne pouvant domter l'indigne passion
D'un illicite amour, il fait eslection
De ce vice et encor il veut, ô fait estrange,
Qu'à Eve soit peché ce qu'il prend à louange,
Quel nouveau partisseur* dont la temerité
440   Surcharge[1] autruy de lois, et luy de liberté?
Quel hardy baptiseur de qui l'outrecuidance
Ose appeller vertu sa folle intemperance?
Ainsi Arelius donnoit pour deytez

---

[1] Corr. de surchange.

[B ij v°]
Les images trompeurs de ses lubricitez,
445   Faisant qu'au lieu sacré l'impudique maistresse,
De son prophane cœur tenoit lieu de Deesse[1].
Plus que ce peintre encor l'homme est audacieus,
Desguisant en vertus ses actes vicieus ;
L'on voit donc clairement qu'en l'inegal partage
450   Qu'Adam fait de l'honneur, la femme a l'advantage,
Qu'elle a le lot parfait, plus triste et malaisé,
Luy le plus imparfait, moins triste et plus aisé,
Aussi est ce raison que la chose divine
Soit l'ornement du sainct, qu'Atlas ait la machine
455   Du monde pour fardeau[2], que le hardy soldat
Ait pour champ de l'honneur le plus fier du combat,
Mais tant qu'excede aussi, cil qui d'un precipice
Fait regagner le haut sur celuy qui y glisce,
Autant qu'est plus loüé vaincre sa passion
460   Que d'en estre vaincu, autant la portion
De l'honneur feminin laisse, comme excellente,
Bien loin derriere soy, celuy que l'homme vante,
Car qu'est il plus aisé que suivre ses plaisirs?
Et qu'est il plus fascheus qu'esclaver* ses desirs?
465   En l'un l'on est vaincu par les bestes cruelles,
En l'autre on est vainqueur des forces plus rebelles,

[f. B iij]
En l'un l'on a de Dieu les vertueus effects,
En l'autre on n'a d'humain seulement que les trais ;

---

[1] *Arelius.* Lucius Aelius Aurelius Commodus (161-192), empereur romain (180-192), réputé pour sa débauche effrénée, sa soif du pouvoir et ses actes de barbarie. Sous son règne, Rome fut débaptisée et refondée comme *Colonia commodiana.* Il fut étranglé sur l'ordre de sa maîtresse Marcia. Cf. Eusèbe, *Histoire ecclésiastique,* V, préf. 1 (& n. 2) ; iv, 3.

[2] *Atlas.* Fils du titan Iapetus et de Clymené condamné par Zeus à porter le monde sur ses épaules. Cf. Virgile, *Enéide,* I, 1034 ; Pausanias, *Description de la Grèce,* V, x, 9 ; xi, 5 ; xviii, 4 ; Ovide, *Métamorphoses,* II, 296-298.

Mais ne semble il pas, car il faut que j'employe
470   Ce trait de vanité, qu'à ma Muse j'octroye
Cest air rodomonteur*, que l'on oit ces perdus,
Ces tristes forfaiteurs*, exilez des vertus,
Qui du cloaque bas de leurs impurs courages*,
Crient honteusement, Mesdames soyez sages,
475   Combatez nos vainqueurs, ils ont sçeu nous domter,
Mais vos plus grands pouvoirs, les peuvent surmonter.
Ainsi sur le gibet l'amere repentance
D'un pauvre criminel, convie l'assistance
Aus leçons du devoir, cependant qu'un bourreau
480   Le joint pour ses mefaits aus douleurs d'un poteau,
Ainsi le triste Adam en son lot miserable
Perd le tiltre de fort, et le nom d'equitable,
Voire je diray plus que le divin portrait
Mieus en Eve qu'en luy a conservé son trait,
485   Car si moins qu'Eve il est, et sainct et raisonnable,
Moins qu'elle il est aussi au tout parfait semblable,

[f. B iij v°]
Moindre par consequent puis que la dignité
Est au plus approchant de la divinité,
Adam juge au rebours, car en ce temps sauvage
490   Dire qu'un homme est bon, c'est taxer* son courage*,
C'est l'appeller poltron, que le nommer devot,
Et le croire loyal, c'est le penser un sot,
Eve tout autrement comme à la vertu née
Tient de justes devoirs sa furie enchainée,
495   Refrene ses desirs, combat sa passion
Et vassalle d'honneur rend son affection,
Colere elle consulte avec la Temperance
Qui rompt les rouges dards d'une fiere vengeance.
Si Amour l'a seduit, les leçons de l'honneur
500   Chassent de son cerveau ceste infecte vapeur,
C'est (ce me dira l'on) par ce qu'estant debile*,
Son bras vengeur armé luy seroit inutile ;
Sage elle suit les lois, mais faute de pouvoir

En empecher l'effect comme un malle* vouloir,
505   C'est abus, c'est abus de croire une impuissance
Au cœur qui irrité a receu quelque offence.
Une mouche a pouvoir lors qu'elle en veut user,
Jamais moyen ne faut à qui se veut venger.
Nature qui a fait à tout ame animale
510   Naistre ce fier desir, est[1] aussi liberale
D' outils pour luy offrir, si un sage devoir

[f. B iiij]
N'en oste le dessein, et non pas le pouvoir ;
Aussi la Chasteté belle et saincte n'habite
En un courage* impur, qui lasche ne resiste
515   Au peché que par peur elle vent un logis
Qui sçachant sa valeur la garde pour son pris.
Ce seroit faire tort à ceste vertu belle
De luy donner logis en la moindre parcelle,
L'on honore l'honneur, l'escarboucle est pour l'or,
520   Et non pas pour le plomb, je conclu donc encor
Que quand l'homme auroit eu quelque degré d'aisnesse,
C'est un autre Esau roturant sa Noblesse
D'un partage honteus[2], c'est un Agamemnon
D'Achilles imperé*, quoy qu'il fust Roy de nom[3] ;
525   Mais voicy un canon de qui mon hoc s'estonne,
J'entroy le bruit, le coup, je voy l'esclat qui tonne :
L'homme l'ameine icy, place, place, dit il,
Voicy qui finira nostre procès civil,
Voicy un homme Dieu, voicy un Dieu et homme,
530   Le chef des Anges Saints, qui fils d'Adam se nomme,
Qui voulant par son sang unir la deyté

---

[1] Corr. de et.
[2] *Esau.* Il vendit à Jacob son droit d'aînesse contre un brouet de lentilles
(Gen. 25 : 19-34). Le mépris d'un tel droit, considéré sacré, trouve son châtiment
(Gen. 27).
[3] Allusion à la querelle entre Agamemnon et Achille. Cf. Homère, *Iliade*,
I, 1-317 ; Ovide, *Métamorphoses*, XIII, 442-444.

Avec le sang impur par le serpent gasté,
Ne voulut pas choisir en l'humaine nature
Du sexe feminin l'imparfaicte figure ;
535 Tout beau homme, tout beau ; Car ce que ce grand Roy

[f. B iiij v°]
A mesmes de l'humain n'est peu venir de toy,
Si ton sexe il a pris, il l'a pris d'une fille ;
Il l'a pris pour domter par la part plus debile*
Nos puissans ennemis, il l'a pris pour autant
540 Qu'il venoit se vestir du plus vil vestement.
Il l'a pris pour afin de complaire à l'usage,
Pour oster le soupçon qu'un feminin visage
Eust fait naistre de luy, lors que par tant de lieus,
Il alloit publiant l'ouverture des Cieux.
545 Il l'a pris pour donner à ton sexe asseurance
Qu'il pouvoit esperer partage en sa clemence,
Si laissant la fierté de tes rogues* façons,
Ta foy forme tes mœurs sur ses sainctes leçons :
Homme sois donques las d'avoir un front Prothée
550 Pour satisfaire à tous, de te former Athée[1]
Pour complaire à tes sens, d'inventer l'ordre noir
Du paganisme erreur, d'eslever ton sçavoir,
Impie audacieus, plus que la lettre pure
Des sacrez saincts escrits, d'estonner la nature
555 Par tes enormitez, sois las d'empuantir
Le vestement humain qu'un Dieu daigna vestir,
Certes je n'ay la main, ny la vois assez forte
Pour monstrer les malheurs que ton sexe nous porte ;
La douleur nous en est trop facile à prouver,

---

[1] *Prothée*. Protée chez les Grecs, Ketès chez les Égyptiens. Dieu marin qui avait reçu de Poséidon, son père, le don de prophétie. Il changeait de forme à volonté. Cf. Homère, *Odyssée*, IV, 351 sq. ; Hérodote, *Histoires*, II, 112, 118; Diodore de Sicile, *Bibliothèque historique*, I, 62.
   Athée. Ate. Déesse du Mal, cause de toutes les mauvaises actions et leurs résultats.

[f. B v]

560   Puis il me faut icy les Dames retrouver.
       Venez donc maintenant, troupe saincte et instruite,
       Monstrez moy vos pouvoirs, monstrez vostre merite,
       Tirez du cabinet de vos riches valeurs
       Vos rares qualitez, vos vertus, vos honneurs.
565   Il est temps, beaux esprits, que faciez vostre monstre,
       Il est temps, beaus esprits, que mon œil vous rencontre,
       Et que vous faisant voir l'eschantillon du plus
       Monstre combien nostre Eve est fertile en vertus.
       Je baise vos beaus pas, veritables prophetes
570   Qui premieres courez, heureuses interpretes
       De la loy du Seigneur, sainctes mache Lauriers,
       Descouvrez vos tombeaus, avivez ces cayers*,
       Qu'entristez de vos noms au premier escarmouche
       Le brenchage estimé d'un doit vainqueur je touche ;
575   Ha! voicy Debora, l'oracle de la Loy,
       Sacré sainct colonnel du quartier de son Roy,
       Mattant* l'ost* estranger de qui la juste audace
       Gouverne prudemment du sainct Isaac la race,
       Et fait à qui la voit d'un riche estonnement

       [f. B v vᵒ]
580   Balancer ses effects à son enseignement[1],
       Je voy un Roy d'Isaac qui choisit pour maistresse
       La glorieuse Holda, divine Prophetesse,
       Qui luy apprend ses lois, qui luy monstre à regir
       Son peuple dignement, et son sceptre tenir[2],
585   Je te salue icy, chere soeur et compagne
       Du vieil legislateur qui vit dans la montagne,
       Cil qui ne se peut voir, mais qui viendra hausser
       Les cordes de ma vois pour ton nom prononcer.

---

[1] *Debora*. Prophétesse au temps des Juges d'Israël. Cf. Jug. 4 : 4-10; Clément
d'Alexandrie, *Stromates*, I, 110. Voir aussi Pisan, *Cité des Dames*, II, 4.
[2] *Holda*. La prophétesse Olda, femme de Shallum. Cf. 2 Rs 22 : 14-20 ;
2 Chro. 34 : 22-28.

Sacrée Elisabeth, clair-voyante Prophete,
590 Qui transperçant l'obscur de sa vierge cachete
Cognut ton Redempteur, ton pere, frere et roy ;
Tes yeus, sacrez Soleils, verrieres de la foy,
Saluent pour Seigneur, pour Createur et maistre,
Celuy là qui sembloit n'avoir encor point d'estre :
595 Les Juifs l'ont refusé apres qu'il est venu,
Toy avant que le voir l'avois desja cognu[1],
Sainct Jean le monstre au doigt, son tiltre il fait entendre[2],
Mais ayant veu sur luy la colombe descendre,
Symeon l'adora[3], mais l'ayant en ses bras,
600 Toy, o Vierge cachot, presque encor n'estant pas,
Premiere donc tu as salué la lumiere
De nostre beau Soleil, voire tu as premiere
En ce monde accueilly du monde l'Empereur,

[f. B vj]
Et pour le monde ingrat fait du monde l'honneur[4] ;
605 Anne te suit de pres, ceste vefve excellente
Qui attend le salut qu'un beau jour luy presente
Lors que pleine de foy, estant au sacré lieu,
Quoy qu'il sucçast le lait, elle hommagea* son Dieu[5].
Voicy ce Cube sainct, ceste troupe carée*,
610 De qui le docte esprit sert d'œil en Cesarée,
Qui predit le futur, qui le mirthe amoureus
Saboule* sous les pieds, puis d'un vol glorieus,
Sur l'eschellon de foy, son bien heureus thalame,
Cherche au delà des Cieus le sujet de sa flamme.
615 O Felice union, puissay je comme vous
Viser utilement en vostre rendez vous,
Puissay je, ayant un ton en si douce harmonie,

---

[1] Lc 1 : 39.
[2] Lc 1 : 64.
[3] Lc 2 : 25-32.
[4] Lc 2 : 19.
[5] Lc 2 : 36-38.

Dedier au Seigneur et ma vois et ma vie,
Puissay je, ayant au chef le virginal chapeau,
620   Fouller les champs bausmez* de vostre heureus coupeau*?
Mais voicy pas venir ceste bande zelée,
Qui cherchoit le vivant dans la tombe gelée,
Je les voy arriver, et d'un sein panthelant
Le Christ ressuscité annoncer hautement,
625   Dire comme en la mort elles ont veu la vie,
Et au lieu d'un grand dueil, une joye infinie[1]?
Sainct Esprit qui monstrez par vos sages propos

[f. B vj v°]
Le ciel nous estre ouvert, que peché avoit clos,
Qui par le sainct raport de vostre heureus message
630   Voulez crayer* l'erreur de l'ayeule peu sage,
Combien sont beaus vos pieds, et quel est vostre honneur
D'avoir esté herauts de la haute faveur?
Que je m'extase icy, qu'avec vous je m'escrie :
Nostre Christ n'est point mort, nostre Christ est en vie,
635   Il a vaincu nos maus, il a pillé l'Enfer.
O gracieus discours te pourroy je laisser?
Les courtisans du Ciel ont chanté la naissance
Du Messie attendu, mais c'est sa decadence,
C'est le jour que premier il joignit nos travaus,
640   Pour suer de son sang les precieus grumeaus ;
Vous, saincts Embassadeurs, vous annoncez sa gloire,
Vous le monstrez vainqueur, vous preschez sa victoire,
Vous servez de tesmoins aus onze saincts pilliers
Du retour de leur Roy, vous monstrez ses palmiers,
645   Vostre celeste amour qui leur amour surmonte,
À ce troupeau éleu fait leçon de sa honte,
Et c'[2] est aussi pourquoy encor que ne soyez

---

[1] Mt. 28 : 1-8.
[2] Corr. de s'.

[f. B 7]

Tresorieres du ciel, et que vous n'y lisiez
Les arrests du futur, vostre dignité grande
650   Me fait roller vos noms en la Prophete bande,
Fait que plus que les clous qui rayonnent aus Cieus,
Plus que le riche azur qui bluete à nos yeus,
Plus que l'esclat brillant de la lampe dorée,
Vostre nom se lira en la carte honorée
655   De l'escrit tout divin, et j'oseray aussi
En parer ces cayers. Muse inclinons icy,
Voicy l'honneur premier du sexe que je vante,
Voicy les veritez d'une Vierge excellente,
Fille mere des Dieus, de qui les qualitez
660   Eslevent mes desseins, mais mes infirmitez
Les abaissent aussi, ô Emperiere Astrée,
Favorise ces vers que je sois esclairée
Du beau feu qui tardit, lors que de corps et cœur
Tu enfantas ton fils, conceus ton Createur,
665   Saincte espouse du ciel fust ce point ta jeunesse
Ou les ondez destours des frisons de ta tresse,
Fust-ce point les clartez qui brilloient de tes yeus,
Qui sceurent allumer en ta faveur les Cieux?
Non je ne scay que c'est, sinon qu'en la surface
670   N'estoient pas les attraits qui t'emplissoient de grace,

[f. B 7 v⁰]

Non, je ne sçay que c'est, sinon que ta beauté,
Quoy que grande accordoit avec ta chasteté,
Non, je ne sçay que c'est, sinon que ta hautesse
Naissoit des dous desirs d'une humble petitesse,
675   Que parmy le débord d'un peuple plein d'horreur,
Ton ame heureusement attendoit son sauveur :
Sainct amour tout aimant, c'est à toy à nous dire
Quel dard tu tiras lors, qui eut l'oser delire
L'invisible pour but, l'infiny pour object,
680   Et le pere de tout pour martir de ton trait,
Car si le plaisant mal, que ta flesche nous laisse,

Est un desir du beau, quel beau avoit pris cesse
Au pere des beautez, quel souhait loge au cœur
De cil qui hors de soy ne trouve que laideur.
685   Certes icy les mots tarissent en ma bouche,
Mes pensers au cerveau, mon esprit devient souche,
Et la plume qui veut crayonner mon dessein,
D'un juste estonnement eschappe de ma main.
Revenez mes esprits, revenez ma pensée,
690   Que ma plume en mes doigts soit derechef pressée.
Ma Princesse a voulu me dicter que ce fut
Le Createur benin, qui en l'aimant voulut,
Suivant les saincts effects de sa douce nature,
Embellir le hideus, et nettoyer l'ordure,
695   De l'impur et du lait, le sainct et beau former,

[f. B 8]
Et encore une fois son œuvre reformer.
Ce fut lors, ce fut lors, gracieuse Marie,
Qu'entre mille beautez la tienne fut choisie
Pour delices du Ciel, ce fut lors que le Roy
700   Couronna les beaus dons qu'il avoit[1] mis en toy,
Sacré sainct envoyé de la voulte celeste,
Rends moy ton salut, rens encor manifeste
Ton Embassade heureus, c'est toy digne courrier
Qui dois avec mes vers tes chansons marier,
705   Que je me taise donc, ou que plustost je tire
De ton aisle un pinceau pour devote d'escrire,
Le glorieus Echo qui au Ciel retentit,
Quant ton message heureus son Amant luy apprit :
Quant d'un accord divin ceste amante et aymée
710   Envoya dans le Ciel son oraison nombrée,
Ce sainct Magnificat qui peut misterieus
Faire trembler la terre, et esmouvoir les Cieus,
Qui des mains du treshaut ose arracher le foudre,

---

[1] Corr. de avoir.

Qui fait en des pitiez sa colere resoudre,
715   Qui apprend aus humains le pouvoir merveilleus
Par lequel l'humble est grand, et petit l'orgueilleus,
Les Anges l'escoutans, bondirent sa cadence,
Le coeur des bien heureus qu'une saincte esperance

[f. B 8 v°]
Detenoit sous l'autel esveillez par ce cry,
720   Gousterent un repos qui ne peut estre escry.
J'offenseroy aussi la Royne que j'admire
Avec mon sot devoir s'il pretendoit escrire
La grandeur de son los, jà tremblante je voy
Que son humilité se fasche contre moy :
725   Lecteur, nous osons peu, l'admirant comme humaine,
Lecteur, nous osons trop, la nommant plus hautaine,
C'est, je ne sçay que c'est, je sen mon bras lassé,
Du rameau qui cueilly d'un autre est remplacé,
De l'Enée guidon*, de ce beau ciel de grace
730   Qui me volle à ce coup et la vois et l'audace ;
Estrangeres vertus vous oseray je hanter
Au domestiq Eden, m'en pourray je exempter,
Saincte race d'Isaac ;   non, mais mon humble Muse
Vous demande pardon si elle ne refuse
735   D'enroller apres vous ses payennes qui n'ont
D'un si digne rameau fait ombrager leur front.
Je sçay qu'un feu bien clair allume leur poitrine,
Qu'elles ont dans le sein un esprit qui devine,
Que leur sens eslevé descouvre avant saison,
740   Les mysteres de Dieu, que l'humaine raison

[f. B 9]
Ny l'esprit de Satan ne pourroient pas apprendre
Les secrets merveilleus qu'elles ont fait entendre,
Mais je sçay bien aussi qu'un brouillard odieus
Leur desrobe le jour qui esclaire à nos yeus ;
745   Admirons toutesfois ceste grande Erithrée
Qui a du Redempteur la passion monstrée,

Qui sa mort et ses faits a si bien raconté
Que celle l'avoit veu touché et escouté,
De qui le beau labeur ne differe autre chose
750   Avec le sainct Esprit, que du vers à la prose[1] ;
Quelle est ceste autre cy qui marche en gravité,
Le corps de seillons* pleins, vieil, caduc et vouté,
Monstrant le fard moisi de sa vieille viellesse[2]
Aus rides de son front, au meur de sa sagesse,
755   Quels livres sont ce là, et quels divins secrets[3]
Offre elle à un Roy pour les bruller apres?
C'est la docte Demo[4], la Cumée sçavante
Qui son caché sçavoir à un Tarquin presente,
Puis le voyant ingrat estimer à trop peu
760   Son oracle labeur en met huit parts au feu,
Le neufiesme acheté autant que vaut le reste
Fut mis au lieu qui prend son tiltre d'une teste
Comme un relique sainct, où le peuple Latin
Relisoit chacun jour de ses murs le destin[5] ;

---

[1] *Erithrée.* Sibylle qui avait reçu de Dieu le pouvoir de prédire l'avenir. Elle prédit les grands événements de la vie du Christ et révéla les secrets de la puissance divine, tout ceci dans l'espace de 27 vers. On l'identifie parfois à la sibylle de Cumes, qui porte aussi le nom d'Hérophile. Cf. P. Grimal, *Dictionnaire de la mythologie grecque et romaine*, 11 éd., Paris, 1991, p. 421. Cette figure apparaît aussi chez Pisan, *Cité des Dames*, II, 2.

[2] Le redoublement de termes voisins par le sens (adjectif et substantif de la même famille comme ici, ou couple de synonymes) est un procédé de style largement répandu dans la prose du Moyen Âge au dix-septième siècle. Voir J. Rasmussen, *La prose narrative du XVIe siècle*, Copenhague, 1958, p. 25-32 ; J. Chocheyras, "Le redoublement de termes dans la prose du XVIe siècle : une explication possible", *Revue de Linguistique Romane*, 33, 1969, p. 79-88.

[3] Sans doute s'agit-il de la Cuméenne dont il est question dans les lignes qui suivent. Les Romains se référaient à ses livres pour le gouvernement de l'empire comme si c'étaient des oracles divins.

[4] *Demo.* Ne s'agirait-il pas de Damo, la fille de Pythagore dont il est question plus loin, mais pourquoi interrompre le récit concernant la Cuméenne ?

[5] *La Cuméenne.* Fille de Glaucus, née à Cumes, dans la province de Campanie, d'où le nom de Cuméenne qui lui est attribué. Elle est aussi surnommée Almathée ou Déiphèbe (Virgile, *Enéide*, VI, 50-52 ; Pisan, *Cité des Dames*, II, 3). Cf. Aulu-Gelle, *Nuits attiques*, I, xix ; Virgile, *Enéide*, III, 576-591 ; Ovide, *Métamorphoses*,

765   Les sœurs de celle cy, qui suivent leur cadence

        [f. B 9 v°]
        D'un septenaire rang saboulent* l'ignorance,
        Font briller leurs esclairs aus plus espesses* nuits,
        Servent de magasin* aus plus dignes esprits,
        De conseil aus grands Roys, voire oseray-je dire,
770   De temple aus immortels qu'en eus le monde admire.
        Tesmoin la Delphienne[1], et celle qui cessa
        Ses coustumiers effects, quant un sainct la tança*,
        Apres eus marche en rang la nayne couronnée
        Qui vit meurtrir son fils par un rival Enée,
775   Ayant desja predit par des ans plus de dis,
        La prise d'Ilion, voire par ses escris,
        De l'er sie embrazez, pour crainte qu'un Homere,
        Honteus ne contraignist sa plume de se taire[2] :
        Tousjours la tirannie, et les jalous desseins
780   Ont du sexe plus beau, les dignes faits esteins ;
        Adieu rare escadron, Adieu Dames parfaites,
        Adieu sages cerveaus, Adieu ames prophetes,
        Le Philosophe rang me vient or' emprunter
        Les outils que je doy à sa gloire apprester ;
785   De ce second troupeau je voy la formilliere
        Guidée d'Aretha, la gregeoise lumiere,

XV, 71 ; XIV, 121-153.

[1] *La Delphienne*. Sybille née au temple d'Apollon à Delphes, connue aussi
sous le nom de Thémistoclée. Elle prédit longtemps avant l'événement la
destruction de Troie (Pisan, *Cité des Dames*, II, 2). Selon Aristoxène, c'est d'elle
que Pythagore aurait reçu ses principes (Diogène Laërce, *Vies*, VIII, 7 & 21).

[2] S'agit-il toujours de la prêtresse de Delphes ou bien d'Érophile, surnommée
aussi Erythrée d'après le nom de l'île où elle vivait ? Cf. Clément d'Alexandrie,
Stromates, I, 108, 3. Elle aussi avait prédit aux Grecs venus la consulter qu'ils
détruiraient Troie et la citadelle d'Ilion, et qu'Homère en ferait un récit mensonger
(Pisan, *Cité des Dames*, II, 2).

L'ame de Socrates[1], et d'Homere la vois[2] :
Quelqu'un ose asseurer qu'il a veu mille fois
Pour succer le Nectar que sa levre eloquente
790 Distiloit sagement la troupe plus sçavante

[f. B 10]
Des philosophes Grecs, jusques à cent et dis,
User incessamment le beau sueil de son huis* ;
Pres d'elle est Theocla qui enseigne son frere[3],
Le grand Pithagoras dont la fille heritiere
795 Du sçavoir, non des biens par un usure* heureus,
Augmenta le renom, d'elle et du pere vieus[4] ;
Celuy qui fut nommé le plus sage de Grece
Par l'oracle Apollon[5] tient en fief sa sagesse
D'une Diotima[6], et si donne le pris
800 À son Aspasia sur les doctes esprits[7],
Quel honneur pouvoit plus Rome à sa Cornelie,
Que la deïfier pour arracher sa vie,
Ou Sepulchre relant, et pour quel des mortels,
A elle creu de voir enfumer* des autels,

---

[1] *Aretha.* Arété. À la mort de son père Aristippe, qui étudia sous Socrate, elle dirigea une école de philosophie cyrénaïque. Cf. Volaterranus, *Raphaelis Volaterrani Commentariorum urbanorum Libri XXXVIII*, Rome, 1506, ch. 13.

[2] Dans l'*Odyssée*, c'est grâce à ses questions qu' Ulysse peut raconter son histoire. Cf. Homère, *Odyssée*, VII, 54-74.

[3] *Theocla.* Thémistoclée, la Prêtresse de Delphes et la sœur de Pythagore. Elle passait pour lui avoir fourni ses principes. Le nom de Theocla apparaît chez Suidas dans son article "Pythagore".

[4] Damo, la fille de Pythagore, à qui celui-ci avait confié ses commentaires et défendu de les laisser sortir de chez elle. Cf. Diogène Laërce, *Vies*, VIII, 42.

[5] Diogène Laërce, *Vies*, II, 37.

[6] *Diotima.* Prêtresse de Mantinée de qui Socrate tient sa conception de l'amour. Cf. Platon, *Banquet*, 201d ; Lucien, *Traité des images*, 18.

[7] *Aspasia.* Fille d'Axiochus qui enseigna la rhétorique à Périclès et à Socrate. C'est sous elle que ce dernier étudia la philosophie. Cf. Platon, *Ménexéne*, 235e; Plutarque, *Périclès*, XLV-XLVII. Pour une mise au point sur ce personnage, voir F. Le Corsu, *Plutarque et les femmes dans Les vies parallèles*, Paris, 1981, p. 150-153.

805   Fors pour Cornelia qu'elle aime et favorise
D'une deuë amitié, veut que son nom se lise
En un marbre élevé, et que les sens ardens
Consument non son los*, mais ses caduques ans,
C'est pour Cornelia que le courier celeste
810   Se plaint aus immortels, qu'en terre il ne luy reste
Sacrifice, ny nom, voire qu'il est contraint,
Jalousement despit, le front de honte peint,
De mendier les mots, la doctrine et la grace
D'une Cornelia qui luy volle sa place[1] :
815   Camille je ne doy ny ne puis t'oublier,

[f. B 10 v°]
Que je t'enrolle icy, sors en ce rang premier
Et souffle en mes poulmons les heureuses merveilles*
Dont tu sçavois ravir les disciples oreilles,
Lors qu'en sages effects et en doctes discours,
820   Tu servois de patron et d'escole à tes jours[2].
Oyons le grand Platon, non lors qu'il deïfie
Sa belle Archenassa, mais en l'academie
Où il ne veut entrer qu'il n'ait premierement
Veuë entrer l'Asterna, son digne entendement,
825   Et son Axiotha qu'il prefere par gloire
À tous ses auditeurs, la nommant sa memoire,
Pour ces[3] deus seulement l'escole il embaumoit,
Pour ces deus seulement ce grand Docteur parloit

---

[1] *Cornelia*. Fille de Scipion l'Africain, mère des Gracques, renommée pour son savoir et son éloquence. Elle laissa de fort belles lettres d'où ses fils, selon Quintilien (*Institution oratoire*, I, 1, 6), tiraient leur éloquence (Volaterranus, ch. 14). Après la mort de son époux, Gracchus Tiberius Sempronius, elle refusa de se remarier pour pouvoir se consacrer à l'éducation de ses enfants. Cf. Plutarque, *Tiberius Gracchus*, I-II ; Valère Maxime, *Actions et paroles mémorables*, IV, 6; Cicéron, *De la nature des dieux*, I, 18-36.

[2] *Camille*. Vaillante guerrière, fille du roi des Volsques, alliée de Turnus contre Enée. Cf. Virgile, *Enéide*, VII, 1055-1072 ; XI, 535-600 ; Boccace, *De claris mulieribus*, XXXVII ; Pisan, *Cité des Dames*, I, 24.

[3] Corr. de ses.

Du disciple troupeau, ce couple il veut élire
830   Digne d'ouïr Platon, et Platon de leur lire[1] ;
Qui peut sauver Silla, lors que contre sa foy,
Son triomphe et devoir, sa patrie et sa loy,
Il osa immoler à sa rouge furie
De trois mille Romains, et le bien et la vie[2].
835   Sabyna tint les mains du peuple despité*,
Sabyna sent calmer le romain irrité,
Charmant si doucement du grant Senat l'oreille
Qu'elle fit effacer la faute paternelle,
Pere indigne cent fois d'un surgeon* si parfait,

[f. B 11]
840   Fille indigne cent fois d'un tronc si contrefait[3] ;
Mais quel est ce troupeau, Muse, que tu m'ameines[4] :
Ha! je le recognoy, c'est la bande Romaine,
Et la Grecque qui veut d'un eloquent combat
Des maris furieus appaiser le debat.
845   Jà la superbe Rome, et la Grece mutine*,
Resolus conjuroient l'une ou l'autre ruyne,
La terre s'ombrageoit sous leurs fiers estandars,
Et l'argentin clairon saluoit le Dieu Mars,

---

[1] *Archenassa*. Amie de Platon. Cf. Diogène Laërce, *Vies*, III, 31.

Asterna. Ce nom ne figure nulle part, pas même dans le *Historia mulierum philosopharum* (1690) de Ménage qui recense toutes les femmes de l'Antiquité sous différentes sectes philosophiques.

Axiotha de Phlius. Disciple de Platon. Cf. Diogène Laërce, *Vies*, III, 46 ; IV, 2.

[2] *Silla*. Lucius Cornelius Sulla ou Sylla, général et dictateur romain (138 - 78 av. J. - C.), personnage marquant des guerres civiles de Rome. Il s'empara d'Athènes au cours de sa campagne contre Mithridate, en 86 av. J. - C. Sur l'épisode rapporté ici, voir Plutarque, *Sylla*, LXIII.

[3] *Sabyna*. Petite-nièce de Trajan, empereur romain (98 -117 av. J. - C.), qui l'adopta pour sa fille et la maria à Hadrien. Celui-ci lui succéda à l'empire. Cependant, sitôt que Trajan fût mort, il méprisa Sabine. Selon les légendes hagiographiques, elle fut mise à mort pour avoir enseveli Séraphie, vierge antiochienne, que le préfet Beryllus avait fait torturer et exécuter.

[4] Corr. de ameine.

Quand leur bon heur* commun voulut qu'ils hommagerent*
850   Les Dames de leurs fers, qu'à leurs pieds ils rangerent,
         Y commettant aussi chacune nation
         Son repos, son bon droit et son ambition,
         Un disain redoublé de chaque part s'avance,
         Là Pithon se monstra¹, là parut l'Eloquence,
855   Les charitez² illec emmusquerent tout l'air
         Et Minerve³, dit on, sous leurs corps vint parler.
         Le Romain fut content, la Grece fut contente,
         Admirant les discours de leur troupe sçavante,
         Aussi les Rhodiens par quarante pilliers
860   De marbre surdoré, estoffez de Lauriers,
         Voulurent faire voir à la race future
         Le trophée excellent de si digne avanture.

         [f. B 11 v°]
         En ce beau magasin je lasse mon plaisir,
         Parmy tant de thresors s'amoindrit mon plaisir,
865   Je ne puis, je ne puis, he! qui s'en croit capable,
         Raconter tout du long l'histoire veritable
         De vos perfections, Philosophes esprits,
         Il suffit de ce peu, ma main n'a entrepris
         De tarir l'occean, puis il faut faire place
870   Aus mignonnes des sœurs, qui leur heureuse grace
         Viennent changer pour moy : oyons comme Saphon

---

¹ *Pithon.* Pithon chez les Grecs, Suada ou Suadela chez les Romains, qui personnifie la persuasion et est généralement associé à Hermès, le dieu de l'éloquence. Cf. Hésiode, *Les travaux et les jours*, 73 ; Hérodote, *Histoires*, VIII, 111; Pausanias, *Description de la Grèce*, II, vii, 7.

² *Les charitez.* Les trois Grâces. Cf. Hésiode, *Théogonie*, 907-909.

³ *Minerve.* Née de Zeus et de lui seul. Déesse romaine connue sous le nom de Pallas Athénée chez les Grecs, Tritogénie et Glaucopis chez les Égyptiens (Diodore de Sicile, *Bibliothèque historique*, I, 12), fréquemment décrite comme "la déesse aux yeux pers" (Hésiode, *Théogonie*, 887, 923-926). Elle personnifie la sagesse, la raison, la chasteté. Le premier récit qui la mentionne la décrit comme une déesse guerrière, ardente et impitoyable. Voir Homère, *Iliade*, I, 193 sq.; Ovide, *Métamorphoses*, II, 752 ; VIII, 264-265.

Se fait presque adorer, souspirant son Phaon,
Cest ingrat, ce cruel, qui seul n'a l'ame atteinte
Du dous ravisssement de sa mignarde plainte,
875   Oyons comme aujourd'huy l'on perfume les airs,
Du musq de ses chansons, qu'encor ses doctes vers
Nous servent de patron, et que l'ode saphique
Tient le plus digne ton en la douce musique,
Sert de charme aggreable à l'oreille des Rois,
880   De traits à Cupidon, et d'honneur au Gregeois[1].
Cornifice la suit, sonnant son Epigramme
Sur le Lut Delphien[2], Nicostrate son carme,
Que par nombreus accords si haut elle monta
Qu'elle emporte aujourd'huy le nom de Carmenta[3];
885   Ainsi Scipion a receu pour sa gloire

[f. B 12]
L'Epithete du lieu où naquit sa victoire[4],
Un Charles le nom grand[5], ainsi un Jean encor,

---

[1] *Sapho.* Poétesse lyrique (VIIᵉ s. av. J.-C.), originaire de Lesbos, appelée parfois la dixième muse. Cf. Plutarque, *Œuvres morales & meslées*, 477. Voir aussi l'*Anthologie grecque*, 9, 26 ; Boccace, *De claris mulieribus*, XLV.
     Faon (VIIᵉ-VIᵉ s. av. J.- C.). Jeune marin de Mytilène dont Sapho, plus que quinquagénaire, aurait été amoureuse. Délaissée par lui, elle se serait précipitée dans la mer du haut du promontoire de Leucade. Cf. Ovide, *Héroïdes*, XV.
     [2] *Cornifice.* Sœur de Cornificius, poète célèbre. Elle connut une renommée égale à celle de son frère pour ses épigrammes. Cf. Boccace, *De claris mulieribus*, LXXXIV.
     [3] *Nicostrata.* Prophétesse d'Arcadie qui rendait les oracles en vers. Aussi fut-elle surnommée Carmenta, du latin *carmina* signifiant vers. Cf. Plutarque, *Romulus*, XXXIII ; Tite-Live, *Histoire Romaine*, I, 7 ; Virgile, *Énéide*, VIII, 338; Hyginus, *Fabulae*, CCLXXVII ; Boccace, *De claris mulieribus*, XXV ; Pisan, *Cité des Dames*, II, 5.
     [4] Cornelius Scipio Africanus Maior (235 -183 av. J.-C.), général romain, vainqueur d'Hannibal (202 av. J.-C.) à Zama en Numidie (contrée de l'ancienne Afrique).
     [5] Carlus Magnus (742-814), roi des Francs (768-814), empereur d'Occident (800-814).

Pour son rare discours, est nommé bouche d'or[1],
Muse faut-il s'armer quand l'olive se donne,
890   Quand le Prince ennemy atterre* sa couronne
Aus pieds de son vainqueur, non il n'en est besoin,
Calme pour ceste fois le zele de ton soin,
Ne recherche plus tant, voicy de Mnemosine[2]
Le plus cher nourrisson qui la gent feminine,
895   Exalte en Clorinda[3], riche fleur des ouvriers,
D'elle autant devancé que de luy les derniers,
Voy comme il prend son jour de ce digne comete,
Qu'elle le rend sçavant, qu'elle le fait Poëte,
Et qu'elle veut encor à ce Grec Apollon
900   Ceder son propre los*, luy donnant la façon
De cest œuvre disert* dont la docte harmonie
Souspire les malheurs du Monarque d'Asie ;
Ne vous desdaignez pas, escadron ensceptré,
De suyvre le beau trac de ce troupeau lettré,
905   C'est au docte sçavoir à qui l'honneur se donne,
Non au brillant esclat d'une riche couronne.
Pardon, certes j'ay tort de prevenir ces plains,
Qui ne peuvent sortir que de cerveaus mal sains,

[f. B 12 v°]
Vous ny sçauriez penser, puis vostre sage audace,
910   Vostre gloire et valeur honore vostre place,
En quel lieu qu'elle soit, sortez donc, faictes voir
Qu'avez sçeu mesnager un monarque pouvoir ;
Celle qui vient chercher le sçavoir de Judée,
La superbe Saba, n'est point plus collaudée*[4]

---

[1] S. Jean Chrysostome (c. 349 - 407), prêtre d'Antioche, célèbre par sa prédication, d'où son surnom (bouche d'or), patriarche de Constantinople (398).

[2] *Mnemosine*. Mnemosyne, la mère des Muses. Voir Hésiode, *Théogonie*, 54 sq., 60-79, 915-917 ; Diodore de Sicile, *Bibliothèque historique*, V, 7.

[3] *Clorinda*. Peut-être cette vierge guerrière qui, dans *La Jérusalem libérée* du Tasse (1580), combattit aux côtés d'Aladin pour défendre Jérusalem. Blessée par Tancrède dans un combat singulier, elle reçut le baptême avant de mourir.

[4] Corr. de collandée.

915   Pour l'or de ses habits, pour le feu de ses yeus,
       Pour son vœu pelerin, pour son soin curieux,
       Pour l'inombrable mets de la creuse canelle,
       De l'encens flair* du Ciel que la prime eternelle
       De Sabée produit pour le soucheau* baumeus*
920   Du Medecin des corps, pour son train piafeus*,
       Qu'elle l'est pour avoir d'un œil plus clair que Lynce
       Purgé de mille erreurs le corps de sa Province,
       Qu'elle l'est pour avoir d'un travail peu aisé
       Agravé le forfait du peuple baptisé.
925   Qui (ô impieté, le gouverneur du Pole)
       Rejecte loin de soy mesprisant sa parole,
       Qu'elle l'est pour avoir du Pithonique miel[1]
       D'un Docteur couronné appris les lois du ciel,
       Ses doutes resolus commercé sa richesse
930   Aus merveilleus thresors d'une saincte sagesse[2] ;
       La prudente Judie, ayant du Roy Medois
       Delivré son pays, tient en ses justes dois

       [f. C]
       La balance d'Isaac, butin de son espée,
       Sa vie fut aus siens, ce que la main levée
935   Du heraut de la loy aus Juifs avoit esté,
       Quant contre eus combatoit leur incredulité,
       Lors qu'un perfide advis, qu'une panique crainte
       Eut armé Amalec contre la race saincte,
       Tant que Judit vescut Jacob fut respecté,
940   Lors que Judit mourut Jacob fut tourmenté[3].
       La Princesse des noirs qui baptisa la terre,
       N'a veu en son foier nulle intestine guerre,

---

[1] Voir note précédente sur Pithon.
[2] *Saba.* La reine de Saba (Cheba en grec). Ayant entendu parler de Salomon et de son insondable sagesse, elle décida de lui rendre visite et de l'éprouver par des énigmes. Cf. 1 Rs 10 : 1-10 ; 2 Chron. 9 : 1-12.
[3] *Judit.* Judith, veuve exemplaire qui pour sauver le peuple d'Israël séduisit puis décapita le général syrien Holopherne. Cf. Jud. 8sq.

Chose presque incroyable en ce peuple brutal,
Qui n'a rien que les trais du celeste animal ;
945 Avec combien d'honneur, voy je que Zinobie
D'un peuple belliqueux, le roide frein manie,
Non pas comme Numa par fantastiques peurs,
Mais par de justes lois en s'acquerant les cœurs[1],
Non, comme un Ciceron la fable gent Romaine,
950 Mais un barbare esprit qui ne flechit qu'à peine;
Voicy Semiramis avec ses estandars,
Nombrables aussi peu que ces actes Caesars,
Je voy son bras armé fier que sa Babylone,
Sous l'abry de son fer sur les peuples s'enthrosne,
955 Que son enceint muré des merveilles* le quart,
De sa Royne sans pair monstre l'audace et l'art[2].
Quelle brave est cecy qui passe eschevelée,

[f. C v°]
Rodogune, est-ce toy? est ce toy adveillée,
Qui par les rudes coups de ton brillant acier,
960 Sceus accomplir le veu de ton courage* altier :
Arreste ton beau pas, raconte nous guerriere,
Les belles veritez de ton histoire entiere,
Dis aus Dames pourquoy ton peigne est arresté,
Quel foudre arme ton bras, et pare ton costé,
965 Pourquoy ceste jument qui t'attend pour sa gloire,
Jà semble permadant predire une victoire,
Pourquoy un peuple loin voy je à ses pieds foullé
Le sang dont tu avois ton jeune Avril soullé :
À ces mots tu t'en vas, ton front rougit de honte,
970 Princesse toutesfois ta loüange surmonte,
Car ta nourrice osant un second lict t'offrir,

---

[1] *Zinobie*. Zénobie, disciple de Longin. Cf. Boccace, *De claris mulieribus*, XCVII ; Agrippa, *De nobilitate*, p. 79.
[2] *Semiramis*. Sémiramis, épouse de Ninus, roi des Assyriens, elle devint souveraine à sa mort. On lui attribue parfois la fondation de Babylone. Cf. Diodore de Sicile, *Bibliothèque historique*, II, 4-20 ; Hérodote, *Histoires*, I, 184.

Ton poignard justement luy fait la mort souffrir ;
O tres cruel effect d'une main desloyale[1],
Mais, ô tres digne effort d'une amour conjugale,
975   Ceste preuse amazone en qui la chasteté
Augmentoit les attrais d'une riche beauté,
Un jour quelle peignoit d'une main curieuse,
Les rayons surdorez de sa perruque ondeuse,
Qu'elle avoit jà paré de son chef le mytour,
980   Et tressé les cordons où s'emprisonne amour,
Un fascheus messager luy apprend la nouvelle
De sa morte moitié, dit l'erreur infidelle
Du traistre Armenien, lequel contre l'honneur,

[f. C ij]
Sa parole et sa foy s'estoit fait transgresseur
985   Du beau traicté de paix, elle que la furie,
L'amour et la douleur horriblement marrie*,
Qui ne peut plus tenir son courage* animé,
Ne s'amuse à verser un pleur peu estimé,
Mais hautaine soudain mesurant à l'offence,
990   Le resolu effect d'une juste vengeance,
Desseine mille morts, et l'ardeur et le soin
D'armes et de moyens luy fournit au besoin ;
Le soldat fut tost prest, et la digne Noblesse
Par genereus effects seconde sa Princesse,
995   Qui armée de dueil, d'amour, de loyauté,
La victoire logea sur son chef redouté.
Amour luy fit bastir une superbe tombe
À son chery espous, le dueil fit l'hecatombe,
Doublée deus cens fois des cœurs traistrement fiers,
1000 Qui vomissant l'esprit exaltoient ces lauriers,

---

[1] *Rodogune*. Reine de Perse dont l'histoire a inspiré la tragédie cornélienne qui porte ce nom (1644). Elle se lavait les cheveux lorsqu'on lui apprit qu'un de ses royaumes s'était rebellé contre elle. Elle jura que jamais elle ne finirait ce qu'elle était en train de faire qu'elle n'eût vengé cet affront et plié ce pays sous sa loi. Cf. Philostrate, *Les images*, II, 5.

Puis sa durable foy luy fit la main estendre,
Sur celle qui vouloit retirer de la cendre
Sa non changeante amour, ô esprit genereus,
O mary bien vengé, ô peuple bien heureus[1] ;
1005   Mon zele as tu le goust de la pance vilaine,
Qui ne trouvoit saveur qu'en l'excessive peine,
D'un mets tout estranger, et pour qui il failloit
Poster loin le poisson, quant la terre il souilloit,
Comme en chairs deserter, la coste moins voisine,

[f. C ij v°]
1010   Quant ce monstre estonnoit la monstreuse marine ;
Ou bien as tu besoin appetit de corbeaus
Charogner ton repas aus hostes des tombeaus,
Ton sexe a il besoin à une gloire jà morte,
Ou qu'un los cherché loin plus de merveille apporte ;
1015   Non je ne doy des morts, ny des Grecs mendier,
J'ay pres, j'ay au païs, j'ay dedans mon foyer
Des exemples prou forts, j'ay des Dames vivantes
Qui sonnetent du chef les estoilles brillantes,
Qui relevent du Ciel, d'un bras adoré
1020   Font mieus qu'au siecle d'or, voir un aage doré,
L'Hongre m'en est tesmoin, l'Hirlandoise sauvage,
L'Espagnol, l'Escossois, le riche rivage
Du Teim aus flots aislez, monstreront mille effects,
Ou leurs chefs couronnez couronnent leurs sujects :
1025   La France seulement, et quelque peuple inique
Banqueroute au devoir, ains qu'à sa loy Salique
Fraudant injustement ce sexe[2], mais plus soy

---

[1] S'agirait-il de Sémiramis ? La première anecdote évoquant Sémiramis à sa toilette est rapportée par Christine de Pisan, *Cité des Dames*, I, xv. Sur l'hommage rendu par Sémiramis à son époux Ninus, voir Diodore de Sicile, *Bibliothèque historique*, spéc. II, 7.

[2] Loi salique ou loi des Francs Saliens. Monument de la législation franque publié sous Clovis (508). Au temps de Philippe le Long, puis de Philippe VI de Valois, une disposition de cette loi (le *de alodis* concernant les "alleux", terres franches de redevance) qui excluait les femmes de la succession à la *terra salica*

D'un salutaire honneur par une Etnique loy ;
Muse Diademons, ceste suitte Monarque,

[f. C iij]
1030   D'un or trois fois cherché, il faut que je remarque
Parmy ces bras sceptrez d'un bien aisé loisir,
L'yvoire plus hautain, qu'honneur ait sçeu polir,
Il branle dans ta main, sçavante episcopalle,
Je te voy disposer sur la bande Avernale
1035   Des Tyares du Ciel, du long frein de Rhea[1],
Et des chefs dont le fils à sa moitié crea
La saincte authorité : un les eut par feintise,
Jean savetier bravant le senat de l'Eglise,
Qui plus vaincu de peur que de juste raison
1040   De ce monstre éfronté sacra l'ambition[2],
Silvestre et Hildebrand par un effort magique[3],
Seurent fouiller le plan de ce siege Angelique,

(domaine des ancêtres) fut interprétée de façon à les évincer de la couronne de
France. Cf. Bernard de Girard, seigneur du Haillan, *L'histoire de France*, À Paris,
L'Huillier, 1576, f. 12 : "[Pharamond] fit des loix qu'il appella Saliques &
Ripuaires, les chapitres desquelles sont en lumiere qui ne parlent aucunement du
droict general des Royaumes, ains du droit particulier d'un chacun, mesmement
en l'article des successions, duquel nos François ont tiré la loy Salique parlant de
la succession du Royaume de France". Voir aussi Brantôme, *Recueil des Dames*,
I, v, p. 134-150. On lira avec profit C. Beaune, *The Birth of an Ideology. Myths
and Symbols of Nation in Late-Medieval France*, trad. S. Ross Huston, éd. F. L.
Cheyette, Berkeley, California, 1991, ch. 9 ; *Les droits des femmes et la loi
salique*, Paris, 1994.

[1] *Rhea*. Fille de Terre et Ciel, épouse de Cronos. Cf. Hésiode, *Théogonie*,
134; 454 sq. Assimilée à Cybèle, déesse de la fécondité.

[2] Impossible d'identifier ce personnage.

[3] *Silvestre*. S. Silvestre Ier, pape de 314 à 335, mort en 335, fête le 31
décembre. Il combattit l'hérésie arienne et contribua à la conversion de
Constantin . Cf. *Vie de s.* Silvestre (fin XIIe-début XIIe s.), vraisemblablement la
source du chapitre dans la *Légende dorée*, XII & LXVI. Voir *La vie de s. Silvestre
en vers français*, éd. P. Meyer, in *Romania*, 28, 1899, p. 280-286.

   Hildebrand. Grégoire VII (v. 538-v. 594). Il défendit les droits de
l'Église face aux souverains (*Légende dorée*, VLXXVIII). Il a écrit en latin une
Histoire des Francs.

D'un fer rossignolé desbaucher le ressort,
Voire un impie à peu du tiran donne mort,
1045   Recognoistre ce lieu et tenir en roture,
Ce throsne abaisse œil du haineus de nature ;
Ta doctrine et sçavoir, Jeanne illec te porta
Ton merveilleus esprit, merveille te monta
Sur ce mont Septené, et ton Atlase eschine
1050   Veut le ciel pour fardeau¹, ains pour marque divine,
Mais qu'avisay je en toy, un roy vestu en gueus,
Cachant son jaune habit d'un vestement pouilleus,

[f. C iij v°]
Un suject insensé, qui louche d'ignorance,
Ne veut son demy Dieu, que sous ceste apparence?
1055   Quel desgoust? Quel erreur? ma Jeanne failloit il
Moindrir* les qualitez de ton esprit subtil?
Par ce desguisement voulut bien ta sagesse,
D'un si heureus tromper offrir tant de richesse.
Failloit il te cacher pour monstrer ta valeur,
1060   Et voiler ton plus beau du masque de laideur²?
Certes il le failloit, le jalous adversaire
N'eust pris sous autre adieu ton regne salutaire,
Le goust luy est horreur, l'effect luy est santé,
De mesme qu'un cirop au palais desgousté.
1065   Si ne lairras* tu point, pontife glorieuse,
Malgré l'œil envieus à la suite nombreuse,
Des siecles d'apres toy tesmoigner que faveur
Manque tousjours aus tiens, non l'esprit, non le cœur,
Tu feras tousjours voir que ce n'est impuissance,

¹ Voir note précédente sur Atlas.
² *Jeanne*. Femme (v. 1100) se déguisant en homme qui devint pape. Un jour qu'elle montait à cheval, elle engendra un enfant. La transgression, découverte, fut immédiatement sanctionnée par la justice romaine. La première version connue de l'histoire (*Chronique universelle* de Metz rédigée par le dominicain Jean de Mailly) date de 1250. La légende se répand largement à partir de 1300 (voir entre autres Boccace, *De claris mulieribus*, CI). Cf. A. Boureau, *La papesse Jeanne*, Paris, 1988.

1070   Si la femme est sans nom, que ce n'est ignorance,
        Si elle est sans credit, et que ses faits ailez
        Sont des Momes*[1] jalous fierement reculez :
        Mais quoy, respond Adam, n'est il pas tout probable
        Qu'aus ouvrages de Mars, l'homme est plus redoutable,
1075   Que son cœur plus bouillant, son bras élance dard,
        Et sa main sacque acier, le rendent plus soudard.

        [f. C iiij]
        Je l'accorde, et encor j'avouë à la sagesse
        Du peuple feminin ceste impuissante adresse :
        Que l'homme est plus yreus*, plus fort et plus meurtrier,
1080   Mais il cede au Lion, à L'ours, au Tygre fier,
        En ces trois qualitez, puis que sa peau plus tendre,
        Sans un frisson de mort, loin des trois n'ose atendre :
        Aussi n'est-ce vertu que d'avoir force fiel,
        Estre grand, estre fort, les eschelleurs* du ciel
1085   Jadis furent ainsi, et les fils de la terre,
        Premiers contre les saincts ont inventé la guerre[2].
        Mais Dieu creant Adam ne le voulut armer
        De grifes, ny de cors, sa force estoit d'aimer :
        Le vice seulement de fer arma sa dextre
1090   Pour aider forcené aus effects du non estre.
        C'est donc, c'est le peché qui enroidit nos bras,
        Qui tisonne nos cœurs, qui nous porte aus combats,
        C'est sur la pieté que porte son dommage,
        Et contre le frappeur que frappe son orage.
1095   Foiblesse heureuse donc, si tu ne peus tuer,
        Silence advantageus qui est au non jurer,
        Heureus, et n'en desplaise au paysan de Gascogne,

---

[1] *Momes.* De Momus, enfant de Nuit, dieu du sarcasme et de la raillerie. Cf. Hésiode, *Théogonie*, 214.

[2] Sur les géants, nés des éclaboussures sanglantes que reçut Terre après la mutilation de Cronos par Zeus, voir Hésiode, *Théogonie*, 183 sq. Sur la tentative des géants pour détrôner Zeus, voir Ovide, *Métamorphoses*, I, 152-163 ; Apollodore, *Bibliothèque*, I, vi, 3 ; Euripide, *Ion*, 206-218.

Qui n'est subtil larron, beau joueur, grand yvrogne[1] ;
Quoy me dira quelqu'un, sera-il pas permis
1100   Pour le temple de Dieu, sa vie, ses amis,

[f. C iiij v°]
Mesme pour son honneur d'une juste deffence
Destruire l'agresseur, je remets au silence,
Le doute proposé, et concluds toutesfois
Que le chrestien mieus né suit de son Christ les lois,
1105   Qui dictent le souffrir, mais si le moindre vice
Est estimé vertu, la cause de Justice,
D'innocence, d'honneur, les nœuds de parenté,
A ses actes plus purs, en ceste qualité,
Eve a peu s'esmouvoir, et armer son courage*
1110   D'une forte valeur, ainsi Jabel la sage
Sent clouer un grand Duc[2], et ainsi d'un tuilleau,
Quelque autre Abymelec sent coucher au tombeau[3] :
Ainsi pour s'opposer à la perte Isacide,
Une sage Judit voulut estre homicide
1115   Du Duc incirconcis, et la triste saison
Requesta Debora pour la saincte maison ;
Je monstre ces deus cy que j'avois ja monstrées,
Mais l'une au rang Docteur, l'autre aus troupes scephées,
Ne t'en mocque Lecteur, car tant de qualitez
1120   Te font mieus remarquer que des necessitez
Ne peuvent m'estonner, puis qu'une seule Dame
Pourroit en estalant les thresors de son ame

[f. C v]
Parfournir* mon dessein, et qu'ainsi m'est permis
Avec un seul suject vaincre tous ennemis,

---

[1] Allusion à Clément Marot, "Épître au Roi pour avoir été derobé" (offerte au roi le Ier janvier 1532), vv. 8-12.
[2] *Jabel.* Jahel ou Jaël. Cf. Jug. 4 : 17-22 ; Boccace, *De claris mulieribus*, VII, 20.
[3] *Abymelec.* Cf. Jug. 9 : 1-6 ; 34-54.

1125 L'homme abaye* autrement, ça ma juste colere,
Fay voir combien tu peus à ce foible adversaire,
Donne le vray signal à ce peuple sans peur
Qui boult impatient, et de rage et de cœur,
Aus mains braves, aus mains, mais quelle est ceste terre :
1130 Est ce suivant vos pas, Pierides[1], qu'ainsi j'erre,
Enten je encor vos sons, carolez* vous icy,
Quel tonnerre de cris, quel ciel est cestuy cy,
Tout orage d'horreurs, terriblé de turie,
Quelle fiere Erimnis souffle icy sa furie[2],
1135 Entray je au noir logis du Dogue try testu[3],
Que de gens, que de gens, ma plume est sans vertu,
Les voulant enroller, et je crain que ma Muse
Pour un si long travail ses faveurs me refuse,
Il suffira de moins l'advantage au guerrier,
1140 Fait sourdre* plus de sang, mais un moindre Laurier,
Sortylegeons l'honneur, c'est l'armée Amazone[4],
Et Cypriote[5] aussi qui la premiere donne,

---

[1] *Pierides*. Les Muses nommées d'après le lieu de leur naissance, la Piérie en Thessalie. Cf. Hésiode, *Théogonie*, 54 ; *Les travaux et les jours*, 1-4 ; Ovide, *Amours*, I, I, 6.

[2] *Erimnis*. Érinnys, une Furie. Nées du sang de la blessure d'Ouranos, les Érynnies avaient pour mission de pourchasser et punir les pécheurs. Cf. Hésiode, *Théogonie*, 184-185 ; Ovide, *Métamorphoses*, IV, 452.

[3] Le chien à trois têtes et à la queue de dragon qui garde la porte des Enfers. Cf. Hésiode, *Théogonie*, 310-314 ; Ovide, *Métamorphoses*, IV, 451-454.

[4] Sur les Amazones, filles des Scythes, voir Justin, *Histoire* universelle, II, 4-5. Au siècle suivant, l'histoire des Amazones fit l'objet de divers traités : *Histoire des Amazones* (1678) par le sieur de Chassipol ; *Traité historique sur les Amazones* (1718) par Pierre Petit ; *Histoire des Amazones anciennes et modernes* (1740) par l'abbé Guyon.

[5] *Cypriote*. Sans doute s'agit-il de cette "Damoiselle cypriotte" dont parle Brantôme. Cf. *Recueil des Dames*, II, i, p. 324-325 : "après la prise de Chypre, une Damoiselle cypriotte nouvellement chrestienne, se voyant emmener esclave avec plusieurs autres pareilles Dames, pour estre la proye des Turcs, mit le feu secretement dans les poudres de la gallere ; si bien qu'en un moment tout fut embrazé et consumé avec elle, disant : 'Jà à Dieu ne plaise que nos corps soyent pollus et cogneus par ces vilans Turcs et Sarrasins!'".

Le gros est assailly, jà le mort sert de dart,
Et chet du chef d'Adam son fier nom de soudart :

[f. C v v°]
1145   Combien voy je de coups, loin bien loin dans la presse*,
Je cognoy Tomiris qui soule sa destresse,
Sur le chef de Cirus, de son corps avevfvé,
Et de son sang tout chaud, le fait estre abreuvé,
Tout beau, Royne, tout beau, ta chere geniture
1150   D'un si vengeur effect, n'a pas maintenant cure[1] ;
Je voy Parisates vaincre par ses efforts
Cil dont porte le nom, l'antidot de nos corps[2],
J'en cognoy mille encor, mais leur trop riche monstre,
Les Tymbres, l'or, l'acier, qui leur bel œil rencontre,
1155   Esblouissent le mien, et sans le nom François,
Qui me redonne jour, ma Jeanne, j'oublirois
Celle qui releva la fleur de lis tombée,
Qui serena le front de France succombée,
Qui donna cœur au cœur de son peuple endormy,
1160   Qui arracha le cœur à l'antique ennemy,
Vray tison Meleage[3], ou l'heur de sa patrie
N'estoit pas temporel, ains naissant en sa vie,
L'acheva par sa mort, alors que sa valeur
Poussa son digne corps au supplice d'honneur,

---

[1] *Tomiris*. Reine des Scythes (VIe av. J.-C.). Elle lança une attaque contre Cyrus qui avait capturé son fils Spargapises et l'avait conduit à la mort. Cyrus fut tué au combat. Tomiris chercha le corps et l'ayant retrouvé, elle plongea la tête de Cyrus dans un baquet rempli du sang de ses soldats. Cf. Hérodote, *Histoires*, I, 211-214 ; Valère Maxime, *Actions et paroles mémorables*, IX, 10. Pour une autre version de l'histoire, voir Justin, *Histoire universelle*, I, 1 : 7-8. Voir aussi Pisan, *Cité des Dames*, I, 7 ; *Livre de la Mutacion de Fortune*, V, vii ; *Epistre Othea*, [121c], texte, glose et allégorie lvij.

[2] *Parisates*. Parisatis, femme de Darius II. Cf. Plutarque, *Œuvres morales & meslées*, 21.

[3] *Meleage*. Fils d'Oenus, roi de Calydon et Althae, qui affronta le sanglier de Calydon. Voir Ovide, *Héroïdes*, IX, 51 ; *Métamorphoses*, VIII, 259sq. ; Philostrate, *Images*, 15.

1165   Bourges estoit desjà le seul Louvre de France,
        Sa frontiere et ressort, où son destin balance
        Quand ce foudre de Mars, des fiers Anglois le fleau,

        [f. C vj]
        Les renvoya fuyards en leur chetif illeau.
        Aussi est ce pour toy, Nimphe docte et vaillante,
1170   Qu'une trompe de los*, tout l'air François esvente,
        Aussi est-ce pour toy qu'Orleans a gravé
        Son beau mur du portrait de ton corps élevé,
        Comme un Palladium, où devot il croit estre
        Enclos pour sa seurté* l'heur* qui portoit ta dextre[1],
1175   Aussi est-ce pour toy que je quittois desja,
        L'aspre cornet de Mars pour le lut de Clia[2].
        Recornons, mais c'est fait, l'aspre gosier trompette,
        Pousse l'air fanfare d'une douce retraite,
        C'est fait, c'est achevé, c'est assez combatu,
1180   L'ennemy terrassé se confesse abbatu,
        Il demande l'olive, et la Nimphe vantée
        Vous est du bras captif, maintenant presentée,
        Recevez le à mercy, genereuses douceurs,
        Et faites vos pitiez exceder vos fureurs,
1185   Certes vous faites plus, vostre main belle et douce,
        L'ame des languissans, de leur playe repousse

---

[1] *Jeanne.* Jeanne d'Arc (1412-1431), dite la Pucelle d'Orléans. Héroïne française qui tenta de délivrer la France de l'invasion anglaise. Ses exploits ont inspiré le fameux poème de Christine de Pisan, *Ditié de Jehanne d'Arc* (1429), et plusieurs pièces aux siècles suivants, *L'histoire tragique de la Pucelle de Don-Remy, aultrement d'Orléans* de Fronton du Duc (1581), *Tragédie de Jeanne d'Arques, dite la Pucelle d'Orléans* (1602, anonyme) ; *La Pucelle d'Orléans* de l'abbé d'Aubignac (1642). Jacquette Guillaume lui consacre plusieurs pages dans ses *Dames illustres* (1665). Pour un sommaire du procès de Jeanne d'Arc, voir Estienne Pasquier, *Recherches de la France* (1580), ch. XXIX. Voir aussi G. et A. Duby, *Les procès de Jeanne d'Arc*, Paris, 1973 ; R. Pernoud, *Jeanne d'Arc*, Paris, 1986 ; M. Warner, *Joan of Arc. The Image of Female Heroism*, New York, 1981.
[2] *Clia.* Clea à qui Plutarque dédia son livre des vertus des femmes (*Mulierum virtutes*), in *Œuvres morales & meslées*, 242e-243e.

Par cent medicamens, de son simple trouvé,
Artemise a desja le pouvoir esprouvé[1],
Et Medée d'un art que veut noircir l'envie,
1190 Renfantille les ans, retrograde la vie ;
Celuy qui jà transi tastonnoit le tombeau,
La joye peinte au front, voit un Printemps nouveau,

[f. C vj v°]
Secouru par son art ; ce ne sont caracteres,
Ny discours marmotez dont tu fais tes misteres,
1195 Medée, c'est ton sens, c'est ton docte labeur,
C'est nature qui veut tout faire en ta faveur[2].
Cherche dans les replis de ceste riche mere,
Quelque simple parfait qui contraigne à se taire
Le Palais mesdisant, on luy face advouer
1200 Qu'en tiltre de vertus, tes faits sont à louër ;
Muse, faisons ainsi que celuy qui manie
Aus oreilles du Roy l'agreable harmonie
D'un Lut desrobe sens, il le fait adoucir,
Lors que d'un air piteus il tremble le soupir,
1205 Comme aussi relever le fier ton de sa corde,
Quant l'effort des geans sur sa lire il accorde.
Mignonne, c'est ainsi qu'il nous faut bassement
Chanter des cœurs martyrs le glorieus tourment :
Laisser la joye à part, et en pleurant escrire
1210 Les cruelles douleurs du douloureus martyre.
Les canons en ce lieu ne doivent cannonner,
Il faut vaincre en Parthois, de morts se couronner,
Il faut braver Neptun sur le point du naufrage,
Avoir, mais pour mourir un non mortel courage*,

---

[1] *Artemise.* Artémise l[re], fille de Lygdamis d'Halicarnasse, reine d'Halicarnasse (Carie). Elle prit part à l'expédition de Xerxès contre les Grecs et combattit à Salamine (480 av. J.- C.). Cf. Pausanias, *Description de la Grèce*, III, xi, 3.

[2] *Medée.* Elle avait appris de sa mère (Hécate) et de sa sœur (Circé) toutes les propriétés des poisons. Elle rendit la vie en même temps que sa première verdeur à Aeson, le père de Jason. Cf. Ovide, *Métamorphoses*, VII, 162-180.

[f. C 7]

1215 Monstrer un coeur plus grand mille fois que le corps,
Mais pour patir* les coups, mais pour souffrir les morts.
Où sont de ce combat les resolus gensdarmes,
C'est vous Dames, c'est vous qui en portez les armes,
Qui colletez la mort, qui lutez la douleur,
1220 Et qui faictes ceder un monde à nostre coeur.
La mort dedans les feus, morte à vous se vient rendre,
Quant d'un motet plus beau que l'oiseau de Meandre,
Vous saluez le tour qu'eschapé de son rien,
Vostre esprit trouve heureus le centre de son bien,
1225 Quant oeilladant le ciel, la foy qui nous fait vivre,
Nous apprend à mourir pour vous faire revivre :
La juifve qui receut par sept peaus de ses fils,
Huit douloureuses morts s'est justement acquis
Le haut du premier rang, puis que digne elle efface
1230 En constance et en foy, tout ce que nous entasse
L'histoire des Martirs, car que peut rechercher
L'engin de cruauté plus que faire escorcher

[f. C 7 v°]

Devant les yeus benins d'une mere piteuse*,
Les sept riches espoirs de sa vie ennuieuse,
1235 Voir leurs defformitez, leurs saigneuses douleurs,
Leurs redoublez tourmens, leurs mespris, leurs horreurs.
Ceste saincte pourtant, escorchant d'un saint zele
Les communes pitiez de l'amour maternelle,
Mesuroit d'un œil sec les playes qu'un cousteau
1240 Faisoit plus en son cœur qu'en la parente peau,
D'un discours élevé, d'une constante face,
Ainsi de ses surgeons*, elle audace l'audace :
Courage, chers enfans, gardez pure la foy,
Que la crainte de Dieu, que l'amour de sa loy,
1245 Me guerdonne* aujourd'huy du non paré salaire
De vous avoir portez, et d'avoir sçeu distraire*
Mon sang propre à mon sang, pour de vos tendres jours
Eslever la verdeur, versez le mes amours,

Pour n'irriter le ciel, je vous en fay requeste
1250   Par le sainct nom d'Isaac, gloire de vostre teste,
Par les tableaus sacrez que Dieu caractera*,
Par l'espoir attendu que mon peuple verra,
Par ce tendre ruisseau que sourd mon œil humide,
Et par l'horreur qu'attend ce tiran homicide.
1255   Sus lassez ces bourreaus, foulez d'un pied constant,

[f. C 8]
Les sentiers paternels, despouillez vistement
Ces haillons rapiecez, ceste robbe empoudrée,
Prenez celle d'aisné pour la voulte etherée,
Il faut d'autres habits, le ciel ne peut porter
1260   Ceus qu'Adam laissant Dieu se voulut adjouster ;
Enfans, quittons les donc, voicy preste à vous suivre,
Ce corps lassé de jours, et desireus de vivre[1] ;
Virgile nous apprend que l'habit esmaillé
Qui fut à un heros par quelque Dieu baillé*,
1265   Repoussoit loin les coups, et qu'encor une mere
Des tresors du destin sent finement distraire*
Les mots misterieus que douce elle halena*,
Sur son enfant aymé, lors qu'elle l'estrena*
Pour rendre un Achilles autant invulnerable
1270   Qu'il estoit redouté, qu'elle estoit secourable[2] ;
Ma Juisve aurois tu bien, ainsi que le premier,
Le coeur emplastronné d'un immaleable acier
Pour espointer* les coups des élans de nature,
As tu le corps charmé pour domter la coupure
1275   D'un rude escorchement, non, certes je ne veus
Flestrir d'enchantemens tes actes genereus,

---

[1] S. Félicité (fête 10 juillet) vit ses sept fils martyrisés devant elle et s'offrit ensuite elle-même au sacrifice. Cf. 2 Mac. 7 ; 4 Mac. 17 ; Jacques de Voragine, *Légende dorée*, XCI ; s. Jérôme, *Lettres*, XIV ; Pisan, *Cité des Dames*, III, 11.

[2] Craignant la mort d'Achille, Thétis lui apporte des armes glorieuses, dignes de leur créateur, le dieu Héphaïstos lui-même. Cf. Homère, *Iliade*, XVIII, 343-XIX-26 ; Ovide, *Métamorphoses*, XIII, 291-301.

Ta vertu est en toy, elle n'est adjoustée,
C'est un trop foible los* qu'une gloire empruntée ;
Tu n'aurois pas vaincu si c'estoit sans combat,
1280 Le chesne est au bon coeur, non au fer du soldat,

[f. C 8 v°]
Ton Zele et ton devoir te firent invincible
Aus effects du malheur, et non pas insensible.
Deus te suivent en foy, en constance, en destin,
Portant leurs enfançons pour inique butin
1285 Du monde abominé, voulant ceste innocence
Baptiser en la mort d'une dure souffrance[1].
Il suffit de vous trois, mais il suffit de toy,
Pour miracle tesmoin de la celeste loy,
Du peuple circoncis, je doy ores ma peine
1290 À un monde de gens, aussi dru que l'arene*,
Qui borne l'occean troupeau qui baptisé
A au milieu des feus un sainct feu attisé,
Combatu l'air et l'eau, l'enfer et sa furie,
Et d'un plus digne effect que l'oiseau d'Arabie[2],
1295. Du jour de leurs tombeaus, des odeurs de leurs licts,
Allumez du Soleil, fait cent nids de leurs nids,
L'une rit que son corps s'empale d'une lame,
L'autre aiguise l'acier qui desloge son ame,
De l'estuy descoupé, ceste cy en courant,
1300 Cherche le lieu boucher, où elle et son enfant
Doivent trouver le ciel, une autre s'aproprie
Pour aller au banquet de l'agneau donne vie :

---

[1] Allusion aux deux Cornélie : la première, fille de Scipion, mère des Gracques. Douze fois mère, elle perdit ses douze enfants et vit massacrer deux d'entre eux (Tibérius et Caïus Gracchus) et privés de sépulture. La seconde, femme de Livius Drusus, perdit son fils, jeune homme d'un rare génie, qui marchait sur les traces des Gracques. Il fut tué dans ses pénates sans qu'on ait su l'auteur du crime. Cf. Sénèque, *Consolation à Marcia*, in *Consolations*, texte établi et traduit par R. Waltz, Paris, 1961, p. 113. Sur celles qui virent le martyre de leurs enfants, voir aussi Pisan, *Cité des Dames*, III, 11.
[2] Le Phœnix. Cf. Hérodote, *Histoires*, II, 73.

Mais avant que mourir la sçavante Andrima[1]
Au cœur de ses bourreaus si avant imprima

[f. C 9]
1305 Les paroles du ciel, que leur foy inouye
Parut voire aus tirans, voire au pris de leur vie,
Voire au feu que desjà d'un venimeus poulmon,
Ils avoient allumé pour leur digne guidon*.
Entrophile, Agathé et la Cecilienne,
1310 Ayant d'un sainct accord quitté la foy payenne,
En preschoient les erreurs, laissant vingt jours entiers,
Les nouvelles fureurs des inventeurs meurtriers[2].
Sus disoit, Agathé guinde ma chair infame,
Reptile des bourbiers, qu'elle suive son ame,
1315 Aus carrieres du haut, bourreau fay nous aller
Par ses outils retors au grand chemin de l'air.
Ma Cecile, mourons, laissant non pour vengeance,
À ce peuple brutal sa damnable ignorance,
Quand incomode fils d'un Empereur benin,
1320 Pestrit par l'univers l'horreur de son venin,
Que lassé des plaisirs d'une chrestienne amie,
Sur le parc du Seigneur il lançoit sa furie,
Blamdine tressailloit en vertus et clarté[3],
De mesme que Phebé[4] sur l'essein argenté,

---

[1] Nous ne savons rien sur ce personnage.
[2] Le nom d'*Entrophile* résiste à tout éclaircissement.
  Agathé. S. Agathe, vierge et martyre de Catane en Sicile (fête 22 novembre). Ses bourreaux lui arrachèrent les seins. Cf. Jacques de Voragine, *Légende dorée*, XXXVIII. Voir aussi le poème de Nicole Bozon, *Vie de s. Agathe* (XIV° s.), qui suit assez fidèlement le récit de la *Légende dorée*.
  La Cecilienne. S'agirait-il de s. Cécile dont il est question plus loin ?
  Cecile. S. Cécile. Vierge et martyre (fête 22 novembre). Sur l'ordre du préfet Almaque, elle fut décapitée. Cf. *Légende dorée*, CLXVI. Voir aussi A. J. Mason, *The Historic Martyrs of the Primitive Church*, London, 1905, p. 64-67.
  [3] *Blamdine*. S. Blandine, martyre à Lyon (fête 2 juin). Elle fut livrée aux bêtes (177). Cf. Eusèbe de Césarée, *Histoire ecclésiastique*, V, I. Voir A. J. Mason, p. 39-55.
  [4] *Phebé*. Artémis, la Lune, connue aussi sous le nom de Phébé ou Séléné.

1325 Des plus abjects replis, du soucy d'un mesnage,
     Ceste brave éleva son élever courage*
     Aus couronnes du ciel, et si roide jousta
     Que son martyre heureus cent martirs ajousta :
     Animez par sa foy, la constante Constance,

     [f. C 9 v°]
1330 Ayant les bras coupez du moignon qu'elle avance,
     Monstre son clair logis, et sans langue et sans mains,
     Distille un torrent d'or, estonne les humains[1],
     Apoline la suit[2] : Mais qu'est ce que j'essaye,
     Pardon troupeau martir, je mets en vostre playe,
1335 Un doigt tres indiscret, et discordois desjà,
     Vous ramenant ça bas le grand Alleluya.
     Suivez, suivez l'agneau, aus orines* fontaines,
     Où s'essuyent vos pleurs, où se noyent vos peines,
     De vos sacrez troupeaus que je trouve à milliers,
1340 Je ne veus que ce peu : j'enfleroy ces cayers*
     Par dessus l'occean, si je les voulois teindre
     De tout le digne sang des cœurs qui n'ont sçeu craindre,
     Sous l'estandard croisé, j'en voy de qui la main
     Ente des sauvageons dans le clos du jardin,
1345 Priscille les conduit, la vertueuse amie
     De l'Apostre de Cam[3], et celle à qui Hongrie
     Doit le beau nom chrestien[4], je recognoy le pas
     De la Roine qui sent du sang d'Astianas
     Oster l'erreur payen, j'entroy le docte blasme

---

[1] *Constance*. Fille de Dorothée, roi de Constantinople. À la mort de son fiancé, elle se consacra au seigneur. Cf. *Légende dorée*, CLV.

[2] *Apoline*. S. Apolline, vierge et martyre (fête 9 février). Cf. Eusèbe de Césarée, *Histoire ecclésiastique*, VIII, xxxi ; *Légende dorée*, XLI.

[3] Apollos, savant originaire d'Alexandrie, que Priscille et Aquilas instruisirent de la voie du Seigneur. Cf. Ac. 18 : 18-19, 24-26 ; Eusèbe de Césarée, *Histoire ecclésiastique*, II, xviii, 9.

[4] S. Elisabeth (fête 19 novembre), princesse de Hongrie (1207-1231). Cf. *Butler's Lives of the Saints*, éd. complète révisée par H. Thurston, S. J. et D. Attwater, New York, 1956, vol. IV, p. 386-391.

1350   Par lequel elle attrait l'autre part de son ame[1],
        Sous l'oriflamb du ciel, flaire ton beau labeur,
        Clotilde et en tes lis influë ta valeur,
        Combien je crain pour toy, moitié du juge blesme,

        [f. C 10]
        Qui condamnant le sainct se condamna soy mesme,
1355   Je n'ose te nommer parmy le riche amas
        De ces dignes tesmoins, ta foy n'y consent pas[2].
        Mais si fait bien l'honneur d'avoir, Ste. advocate,
        Disputé pour le Christ, lors que la terre ingrate
        S'arma contre le ciel, les disciples zelez
1360   Avoient le coeur de plomb, et les talons aylez,
        Tout presque revoltoit quand d'une seure audace,
        Elle conteste aus cris de l'hebrayque race,
        Le juste est innocent, n'aye que faire à luy,
        Dit quelqu'un de sa part à son espous failly.
1365   Je sçay bien qu'on dira que l'antique couleuvre
        Articula ses mots pour s'opposer à l'œuvre
        Du salut des humains, taschant par tels essais
        D' oster la croix à Christ, à nos ames leur pais ;
        Mais qui ne m'avoüira que l'esprit effroyable
1370   Qui hurloit dans les Juifs, discordoit miserable,
        À ceste juste vois, Satan tramant de voir
        Christ cloué aus douleurs, cedant au desespoir,
        Car puis que tout ce fait relevoit de sa rage,
        Qu'il soudoyoit Judas, qu'il poussoit le courage
1375   Des incredules cœurs, quel advis si soudain
        L'eust rendu opposant à ce meurtre inhumain.

---

[1] À la mort d'Hector, Andromaque se lamente sur le sort de leur fils, Astyanax, qui reste désormais sans appui. Cf. Homère, *Iliade*, XX, 437-515 ; XXIV, 723-746.
[2] *Clotilde*. Fille du roi de Bourgogne (c. 475-545), femme de Clovis Ier, roi des Francs (481-511). Elle contribua à la conversion à la foi chrétienne de son mari et de 3000 de ses soldats. À la mort de Clovis, elle se retira dans un monastère de Tours. Elle fut canonisée dès le VIe siècle. Cf. *Légende dorée*, CXLV ; Pisan, *Cité des Dames*, II, 35.

Certes je l'ay jà dit, je le redis encore,
Il vouloit dans la nuit enterrer nostre aurore,
Le diable osoit penser que maudit et pendu,

[f. C 10 v°]
1380   Il verroit le sauveur et nostre espoir perdu,
Ne pouvant juger vray que de nostre injustice,
Le sainct Emanuel peust porter le supplice.
Aussi est-ce un secret, où son sens n'avoit lieu,
Et dont le grand effect n'appartenoit qu'à Dieu ;
1385   Ce fut donc par l'avis de l'esprit chasse ordure,
Ce fut par les leçons de la sage nature,
C'estoient les qualitez de l'homme Dieu parfait,
C'estoit de ses pitiez le medecin effect,
C'estoit pour condamner la viperique* engeance*,
1390   Alterée du sang de la mesme innocence,
Que par ton sainct desir, ceste Dame voulut
Du Sauveur des sauvez, moyenner le salut,
Et c'est aussi pourquoy icy je la saluë,
Procureuse du ciel, vois qui quoy qu'incognuë,
1395   Tesmoigna pour le sainct, et qui souffrant d'esprit,
Dit aus Juifs et Payens l'innocence de Christ,
Je suivroy son beau los*, aussi loin qu'il s'avance :
Mais je doy mille honneurs à un gros qui s'avance,
Hoc dont l'habit negeus se crespe de fin lin,
1400   Rebrille sur les bords d'un jour diamantin*,
S'agrafe d'escarboucle, et de qui la ceinture
Tressaut de jaspe verd, et d'esmeraude pure,
Leurs cotillons sont d'or semez de coeurs aylez,

[f. C 11]
Chiffrez des noms d'honneur peints de dards estoilez,
1405   Devisez des froideurs du tu-feu salemandre,
Et flambez de l'oiseau qui renaist de sa cendre.
L'or couronne leurs chefs, les palmes en leur main
N'ont manqué qu'au courber, l'air desride son tain,
Au jour de tant d'esclairs, et la terre esmaillée

1410   Fait naistre plus de fleurs, plus d'eus elle est foullée,
       Leur haletant poulmon secouë les odeurs,
       Les dards de Cupidon rebouchent sur leurs cœurs,
       Ha je m'abuse, non ceste troupe avisée
       Ne permet à ce Dieu l'oser de sa visée.
1415   Ce seroit trop sçavoir que sçavoir ce tourment,
       Le vertueus entier l'est au temperament
       De ce Vierge troupeau, celuy que plus je vante
       Tient du chemin Letré la glorieuse sente,
       Accorde aus airs du Ciel, empassade les sons
1420   Des cordes de David fredonne ses chansons,
       L'autre sert aus autels, et devote fait dire
       Les motets cherubins aus dous nerfs de sa lire,
       Celles cy ont du Ciel, et le feu et le bois,
       La grace, le sçavoir, la doctrine et les lois,
1425   Phebus de tant d'objets, que desnuite ta flame,

       [f. C 11 v°]
       Le vestale sorer seul de ton ray s'enflamme,
       Lors qu'ardent de clartez, tu le viens allumer,
       Ains que brulant d'amour, sujet tu viens humer
       L'air de baume espaissy qu'une levre mignarde
1430   Avoit desja soufflé sur ta Nimphe fuyarde ;
       Je combas en ce lieu avec trop de pouvoir :
       L'homme s'enfuit confus, il palit sans paroir*
       N'ayant pour affronter ceste bande si pure,
       Que quelqu'un entre cent sa peu chaste nature,
1435   Le percluse honteus, tandis ces saincts soudars
       Luy presentent au nez leurs boufans estandars,
       Peut estre, et je le veus ? qu'il osera élire
       Au magasin d'enfer le secours de son ire,
       Tout sert en la fureur, chaque paille est cousteau,
1440   Les diables l'aideront contre mon sainct troupeau.
       Mais pour les evoquer, il ne faut que l'on hume
       Les ameres vapeurs du souphre et du bitume,
       Que l'on verse du sang, et qu'un corps humain cuit,
       Convie les horreurs que l'averne* produit,

1445   Le temps, la terre, helas! nous produit miserables,
       A esseins, à milliers, ces monstres effroyables,
       Ce temps, ce siecle, helas! desnaturé nous fait
       Trouver à chacun pas ce peuple contrefait,
       Tesmoin Lorges le Grand, qui receut pour sa France
1450   Vingt plombs, et cent Lauriers, car tonnant sa vaillance,

       [f. C 12]
       Dans le camp estranger, roidissoit dans sa main,
       Douze mille satans, l'inmaniable frein[1].
       Ainsi par des fureurs l'homme se dignifie,
       Ainsi par des horreurs l'homme se qualifie,
1455   Mais voicy d'un beau rang, onze mille beautez,
       Onze mille soleils, pures virginitez,
       Qui dans l'estroit sentier que l'espine nous pave,
       Suivirent constamment le Prince qui tout lave,
       Fuyez diables, fuyez, les citoyens du ciel
1460   Sont plus forts en douceur que vous n'estes en fiel ;
       Virginie me suit qui me veut faire escrire,
       Avec la Vierge Atho, l'honneur de leur martyre[2],
       Nimphes je m'y perdroy, je meurs en cest amas,
       Tout m'est or, tout m'est or, aussi bien qu'à Midas[3],
1465   Ma plume serne icy, il faut que je me rende :
       Ains que vous enroller, je diray chere bande
       Que je ne vous peus voir, mais bien que des clartez

---

[1] *Lorges le Grand.* Jacques de Lorges (c. 1482 - 1562), seigneur de Montgomery, capitaine de la garde écossaise et, selon Brantôme, "l'un des vaillants et renommez Capitaines des gens de pied de son temps". Il alla quérir pour une dame un gant qu'elle avait laissé tomber dans la fosse aux lions. Voir Brantôme, *Recueil des Dames*, II, vii, p. 671-672.

[2] *Virginie.* Fille de Virginius. Promise à Icilius et mise à mort par son père pour qu'elle n'appartienne pas à Appius qui la revendiquait. Cf. Tite-Live, *Histoire romaine*, III, 44-58.
       Nous n'avons rien trouvé sur *Atho.*

[3] *Midas.* Roi de Phrygie (v. 715 - 676 av. J.- C.). Il avait reçu de Dionysos le pouvoir de changer en or tout ce qu'il touchait. Cf. Ovide, *Métamorphoses*, XI, 84-146 ; Hérodote, *Histoires*, I, 14.

Des brillantes lueurs, et tant de raritez
M'osterent cœur et œil, et firent que ma Muse,
1470 Vous pensant discerner, vous admira confuse ;
Belles que je voudroy suivre d'un pas conté,
Vostre carolle* sainct, qu'un murmure enchanté
M'assoupisse en ce lieu, qu'en l'eau d'oubly j'efface
De tous autres desseins la moins plaisante trace.
1475 Mais helas! Je ne puis, il me faut ennuiter*
Du jour qui m'est plus beau, il me faut or quitter

[f. C 12 v°]
Du dous flairant Eden l'inestimable mine
Pour creuser les seillons* du terroir porte espine.
C'est l'ordre de mon vœu, aussi le pelerin,
1480 Ne s'areste musard aus beautez d'un chemin,
Aus dous mets d'un logis, au bon air d'une ville,
Son zele ardent tousjours, tousjours le rend habille,
De mesme je reprens mon soin, non moins ailé :
Mais que trouvent mes pas? Un peuple my brullé
1485 Qu'un petit naim rostit, qu'un aveugle fait prendre,
Avec des rais de poil, qu'un fantosme fait rendre
Par des paniques peurs, qu'un jeune enfant oiseau
Espouvante d'un arc, mesprisé d'un moineau ;
Mon ancre rougiroit de nommer ceste chorme,
1490 L'exercite* d'amour, ce maroté difforme,
Est plustost Anterot[1], l'or tremblant qui me luit
Me nie ses clartez, si ma main libre escrit
Quelque acte vicieus de ceste troupe noire,
Indigne de ce lieu je veus donc d'une histoire
1495 Commencer et finir : Les Bachides Amours
M'offriront de suject, le prodigue en ses jours,
Ceste Dame de Cour, trop peu chaste et trop belle,

---

[1] *Anteros.* Le compagnon d'Éros qui venge l'amour trahi.

Regentoit tous les cœurs[1], sa veuë sembloit celle

[f. D]
Du Serpent couronné, son oracle coural*
1500   Souspiroit les destins, et du bien et du mal,
Nul n'esvitoit ses dards, et sa levrette amie
Felicitoit en tout fors du fiel de l'envie,
L'or dedans ses thresors couloit de tous costez,
En l'honneur d'Orient sembloit pour ses beautez
1505   Estre seulement beau, les plus marbrines* ames
Venoient pour s'allumer en ses riantes flammes,
Bref l'amour en son temps ne fut victorieus
Que par l'emprunt amy des forces de ses yeus.
Mais s'escartant trop loin, l'on dit que ceste fière
1510   Osa mesme ravir Cupidon à sa mere,
Que ne recherche un Dieu pour venger son mespris,
La Deesse bien tost fit qu'un jeune Adonis
Triompha de son cœur, pour luy seul elle quitte
Tous ses tristes martirs, pour luy seul elle irrite
1515   Ses jalous poursuivans, voire ses douces glus*,
Ses beautez, ses appas, voudroient jà n'estre plus,
Faschez de s'abaisser, et que ceste insensée
N'ait plus que ceste ardeur, en sa folle pensée,
Par tout elle le suit, seul ce nouveau amant
1520   Allentit* les aigreurs de son nouveau tourment,
Seul il est favory et la douceur abstraite
Sur les trais de son heur* voulut estre portraite,

[f. D v°]
Ne manquant pour tout point en sa felicité
Qu'un doucereus arrest de l'immortalité.
1525   O vengeance d'Amour ! ce jouet de Boxée

---

[1] Aphrodite d'or, fille de Zeus et épouse d'Héphaïstos (Vulcain), dieu hideux et difforme de la forge (Hésiode, *Théogonie*, 926-929). Sur les amours d'Arès et d'Aphrodite d'or et le piège tendu par Héphaïstos, voir Homère, *Odyssée*, VIII, 266-369 ; Ovide, *Métamorphoses*, IV, 169-189.

Rompit les riches nœuds de sa prison dorée,
Banqueroutant sa foy, son debile cerveau
Court ingrat, desloyal, à un moindre flambeau.
Qui a veu quelquefois Vulcan leger s'esprendre
1530 À un monceau fueillu, l'opiniastre cendre
Conserver quelque humeur encor que l'element
Semble avoir tout destruit destruisant l'accident,
Mais si du feu voisin il saute une étincelle,
Là s'engendre un fil d'or qui soudain renouvelle
1535 Des nouvelles ardeurs. Cet amant qui sembloit
Estre tout consumé du feu qui le flamboit,
S'esgaye en un autre, et laisse sa Bachide
Conserver malgré soy son amour homicide,
Celle qui cest ingrat est venu le ranger,
1540 À tout un amas d'or demande d'eschanger
Ses requises faveurs ; Donne moy, luy dict elle,
Le precieus tresor où Bachide la belle
Emblotie se tresors, la chaisne où est l'espoir
De ses caduques ans et le pain de son soir.
1545 L'impudent amoureus osa, requeste estrange,
Supplier le sujet qu'il avoit mis au change
Pour ce riche present, se confesse esblouy
D'une seconde ardeur, ô effect inouy !

[f. D ij]
Bachide interina sa demande incivile,
1550 Bachide prie aus dieus que son or soit utile
Aus desseins de l'amant qu'au rabais de son heur*
Et au prix de son bien il s'acquiere le cœur
De l'avare beauté, à qui quoy qu'ennemie
Elle offre ses tresors, son ami et sa vie.
1555 L'autre qui ne luy veut ceder en raritez,
Rend le riche lingot, puis miellant ses fiertez,
Aima le jeune amant, mais partagea son ame
Par un vœu eternel à si aimante Dame.
Icy doivent rougir les homicides tours,
1560 Les parjures effects, les volages amours

Des hommes inconstans, dont l'amour plus entiere
Excede en appetits l'invisible matiere,
L'Euripe en mouvement, la mer en trahisons,
Le li[a]rre en feints effects, et la peste en poisons,
1565   Tesmoin en est Jason parjure à sa Medée[1],
Le trompeur Eneas et le bourreau Terée[2].
Tesmoins tant de milliers de qui je veux celer
Et les noms et les faicts pour n'en infecter l'air,
J'approuve toutefois qu'on guerdonne le vice
1570   Par des meschancetez, qu'on paye d'injustice
Les injustes effects que la grand trahison
Dont Ariadne usa sur sa propre maison,
Se venge par Thesé, et qu'au bord de Naxée
Il livre aus desespoirs ceste amante abusée ;

[f. D ij v°]
1575   Que le vent, que le bruit ne nous oste le son
De ses tristes accens[3], des Dames la leçon,
Des hommes le portrait, où leur cerveau volage,
Leurs emmiellez discours, leur contrefait hommage*,
Leur amour sans amour, leurs promesses sans foy,
1580   Leurs vœus sans deyté, et leur ame sans loy,
Paroissent leurs replis : Ton amere complainte,

---

[1] Cf. Diodore de Sicile, *Bibliothèque historique*, IV, 54.

[2] *Eneas.* Enée dont Didon, reine de Carthage, était éprise. Lorsqu'il l'abandonna en quête de nouvelles aventures, elle se donna la mort. Cf. Ovide, *Héroïdes*, VII ; *Métamorphoses*, XIV, 78-83.

Terée. Térée de Thrace, fils d'Arès qui avait épousé Procné. Il fit violence à sa belle-sœur Philomèle qui avait osé le menacer. Procné tua son propre fils Itys, et le servit à manger à Térée à son insu. Cf. Ovide, *Amours*, II, vi, 7-8 ; *Métamorphoses*, VI, 440-674.

[3] *Ariadne.* Ariane, fille de Minos et de Pasiphaë. Elle donna à Thésée venu en Crète pour combattre le minotaure le fil au moyen duquel il put sortir du Labyrinthe après avoir tué le monstre, puis elle fut abandonnée par lui dans l'île de Dia (Naxos). Cf. Ovide, *Héroïdes*, X ; *Métamorphoses*, VIII, 172-179; Philostrate, *Images*, I, 15 ; Hyginus, *Fabulae*, XLIII. Une autre version passe sous silence l'épisode défavorable à Thésée pour s'étendre sur l'enlèvement d'Ariane par Bacchus (Diodore de Sicile, *Bibliothèque historique*, IV, 61).

Princesse, m'esmouvroit si une amitié sainte
Eust allumé tes feus, si ton cœur infecté
N'eust au delà d'honneur son desir arresté,
1585 Tout soit donc deloyal, inhumain et faussaire,
Aus impures ardeurs, où vertu est contraire,
Tout vienne à contre-poil, aus insensez martirs,
D'un vicieùs Damon, enfant de leurs desirs,
Non non, ce n'est amour que l'ivrognesse rage
1590 Qui bout au cœur oisif, qui tient l'ame volage,
Non ce n'est point amour qu'un appetit pourceau,
L'esclat d'un bois pourry n'est pas un clair flambeau,
La fumée est du feu aussi bien que la flame,
Mais son corps estouffé n'esclaire ny n'enflame,
1595 De mesmes la fureur de leurs affections
A bien comme l'amour, des vœus, des passions,
Mais l'un tend à l'honneur, l'autre vise à l'ordure,

[f. D iij]
L'un loge au cœur infect, et l'autre en l'ame pure,
Cestuy cy tout parfaict du beau est alllumé,
1600 Cestuy là contrefaict du laict est difformé,
L'un est enfant du ciel et pere du bel ordre,
L'un est fils de l'erreur, createur du desordre,
L'un met deux cœurs en un vray mastic d'amitié,
L'autre faict mille parts d'une seule moitié,
1605 Cestuy cesse au jouyr, l'autre en ce poinct s'avance
Et possede son heur* si tost qu'est sa naissance,
Car l'amant vertueux qui l'amour sainct conçoit
D'esprit, d'oreille et d'œil, comprend, entend, et voit
Les trois seules beautez, si l'esprit beau l'anime
1610 Il succe le sçavoir, il conserve l'estime
De ce sujet aimé, s'il est pris à l'accord
Qu'un fredonnant gosier, tout dous nous jette à bord,
Il en jouit alors qu'attaché par l'oreille,
Il savoure à long trais l'enchanteuse merveille* ;
1615 Si les trais, la couleur, si les dimensions
D'un corps en tout parfait, forment ses passions,

L'œil qui seul de ce beau reçoit la cognoissance,
Seul est capable aussi d'en avoir jouyssance,
Cest amour semble aus coups de l'acier Pelleain,
1620 Le remede est tousjours en la playeuse* main,

[f. D iij v°]
Le seul sujet aymé, seul garde, seul contente,
Seul d'heretique espoir n'afflige l'ame aimante,
Ne la trouble d'effrois, ains ce ciment des cœurs,
Desireus et content de ses pures ardeurs,
1625 Ne fait rougir l'aimé, plustost fier de sa playe,
Si playe est son beau nom, tout devot il essaye
D'honorer, de servir, et vaincre en bons effects
Le glorieus archer de ses aimables traits ;
Or combien qu'Eve ayt eu en son lot honnorable,
1630 Moins d'amour amoureus, et plus d'amour aimable,
Qu'elle soit moins créée[1] à l'amour qu'à l'honneur,
Qu'elle sache arrester mieus que donner un cœur,
Qu'elle porte en ses yeus les dards qu'amour entrousse,
Mais bien plus en son cœur l'acier qui les repousse,
1635 Si pourroy je pourtant, d'effects presque adorez,
Rendre non ce livret mais cent livres dorez,
Qui peut plus recueillir, et d'amour et de zele,
Qu'Alceste fit alors qu'une impie nouvelle
L'instruisit que les jours de son dolent mary
1640 S'allongeoient en la mort du cœur le plus chery.
Soudain elle suçca de l'ulcere pourrie
La mort seure pour soy, pour sa moitié la vie,
Soudain elle jugea que son amour parfait

---

[1] Corr. de cree.

[f. D iiij]
Seul pouvoit apporter ce salutaire effect[1].

1645 De mesmes Arria ne pouvant pitoyable
Supporter les douleurs qu'une playe incurable
Causoit à son espous, d'un resolu poignard
Son vertueus poulmon outra* de part en part,
Puis tirant de son sein la lame ensanglantée,
1650 Tient, dit elle Pectus, la voye est jà tentée,
Il ne m'a point fait mal, ô que dous te sera
L'effort qui de tes maus la douleur chassera.
Courage donc, amy, une Atropos[2] amie
Vient tuer nostre mort qu'à tort l'on nomme vie,
1655 À l'abry du tombeau, nostre asile commun,
Nous braverons les coups du maheur importun.
Allons donc mon Pectus, car si la destinée
Avoit pour nous donner quelque heureuse journée,
Tu la vois aujourd'huy, puis donc qu'il plaist aus Dieus,
1660 Vaille une mort plustost qu'un vivre langoureus[3].
Mais l'essence du dueil, la pitié en sa forme
Qui douloure les cœurs, qui fait qu'un se transforme
En l'air du desespoir, Porcie desborda,
Quant Brutus à Cæsar, et à la mort ceda.
1665 Un doigt obeyssant se clouë en chaque oreille,
Qui roide n'est osté si l'horreur ne conseille.

---

[1] *Alceste*. Elle s'offrit à mourir pour son mari, Admète. Cf. Platon, *Banquet*, 179b-e ; Hyginus, *Fabulae*, LI. Son dévouement est le sujet de la tragédie d'Euripide qui porte son nom.
[2] Celle des Parques qui tranche sans pitié le fil de la vie. Cf. Hésiode, *Théogonie*, 218, 905-906.
[3] *Arria*. Arria Maior, femme de Caecina Paetus, impliqué dans la rebellion de Scribonien contre Claude en 42 av. J.-C. Arria se poignarda pour donner l'exemple à son mari et prononça la parole célèbre : "Paetus, cela ne fait pas mal". Cf. Tacite, *Annales*, XVI, 34 ; Martial, *Epigrammes*, I, 13 ; Pline le Jeune, *Lettres*, III, 16. Son dévouement et son courage firent l'objet d'une tragédie intitulée *Arrie et Pétus* par Marie-Anne Barbier (v. 1702). Voir E. Showalter Jr., "Writing off the Stage : Women Authors and Eighteenth-Century Theater", *Yale French Studies*, n° 75, 1988, p. 95-111.

Ses pensers sont de feu, ses larmes sont de sang,

[f. D iiij v°]
Et l'amour en son cœur commande au premier rang,
Sa langue est un heraut qui buche, somme et prie,
1670 La jadis fiere mort, or l'Atropos[1] amie,
Son bras cherche avantage, et sonde s'il est fort,
Apres le long penser d'une image de mort,
Son œil (mais non plus œil, ainçois guere contraire,
Qui conspire aus desseins du non estre adversaire)
1675 Son œil (mais non plus œil, ains un brasier voyant
Fermé à tous objets, si la mort ne les tend)
Sur le premier outil, farouchement asseure,
De son destin sanglant la trop longue mesure,
Jà le baise en son cœur, jà rit d'avoir trouvé
1680 Le bien heureus moyen par son dueil approuvé ;
Mais le troupeau amy qui tremblant la regarde,
Qui d'un ruisseau de pleurs, peint sa joue blaffarde,
Escarte son desir, et des nœuds de raison,
Veut l'esprit furieus lier dans sa prison.
1685 Il ne luy reste rien, fors le feu que demande
La grisonne saison, hé pourquoy chere bande,
La quittez vous si tost, pourquoy de vos souspirs,
N'esventez vous encor l'ardeur de ses desirs,
L'on doit passage au dueil, respond le plus austere,

[f. D v]
1690 Les plains sont limitez, il la faut laisser faire,
Le pleur chasse le pleur, un Neptune arresté
Se desborde escumeus, et emporte irrité,
Ponts, chaussées, maisons, mais s'il trouve passage,
D'un flot suivy d'un flot, il fait passer sa rage ;
1695 Porcie est autrement, son esprit resolu
Ne consulte plus rien, amour qui a voulu
Choisir son chaste cœur pour monstre de sa gloire,

---

[1] Corr. de Atrapos.

Veut par un digne effect signaler sa memoire :
Porcie, luy dit il, és tu donc ceste-là
1700 Qu'à un Brute sans pair le bon heur assembla ?
Es tu du grand Caton la chere geniture,
La borne des souhaits, du ciel mesme la cure?
Es tu donc, las ! nenny, celle que sa moitié
Glorifioit d'honneurs, et passoit d'amitié ?
1705 Non, car tu vis ingrate, et en l'onde infernale,
Seul sejour de ton bien, encor tu ne devales[1],
Voy, voy, comme il t'attend, voy, voy, comme sa main
Solicite tes pas, comme ce preus Romain,
A son ombre arresté, et langissant espie,
1710 Si ton œil vagabond verra point sa Porcie,
Voy comme d'un clair sang il te laisse tracé
Le sentier tenebreus d'If mortel tapissé,
Puis il remeurt ainsi, quoy esclave tu dures[2]
Pour servir à mon nom de honte et fletrissure,

[f. D v v°]
1715 De triomphe à Caesar, et puis s'il t'est humain,
D'aimant pour s'acquerir le desastre Romain,
O douleur, ô malheur, hé plustost chere amie,
J'eus hay par ta mort ce fleau de ta patrie,
Qu'elle s'aigrisse en toy, et allons dans les cieus,
1720 Pour nos justes brevets faire appointer aus Dieus,
À ces mots Porcia veut vive ouvrir la terre,
Faire jour aus enfers, la douleur qui l'enserre
La fait heurler ainsi : ô ciel, ô terre, ô mer,
Fouldrez moy, perdez moy, vueillez moy abismer
1725 Moy ingrate qui vis, qui ladre contamine
Le beau trait dont Brutus honora ma poitrine,
Amour peut-il tuer, helas non car c'est luy
Qui chassoit de mes jours le sepulchral ennuy,
Amour me tueras-tu, las! tu ne peus, ta flame

---

[1] Corr. de devale.
[2] Corr. de dure.

1730   Coustumiere à mon bien est l'ame de mon ame,
        Mort sera ce point toy qui piteuse* à mon dueil,
        Sans voir forcer ses dards, viendras fermer mon œil,
        Douce clef du repos, redoutable Emperiere*,
        Viens joindre ceste part à sa part plus entiere,
1735   Sois benigne à ce peu qui n'est plus que l'espoir
        De retrouver son bien en ton Royaume noir,
        Quoy cruelle tu fuis, ha tu veus pour delice,
        À tes coups reservez que je vive et patisse*,
        Bourelle* non fera, il faut que ces charbons
1740   D'amour mesme animez arrestent mes poulmons,

        [f. D vj]
        O savoureuse ardeur jà par toy je desplace
        La terre qui m'ostoit de mon soleil la face
        Ainsi mourut Porcie, et ainst fut parfaict
        Du plus notable amour, le plus notable effect[1].
1745   Celles suyvent ses pas qui trompant la Justice,
        Leurs maris desguisez arrachent du supplice,
        Voulant plustost choisir contre l'asseuré dueil,
        Sous le coupable habit un infame cercueil.
        Icy me vient taxer* la robuste Isycrate
1750   D'oublier les travaus* que pour son Mithridate,
        Elle voulut souffrir[2] ; l'Emperiere* du Nil
        Me monstre or ses beautez, or son esprit subtil,
        Ores de ses festins, l'ambrosine excellence
        De son Palais, de mer la magnifique aisance,
1755   L'ordre de sa maison, les Roys humiliés,
        Qui doublement captifs s'abaissent à ses piés,

---

[1] *Porcie.* Porcia, la sœur de Caton d'Utique, la femme de Brutus. À la mort de celui-ci, elle se tua en avalant des charbons ardants. Cf. Plutarque, *Brutus*, XIII-XIV, LXIII-LXIV ; Valère Maxime, *Actions et paroles mémorables*, IV, 6.

[2] *Isycrate.* Hypsicratea. Femme de Mithridate, roi du Pont (337-302). Vêtue en soldat, elle accompagnait son mari dans les camps et partageait ses épreuves. Cf. Valère Maxime, *Actions et paroles mémorables*, IV, 6 ; Boccace, *De claris mulieribus*, LXXVI ; Pisan, *Cité des Dames*, II, 14.

Or ses draps à fonds d'or, esclatans de parure,
Or la perle de pris, qu'elle beut par gageure,
Mais sur tout elle veut, elle veut faire voir
1760   Combien l'amour d'Antoine eut sur soy de pouvoir,
Ses desdains pour Cæsar, alors qu'elle convie
Un mortifere aspic de luy succer la vie,
Amour et son grand cœur disputeront icy,
L'un s'en donne l'honneur, l'autre la veut aussi,
1765   Cestuy ne luy permet sa liberté survivre,
Et l'autre la semond* de son Antoine suivre[1],

[f. D vj v°]
Laissons les disputer, et escoutons un peu
Le dueil Thessalien, sçachons sous quel adveu,
La Royne veufve veut que sa cendre cherie,
1770   En l'urne de son corps demeure ensevelie,
Elle la tient en main dans un or emperlé,
Où elle noye ainsi maint discours desolé :
Reliques venerez, reste de mes defaictes,
Où ma vie et ma mort sont ensemble parfaites,
1775   L'une lors que je puis ce cher joyau tenir,
L'autre du bien dissous, le cruel souvenir,
L'une pouvant baiser ceste amoureuse cendre,
L'autre, quant je la voy en Atomes s'espendre,
Revenez ô mon bien, hé ne me fuyez pas,
1780   Vous m'estes reservez de deus cruels trespas,
Soyez moy donc plus dous, en vous comme la flame,
Dont les riches ardeurs ont allumé mon ame,
En vous loge l'amour, et je resen pour vous
La mesme affection que pour mon cher espous,
1785   Non pas ô creve cœur, la douceur coustumiere
Que savouroit mon cœur possedant sa lumiere ;

---

[1] Cléôpatre VII, née à Alexandrie (69-30 av. J.-C.), reine d'Égypte (51-30). Sa singulière beauté captiva César, puis Antoine. Elle se serait fait mourir de la morsure d'un aspic après la défaite d'Antoine à Actium. Cf. Plutarque, *Antoine*, spéc. XXXV-XL, XLIV-LXVI, XCII-CIX.

Si donc je n'apperçoy en vostre triste objet
Que l'image cruel du bien qui m'est deffait,
Si je n'apprens par vous que mon passé delice,
1790   Dont l'amour souvenir me bastit un supplice,
Que j'aille vous cacher : Las où ? À quel tombeau
Pourray-je abandonner ce que j'ay de plus beau ?

[f. D 7]
Je ne puis, je ne puis, il faut ma chere poudre,
Que mon œil te voyant, en eau puisse dissoudre,
Que ma bouche et ma main te baisant et touchant,
1795   Aillent mon dernier jour dessus toy vomissant :
Mais couarde faut il, faut il si tost se rendre,
Si tost chercher repos, si tost laisser ma cendre ?
Vefve de ses honneurs, qui rendra donc pour moy
Les funebres devoirs qu'à mon espous je doy?
1800   Est ce donc assez plaint ce qu'on doit tousjours plaindre,
Est ce donc prou pleuré pour qui l'on doit esteindre
De pleurs les feus du ciel ? doy je donc estranger*
Ce qui ne doit jamais de mon cœur deloger?
Arriere ingrat penser, c'est aus ames debiles,
1805   Les remedes aisez de leurs morts inutiles,
C'est à eus d'estouffer leur vie et leurs[1] travaus*,
Et lasches oublier leurs armes aus assaus.
D'un plus altier dessein je veus de mon Mausole
R'allumer le beau jour qu'un dous effect recole,
1810   Malgré l'effort gaucher du destin sans pitié,
Ceste vivante part à sa morte moitié.
Douce fin de mes vœus, ma richesse cherie,
Que je perds pour garder, vien donc vivre en ma vie !

[f. D 7 v°]
Loge toy dans ce corps que tu as sçeu aimer,
1815   Et viens joindre ce cœur que tu sens allumer,
Tu t'y verras entier, tu verras, ma belle Ame,

---

[1] Corr. de leur.

La gloire qu'à ton nom superbement je trame.
Sus ma bouche haste toy, conduis jusqu'à mon cœur
Ce savoureus repas, ô horreur, ô fureur,
1820   Perdray-je donc ainsi l'object qui me contente,
Veus je que mon espous une triple mort sente,
Veus je destruire encor le reste de mon bien,
Et d'un si grand tresor ne me reserver rien ?
Suis je plus qu'Atropos cruelle à ma richesse,
1825   De deus de ses butins ce peu elle me laisse,
Et je veus engloutir, fuyez folle pitié !
C'est pour l'estroit cyment d'une unique amitié,
C'est pour malgré le dard par qui tout desassemble,
Mettre d'un sort égal tousjours nos corps ensemble,
1830   C'est pour loger tousjours mon moimesme dans moy,
C'est pour n'esloigner point la cendre à qui je doy
Le centre de mon cœur : Sus donc ma part fidelle,
Prens un estre second en ta tombe eternelle !
Sanglottant ces propos son estomach receut
1835   La poudre de son mort, qu'amoureuse elle beut.
Ce miracle achevé elle veut qu'il seconde
Le juste estonnement des merveilles du monde.
Ce tombeau glorieus où l'esprit, l'or, la main
Font pallir les tresors, les doigts, le sens humain.

[f. D 8]
1840   Là le marbre si bien se joint avec l'yvoire,
Que l'œil du regardant ce qu'il voit ne peut croire,
Comme ces petits corps en cubes façonnez
Sont sans aucun mastic richement maçonnez,
Formant ce logis mort, dont la moindre dorure
1845   Estonne du soleil l'esclatante parure,
Où chacun petit trait figure ingenieus
L'histoire d'un Cæsar, où l'amour d'un des Dieus,
Cil qui voit le dehors, le dedans desestime,
Mais si poussé encor du lustre qui l'anime,
1850   Si voit le plus caché, lors gorgé de beautez,
Il se nomme content de toutes nouveautes.

Quatre perles du Nord, quatre lampes façonnent,
Qui du suc d'Engady, perfument et rayonnent,
Combattant les clartez qu'un or escarbouclé
1855 Rejaillit à Phebus là cent fois redoublé,
Le ciel s'irriteroit contre ce riche estage,
Sans l'honneur qu'il reçoit en son beau voisinage,
Diray-je ses secrets? Artemise pardon[1],
Ce livret de draps d'or n'a qu'un eschantillon,
1860 Qu'une estoile du ciel, qu'une couleur d'aurore,
Qu'un thresor du Peru, qu'une perle du More,
Qu'une pomme d'Eden, qu'un diamant Indois,
Qu'une odeur de sabée, et qu'un sceptre des Rois.
Ainsi pour son bouquet la main pucelle trie
1865 Le plus brillant esmail de chacune prairie,

[f. D 8 v°]
Icy le lis negeus, là le colque estoilé,
La gaye fleur de Mars, et l'œillet dentelé,
Puis lie d'un fil d'or de cest honneur sauvage,
Aus roses de son sein vient faire un deu hommage*.
1870 Beaus astres qui dorez le riche champ du lis,
Ainsi pour vous offrir ces bouquets j'ay cueillis,
Ainsi à vos vertus des vertus je presente,
Ainsi sur vous des fleurs ces autres fleurs cy j'ente,
Ainsi à vostre honneur, cest autre honneur j'appen* :
1875 Hé, que n'ay-je l'oser, mais non je m'en repen,
Plustost je conteroy d'Hercules les trophées,
Les goutes de Thetis, les douceurs siderées,
Que pouvoir dignement d'un exacte pinceau,

---

[1] *Artemise.* Artémise II, reine d'Halicarnasse (Carie). Cf. Diodore de Sicile, *Bibliothèque historique*, XVI, 36. Elle éleva à son époux Mausole un tombeau qui est considéré comme l'une des sept merveilles du monde. Voir Pausanias, *Description de la Grèce*, VIII, xvi, 4 ; Pline, *Histoire naturelle*, XXXVI, 30-31. Sa douleur à la mort de celui-ci est évoquée par Cicéron (*Tusculanes*, III, 75) et racontée par Aulu Gelle (*Nuits attiques*, X, 18) et Valère Maxime *(Actions et paroles mémorables*, IV, 6).

Peindre ce que par nous, nostre siecle a de beau,
1880 Et puis sacrez fleurons, j'aime trop vostre gloire,
Pour la vouloir borner dans une simple histoire,
Plustost monstre à jamais ce dessein imparfait,
L'impossibilité d'un si hautain projet,
Plustost au premier trait, patisse mon courage,
1885 Et avant que l'oser s'acheve mon ouvrage.

FIN

SUR L'APOLOGIE DES DAMES

SONNET

Cesse, ne vante plus, homme vain ton addresse,
Ta force, ta valeur, ta vertu, ton sçavoir,
Ton esprit, sans esprit, ton sens voillé d'un noir,
Qui te rend ignorant de ton peu de sagesse.
Viens lire à ce tableau comme une main maitresse,
Despeint tes malheurtez* : Et comme elle fait voir,
Les Empires regis par le puissant pouvoir,
Du sexe qu'or le joug esleve ta bassesse.
Voy les Grecs, les Romains, discordans accordez,
Par ce sexe qui a tous les deux droits fondez,
Voy le futur predit par la docte prophete.
Les martirez au feu, l'Amazonne au combat,
Une Jeanne l'honneur du siege Apostolat[1],
Une autre qui remet la France jà deffaite[2].

Le Mesme

À Madamoiselle Jaqueline de Miremont

Qu'on prise l'honneur de la France,
Qu'on vante une belle eloquence,
Qu'on soit ravi d'un bel effect,
Qu'on estime une grand memoire
Si rien merite de la gloire
C'est l'esprit qui cest œuvre a fait.

JEAN DU LAURENS.

---

[1] Cf. vv. 1047-1060.
[2] Cf. vv. 1156-1174.

JACQUETTE GUILLAUME

Jacquette Guillaume est connue aujourd'hui comme l'auteur des *Dames illustres* (1665) et d'un *Discours sur le sujet que le sexe feminin vaut mieux que le masculin* (1668) qu'on attribue aussi à une certaine Anne-Marie Guillaume[1]. Son existence reste une énigme. *Les Dames illustres* furent plutôt bien reçues à l'époque. Dans son *Traitté sur les eloges des illustres sçavantes*, Marguerite Buffet en loue les mérites et dit son admiration pour celle qui a su "fermer la bouche" aux détracteurs du sexe féminin :

> Ce sont des recherches si belles, si curieuses, & si delicatement traittées, que cet ouvrage a receu une grande approbation de ceux-là mesmes qui sont les plus ennemis des femmes, qui avoüent qu'il n'y a rien à ajoûter à cette pièce, & qu'estant si achevée il paroist que cette éloquente fille a voulu y travailler avec beaucoup de soin. Ce qu'elle fait voir de l'histoire est fidellement rapporté avec un tres-bel ordre dans ses pensées. J'avouë que les femmes luy sont infiniment redevables d'avoir donné au public de si belles veritez [...] Toutes les sçavantes plumes de l'Antiquité qui ont écrit en faveur des femmes cederoient aujourd'huy à la sçavante Mademoiselle Guillaume qui a si ingenieusement trouvé le secret de si bien faire voir leur merite, & de fermer la bouche à ceux qui ne veulent pas qu'elles égallent les hommes en tout ce qui les rend habiles.
>
> *(Nouvelles observations sur la langue françoise*, p. 276-278)

L'ouvrage comprend deux parties. Dans la première, Jacquette Guillaume s'attache à démontrer la supériorité morale des femmes, elle accumule les "preuves" à la manière des apologistes du seizième siècle[2] et dresse une liste des défauts

---

[1] Cet ouvrage n'a pu être retrouvé. Voir la notice consacrée à Jacquette Guillaume dans G. Vapereau, *Dictionnaire universel des Littératures*, 2ᵉ éd., Paris, 1884.

[2] Comme ses prédécesseurs, Jacquette Guillaume commence par invoquer "la preuve par la Création" : "La noblesse de la femme se tire principalement du lieu, de la matiere, & de l'ordre de sa creation" (ch. I, p. 11). En outre, le féminin est le plus noble et le plus utile de tout ce qui est créé : "En un mot nous ne sçaurions parler des choses qui nous sont les plus avantageuses & les plus utiles,

masculins : les hommes surpassent les femmes en toutes sortes de malices, de sottises et d'impertinences : "je feray voir dans le Chapitre second, que toutes les idolatries, impietez, sacrileges, heresies, blasphemes, meurtres, assassins, trahisons, voleries, chicanes, monopoles, & vilainies execrables, ont esté inventées, pratiquées, executées par les hommes" (ch. 2, p. 15). Le dérèglement des rois et des empereurs à travers l'histoire (Antiochus, Xerces, Ninias, Vitolde, Colman, Altadas, Caligula) est hautement parlant. En revanche, les femmes surpassent les hommes par leur fidélité (ch. 3)[1]. Un exemple révélateur, celui de la duchesse de Montmorency dont "[l]'amour & la fidelité [...] sont si merveilleuses, que depuis la mort de son mary jusqu'aujourd'huy, ces fidelles compagnes n'ont pas donné un moment de treves à ses larmes" (ch. 4, p. 53). Les hommes sont défiants, incrédules (ch. 5) et cruels (ch. 6). Plusieurs sortes de cruauté sont considérées dans le chapitre 7, la cruauté des jaloux (i), celle des princes envers leurs sujets et leurs ennemis (ii), celle des traîtres envers leurs rois et leurs alliés (iii), celle des pères envers leurs enfants et des enfants envers leurs pères et leurs mères, celle des frères envers leurs frères et sœurs (iv), pour mettre en lumière les vices qui accompagnent le terrifiant comportement des hommes. À la cruauté masculine s'oppose la bienveillance, la douceur féminine (ch. 8)[2]. De nombreux exemples sont donnés de la générosité des Dames illustres (ch. 9) : Mavie, la reine des Sarrasins (ii), Mathilde, duchesse de Mantoue et de Ferrare (iii), Jeanne d'Arc (iv) et Judith qui ressort comme le modèle des veuves et des généreuses (i) :

---

tant au Ciel, en la mer, qu'en la Terre, qu'avec des termes de ce genre" (p. 11).

[1] Poullain de la Barre se montre plus modéré dans ses jugements. Cf. *De l'égalité des deux sexes*, seconde partie, p. 104 : "Entre tous les défauts que l'on donne aux femmes, l'humeur inconstante et volage est celle qui fait plus de mécontans. Cependant les hommes n' y sont pas moins sujets [...] On ne s'accuseroit pas si souvent de legereté les uns et les autres, si on observoit qu'elle est naturelle aux hommes, et que qui dit mortel, dit inconstant".

[2] Comparer à Poullain de la Barre sur la compassion des femmes, l'affection pour les enfants, etc. Cf. *De l'égalité des deux sexes*, deuxième partie, p. 95.

N'attendez rien de foible de cette femme, tout y est plein de prodiges,
la nature n'y a mis que le sexe, elle a laissé faire tout le reste à la vertu,
& la vertu apres avoir travaillé long-temps à ce chef-d'œuvre s'est
incorporée dans son ouvrage.
(ch. 9, I, p. 111-112)

Jacquette Guillaume ne manque pas l'occasion de dénoncer les
préjugés de son siècle[1] :

Il y a des Critiques qui disent que selon le droit, il falloit renvoyer
Judith à sa quenoüille, que c'est trop entreprendre à une femme, de
reprendre les Prestres & les Magistrats ... J'avouë que ces vertus
belliqueuses ne font pas tant de bruict aux femmes qu'aux hommes, à
cause de l'envie qu'ils leur portent. Ils assujetissent au menage toutes
celles qui ont le mal-heur d'estre sous leur tyrannie, ou elles ont à
supporter leurs deffauts, qui couvrent toutes les belles actions dont
seroient capables ces illustres Captives.
(p. 115-116)

Or si la femme est supérieure à l'homme, comment se
trouve-t-elle dans la position subalterne qu'elle occupe encore ?
Dans la deuxième partie de l'ouvrage d'où sont tirés les deuxième
et troisième extraits, Jacquette Guillaume s'efforce de prouver que
tout est affaire d'éducation. Instruites, les femmes démontreront
leur exceptionnelle valeur. Le plaidoyer, extrêmement agressif au
départ[2], devient alors une simple apologie du sexe féminin. Pris
dans tous les pays et dans tous les siècles, les exemples abondent
de femmes qui se sont distinguées par leur science, leur éloquence,
leur sagesse, leur prudence et bonne conduite, dans le paganisme:

---

[1] Comparer à Poullain de la Barre, *De l'égalité des deux sexes*, première partie,
p. 15 sq.
[2] Jacquette Guillaume s'en prend aux "ennemis de la science des Dames" qui
prétendent "qu'elles n'apprennent pas pour savoir ou pour bien faire, mais
seulement pour se faire admirer ou encore que trop savoir risquerait d'ébranler leur
vertu" et les met en garde contre le sort réservé à ceux qui ont cherché à rabaisser
le mérite des dames savantes : ils n'y ont gagné que le titre de médisants et
d'envieux (ch. 1 & 2).

> Entre les Dames Romaines, une nommée Amasia fut accusée par ses ennemis, du crime d'adultère. Elle sceut si bien deffendre sa cause devant le Preteur, en presence des plus fameux Orateurs de Rome, qui s'estonnoient de luy voir employer les plus riches traits de la Rhetorique qu'elle fut non seulement absoute par suffrages de tous les Juges ; mais de plus elle gagna de surcroist, le surnom d'*Androgyne*, qui veut dire, une femme-homme, ou plustost une femme de courage.
> (ch. 3, ii, p. 213)

comme dans le monde chrétien (ch. 3, I & ii) et, en particulier en France, comme le montre bien la très savante Marie de Gournay (iii):

> [Melle Marie de Gournet] estoit en si grande reputation d'esprit, d'eloquence, & de doctrine, qu'elle pouvoit fermer la bouche aux plus sçavans hommes de ce siecle.
> (ch. 3, p. 292)

Suivent plusieurs discours de femmes savantes (Jacquette Guillaume ne les nomme pas) qui constituent la somme des connaissances féminines. Les sujets les plus variés sont abordés (les pierres précieuses, les oiseaux, différents continents, pays, villes, les coutumes étangères), visant à démontrer l'étendue et la diversité du savoir féminin. Le livre se termine de manière abrupte par une section sur les Dames infortunées (iv).

Les extraits reproduits ici proviennent de l'exemplaire de la Bibliothèque Nationale à présent sur microfilm m 2684.

LES DAMES// ILLUSTRES// OU// Par bonnes & fortes raisons, il se// prouve, que le Sexe Feminin// surpasse en toute sorte de gen-// res le Sexe Masculin.// Par Damoiselle I. Guillaume.// A Paris,// Chez Thomas Jolly, Libraire Juré, au// Palais dans la petite Salle des Merciers, à la// Palme & aux Armes d'Hollance.// M. DC. LXV.// AVEC PRIVILEGE.

LES DAMES ILLUSTRES
OU PAR BONNES ET FORTES RAISONS, IL SE PROUVE, QUE LE SEXE FEMININ SURPASSE EN TOUTE SORTE DE GENRES LE SEXE MASCULIN

(1665)

LES DAMES ILLUSTRES ANCIENNES ET MODERNES

PREMIERE PARTIE

CHAPITRE IX

De la generosité des Dames Illustres

SECTION I

Judith, le modele des Vefves, et des Genereuses

[111]

N'attendez rien de foible de cette femme, tout y est plein de prodiges, la nature

[112]

n'y a mis que le sexe, elle a laissé faire tout le reste à la vertu, et la vertu apres avoir travaillé long-temps à ce chef-d'œuvre s'est incorporée dans son ouvrage. Jamais la beauté ne fut mieux placée que sur ce visage, qui porte un meslange de terreur et d'amour, aimable en ses graces, et redoutable en sa valeur ; si sa main fit beaucoup d'abbattre cent mil hommes en une seule teste, l'œil n'en fit pas moins que la main, ce fut luy qui le premier triompha d'Holofernes, et qui d'un petit rayon de ses flammes brûla toute une armée, ô ! que l'amour eut un bel employ dans cette action, jamais il ne fut si innocent dans ses combats, jamais il ne fut si glorieux dans ses triomphes.

LES DAMES
ILLVSTRES

OV

Par bonnes & fortes raisons, il se
prouue, que le Sexe Feminin
surpasse en toute sorte de genres le Sexe Masculin.

Par Damoiselle I. Guillaume.

A PARIS,

Chez THOMAS IOLLY, Libraire Iuré, au
Palais dans la petite Salle des Merciers, à la
Palme & aux Armes d'Hollande.

M. DC. LXV.

AVEC PRIVILEGE.

Jacquette Guillaume, *Les Dames illustres* (1665)
microfilm m. 2684 (page de titre)
Paris, Bibliothèque Nationale de France

Pl. 6

Sans doute que Dieu ne permit à cét Holofernes d'assieger
Bethulie, que pour faire connoistre la generosité et la sagesse de
Judith[1]. Ozias, Chabri, et Charni, Gouverneurs de cette Ville,
avoient déja promis à leurs Ennemis de se rendre dans cinq jours,
si Dieu ne leur envoyoit de l'eau. Judith les envoya querir et leur
dit: "Qui estes vous qui avez tenté Dieu, et qui vous constituez en
sa place parmy les hommes ? vous n'y entendrez jamais rien ; que
si vous ne sçauriez sonder la profondeur du cœur de l'homme, ny
comprendre les pensées de son intelligence, comment sonderez
vous Dieu, qui a fait toutes ces choses, et comment sçaurez vous
sa pensée, et comment comprendrez vous son conseil ? Non, non,
mes Freres, n'irritez point le Seigneur nostre Dieu, que s'il ne veut
pas nous secourir dans cinq jours, il a la puissance de nous

[113]
deffendre quand il voudra, et en tout temps, ou mesme de nous
détruire en la presence de nos ennemis". Ozias luy répondit : "Tout
ce que vous dites, vous le dites de bon cœur, aussi n'y a-t-il
personne qui puisse y contredire. Ce n'est pas d'aujourd'huy que
vostre sagesse est connuë, chacun a connu vostre prudence dés le
commencement de vostre vie, par ce qu'un bon cœur est formé en
vous. Mais comme vous estes une femme devote, nous vous

---

[1] L'épisode de Béthulie est relaté dans le *Livre de Judith*. L'histoire de Judith
a connu un succès durable dans l'iconographie du seizième et du dix-septième
siècle. Elle a inspiré aussi toutes sortes d'œuvres : mystère (*Le mystère de Judith
et Holofernés* [c. 1500], attribué à Jean Molinet), tragédie sacrée (Pierre Heyns,
Miroir des Vefves, 1596), poèmes épiques (Guillaume Salluste Du Bartas, *La
Judit*, 1574 et Gabrielle de Coignard, *Imitation de la victoire de Judich*, 1594),
sonnets (le P. Le Moyne, "Judith"), etc. La littérature édifiante célèbre sa chasteté,
sa sagesse, sa générosité, son courage "viril", fortifié par la grâce de Dieu.
Cependant elle ne manque pas de noter les aspects gênants de la féminité
combattive. Pour une riche documentation et une mise au point sur le personnage,
voir E. Ciletti, "Patriarchal Ideology in the Renaissance Iconography of Judith",
in *Refiguring Woman. Perspectives on Gender in the Italian Renaissance*, éd. M.
Migiel et J. Schiesari, Ithaca & london, 1991, p. 35-70 ; S. F. Matthews-Grieco,
Ange ou diablesse. La représentation de la femme au XVIe siècle, Paris, 1991, p.
153-164 ; M. Stocker, *Judith Sexual Warrior. Women and Power in Western
Culture*, New Haven, 1998.

supplions de prier pour nous, afin que nostre Dieu nous envoye de
la pluye, pour remplir nos Cisternes, et afin que nous ne defaillions
plus ". Judith leur dit : "je feray un acte qui sera raconté à tous les
âges et à tous ceux de nostre nation. Vous vous tiendrez cette nuict
à la porte, je sortiray avec ma servante, et le Seigneur donnera
secours à Israël par ma main, dans le temps que vous avez promis
de rendre la ville, ne vous informez point de ce que je feray, car je
ne vous le diray point, jusqu'à ce que j'aye achevé mon entreprise".
Ozias et les autres Gouverneurs, luy dirent : "Allez en paix, le
Seigneur soit devant vous, pour faire vengeance de nos ennemis".
Judith s'estant revétuë de ses plus beaux habits, sortit de Bethulie,
et s'en alla droit à la tente d'Holofernes, qui tout ravy de voir une
si admirable beauté, disoit à ses gens : "Il n'y a point de semblable
femme en nostre pays, tant en beauté de visage qu'en douceur
d'esprit". Elle demeura trois jours entiers avec ce nouvel amant, qui
la voulant cajoller lui disoit ces Vers :

        [114]
Je ne ressemble point aux volages esprits ;
Qui bien tost delivrez comme ils sont bien-tost pris,
En leur fidelité n'ont rien que le langage ;
Chaque objet présenté les touche également,
Mais pour moy je dispute avant que je m'engage,
Et quand j'ayme une fois j'ayme eternellement.

        Luy ayant déclaré sa passion, il l'invita à faire bonne chere,
et à estre de bonne humeur devant luy. Elle luy dit : "Ouy, Sire, je
feray bonne chere et seray de bonne humeur devant vous, par ce que
je suis aujourd'huy élevée en honneur plus qu'en jour de vie".
Holofernes prenant ces discours pour un compliment le plus
obligeant qu'il eut jamais ouy, en fut si charmé et beut si grande
quantité de vin, qu'il s'endormit d'un si profond sommeil, qu'il ne
s'en éveillera jamais. Judith le voyant en cét estat, prit une espée, et
empoignant ses cheveux, dit : "Fortifiez moy aujourd'huy Seigneur
Dieu d'Israël", en disant ces paroles elle le frappa de telle sorte
qu'elle luy osta la teste de dessus les espaules, puis repassa au
travers de cette puissante armée, et s'en retourna en Bethulie, avec

autant d'assurance qu'elle en estoit sortie. Elle fit mettre cette teste au plus haut des murailles de la ville, et dit au peuple[1] : "Allez, vous trouverez nos ennemis en desordre par la mort de leur General ; jettez vous sur eux, et vous les déferez sans peine". Ce qui arriva comme elle leur avoit

[115]
predit, et pour remercier Dieu d'une si memorable défaite, elle composa un beau Cantique qui se chante encore aujourd'huy.

Il y a des Critiques qui disent que selon le droit, il falloit renvoyer Judith à sa quenoüille, que c'est trop entreprendre à une femme de reprendre les Prestres et les Magistrats[2]. Et moy je dis qu'il faudroit envoyer ces Critiques aux petites maisons. Quoy n'est-ce pas estre extravagant de vouloir qu'une quenoüille serve à une femme qui sçait avec l'espée destruire une armée de cent mil hommes, pour la conservation de sa patrie, que ces Prestres et Magistrats vouloient reduire à l'esclavage ? Ces Censeurs ont tres-assurement plus de déplaisir de voir une femme triompher d'Holofernes, qu'ils n'en auroient de voir Holofernes triompher du peuple de Dieu ; ils ne manquent pas d'alleguer que les Juifs rendent tous les jours graces à Dieu, de ce qu'il ne les a pas fait naistre femmes. S'ils n'ont point d'autre caution que des Deicides pour authorizer l'envie qu'ils portent à nostre sexe, il est bien facile de les

---

[1] Corr. de peuples.

[2] Allusion possible à Montaigne qui dit dans l'essai, I, lvi : "Les enfans et les femmes, en noz jours, regentent les plus vieux et experimentez sur les loix ecclesiastiques, là où la premiere de celles de Platon leur deffend de s'enquerir seulement de la raison des loix civiles qui doivent tenir lieu d'ordonnances divines; et, permettant aux vieux d'en communiquer entre eux et avecq le magistrat, il adjouste : pourveu que ce ne soit pas en presence des jeunes et personnes profanes" (*Essais*, p. 307). J. L. Vives fait appel à l'exemple de Judith pour rappeler à la femme que le silence est l'ornement de la vertu. Cf. *L'institution de la femme chrestienne*, trad. de P. de Changy, Paris, 1555, p. 191-192 : "Judith & Delbora vainquirent par armes de l'Eglise & spirituelles leurs ennemis qui sont jeusnes, oraisons, abstinences, & saincteté [...] mais telles sont de present esvanouies. [...] De la femme en public ne doit estre veu n'ouy parolles, gestes ou allure, qui signifie arrogance, fascherie, delices".

recuser, faisant voir qu'ils sont des criminels et impertinents endurcis, qui ne voudroient pas estre femmes; d'autant que leurs femmes pleurent la malice qu'ils ont de condamner le sang innocent. Ils alleguent aussi que Saint Chrysologue dit que la femme est le chemin de la mort, et le titre du sepulchre[1] ; mais cela ne rend pas leur cause meilleure. On sçait que ce Saint a tousjours eu de grands respects pour les femmes vertueuses, et qu'il ne parle que de celles

[116]

qui causent journellement dans les Eglises, et qui se laissent aller au luxe et aux plaisirs desordonnez, lesquelles ne sont aucunement propres aux grandes affaires, estant trop delicates pour le travail, et trop timides pour entreprendre de grandes actions. Mais tant d'autres qui se sont étudiées au reglement de leurs passions, ont rendu de grands services aux Royaumes, et aux Republiques, comme nostre Judith, et mil autres que je vous feray admirer dans la suite de ce discours, mais principalement dans la seconde Partie de cét ouvrage.

J'avoüe que ces vertus belliqueuses ne font pas tant de bruict aux femmes à cause de l'envie qu'ils leur portent. Ils assujettissent au ménage toutes celles qui ont le mal-heur d'estre sous leur tyrannie, ou elles ont à supporter leurs deffauts, qui couvrent toutes les belles actions dont seroient capables ces illustres Captives. O ! qu'elles ont grand sujet de dire ce que le Lion dit à un homme, qui luy montroit un homme en peinture qui tuoit un lion : "Si les Lions, [dit-il], s'amusoient à peindre, tu verrois bien plus d'hommes tuez par les Lions, que de lions tuez par les hommes". L'on peut aussi maintenir que si les femmes avoient fait les Loix et les Histoires, l'on verroit bien plus de vertus exercées par elles que par les hommes.

---

[1] Sans doute s. Jean Chrysostome (354? - 407). Cf. *Liber de Virginitate*, XLVI, 2.

Cordille[1] fille de Loir Roy de la grand'Bretagne, et épouse
du Roy de Neufstrie[2], rétablit son pere en son Royaume, qui en avoit

[119]

esté chassé par ses 2 gendres ; en son Vefvage elle se retira prés de
luy, lequel estant mort, elle fut proclamée Reyne de ce Royaume,
qu'elle gouverna tres sagement l'espace de cinq ans, au bout
desquels, deux de ses neveux la prirent, la firent prisonniere, où elle
mourut de regret environ l'an 150.

---

[1] Nous n'avons rien trouvé sur ce personnage.

[2] Il est difficile de préciser duquel il s'agit. La date qui est donnée pour la
mort de Cordille (105), ne coïncide pas avec les dates des règnes des rois de
Neustrie. À la mort de Clotaire Ier en 561, la Gaule franque fut divisée en quatre
régions ou quatre royaumes distincts : l'Austrasie (ou royaume de l'Est), la
Neustrie (la Gaule du nord-ouest, c'est-à-dire les pays situés entre la Loire, la
Bretagne, la Manche et la Meuse), la Burgondie (pays de la Saône et du Rhône)
et l'Aquitaine (limitée au nord par la Loire, à l'est par les Cévennes). La Neustrie
était peuplée de Francs et d'un assez grand nombre de propriétaires gallo-romains.
C'est Chilpéric Ier (539-584) qui eut en partage la Neustrie à la mort de son père
(562). Clotaire II lui succéda (584-628), puis son fils Dagobert Ier qui régna entre
629 et 638. Après sa mort commence la décadence de la royauté mérovingienne.
Cette dynastie prit fin avec Childéric III (743-751), évincée par les Carolingiens
(voir Grégoire de Tours, *Histoire des Francs*).

SECONDE PARTIE

CHAPITRE II

Que ceux qui se sont efforcez de rabaisser le
merite des Dames Sçavantes n'y ont gagné
que le titre de médisans et d'envieux

[197]
Les ennemis de nos Dames disent qu'elles n'apprennent pas
pour sçavoir, ou pour bien faire, mais seulement pour se faire
admirer et pour ravir les compagnies par la langue, aussi bien que
par leurs attraits. Voyez, je vous prie, comme ils sont contraints de
confesser que les beaux sujets de leurs médisances, les ravissent.
Ils ajoûtent qu'il vaudroit mieux qu'elles fussent chastes et
ignorantes, que d'estre sçavantes et impudiques.
Voilà une impertinente consequence, de croire que les
sciences fassent les impudiques : au contraire, je dis que c'est
l'ignorance et non pas le sçavoir qui fait les Coquettes : car s'il n'y
avoit point de sots, il n'y auroit point de filles perduës. Aussi la
suffisance* n'a garde d'estre un ornement superflu aux filles ; puis
qu'elle leur est absolument necessaire. Ne voyons nous pas qu'une
belle fille sans subtilité, est presque toûjours notée d'infamie ?
Aussi une fille doit estre bien avisée pour ne point offencer
la bien-seance, parce que la civilité et la pudeur ne se trouvent
jamais sans une science parfaite des choses du monde. Il y a
beaucoup de personnes insuportables, par

[198]
ce qu'il y en a beaucoup de mal instruites. Apres tout, ce n'est pas
une chose fort agreable, qu'une belle beste. N' y a-t-il pas bien plus
de satisfaction, à considerer une belle fille qui a une excellente
intelligence, et une parfaite justesse, mesme dans son apparence, et
dont les gestes ne peuvent estre que tres-agreables, estant faits avec

adresse ? que si la maison ne respond pas au frontispice, que peut-on dire, sinon que la nature a basty une belle demeure, pour y loger une beste agreable ?

Ces hommes disent de Sempronia qu'elle estoit trop habile, pour estre innocente ; et que sa haute suffisance* devoit necessairement estre le vray sujet de son opprobre[1].

O les bonnes gens ! ils ne doivent pas apprehender que l'on dise le mesme d'eux ; au contraire on dira plûtost que leur insuffisance les fait mépriser, et que c'est ce qui les retient dans l'opprobre ; Ce n'est pas, disent-ils, un défaut que de ne pas avoir une perfection qui n'est ny necessaire, ny bien-seante aux femmes: mais ce leur est une grande imperfection de se mettre en danger de tomber en de grands défauts, pour acquerir une qualité, qui pour estre illustre ne laisse pas d'estre tres dangereuse, c'est un faux brillant qui conduit vers les tenebres de l'Enfer ; et qui du thrône de la gloire fait tomber dans le precipice. Ecoutez, je vous prie, le raisonnement de ces pedans d'Arcadie[2] ; ils voudroient que toutes les femmes leur ressemblassent, et qu'elles crussent ce qu'ils croyent d'eux-mes-

[199]

mes ; ils s'imaginent qu'on les croira vertueux à proportion qu'on les croira bestes, et qu'enfin leur bestise les placera au plus haut des Cieux.

On voit des hommes qui se vantent qu'ils sçavent tout, quoy qu'ils ne sçachent que ce qu'ils devroient necessairement ignorer. Ils disent que la science des Payens est pour eux des demonstrations, et ils font voir par effet que la science des Saints leur est tout à fait inconnuë, par ce qu'ils ne se souviennent de Dieu, que pour

---

[1] *Sempronia*. Épouse de Brutus, l'un des assassins de César. Érudite, d'une beauté remarquable, elle fut souvent blâmée pour la légèreté de ses mœurs. Cf. Salluste, *La conjuration de Catilina*, XXV et LX ; Boccace, *De claris mulieribus*, XVIII, 39. On dit aussi qu'elle aurait pris part à la conspiration de Catilina.

[2] Région montagneuse de l'ancienne Grèce au centre du Péloponnèse. Peuplée de pasteurs, l'Arcadie est bien connue pour avoir longtemps maintenu les traditions patriarcales.

blasphemer son saint nom, et ne pensent à sa justice qu'à force de remords de conscience, et encore ces bonnes gens s'imaginent que d'autres personnes qu'eux iront faire compagnie à Pluton[1]. Leurs esprits sont si pesants, qu'ils ne peuvent s'acquerir la connoissance d'aucune science, sans une peine extreme ; ce qui leur fait dire, que l'intelligence est une affliction et un chastiment. Mais Aristote, quoy que payen, nous assure que c'est le plus grand don que nous ayons receu du ciel ; et que si par les facultez animales nous sommes terrestres, par la raison nous sommes celestes[2]. Aussi seroit-ce bien à tort qu'on nommeroit l'esprit la plus haute partie de nous mesmes, si elle devoit estre la plus negligée ; que si c'est si le vray caractere de la ressemblance que nous avons au Createur, nous ne pouvons jamais davantage mépriser ce sçavant Ouvrier, qu'en méprisant le plus bel ornement de son ouvrage. Je n'ay jamais veu de personnes raisonnables, faire difficulté d'ac-

[200]
corder que la bonté de l'esprit, est tres-avantageuse à la nature, elle est donc bien éloignée de servir d'obstacle à la perfection surnaturelle de nostre ame, veu que Dieu ne la donne que pour le mieux connoistre, et qu'en le connoissant on l'ayme, qu'en l'aymant on l'adore, et qu'enfin avec tous ces beaux ornemens on cesse d'estre homme pour devenir des Dieux par participation. À moins que d'avoir perdu tout à fait le jugement, on ne pourroit pas dire, que la science est un empeschement à l'introduction de la Foy; puis qu'on sçait qu'elle luy sert d'ouverture.

Ne vous imaginez pas, Messieurs les Pedans, que quand l'Evangile appelle les pauvres d'esprit, bien-heureux[3] ; elle entende parler des Ignorants, puis qu'au contraire elle nous assure que l'ignorant perira avec son ignorance : mais elle parle de ceux qui dans leur suffisance* sçavent garder la simplicité, et sçachans toutes

---

[1] *Pluton.* Ou Hadès. Il était parmi les Olympiens le troisième frère, auquel le sort attribua le monde souterrain et le royaume des morts.

[2] *De l'âme,* 408b 29 ; *De la génération des animaux,* 737a 10 ; *Les parties des animaux,* 655b.

[3] Mt. 5 : 3 ; Lc 6 : 20 ; Jn 16 : 20.

choses ne se glorifient avec saint Paul, qu'en la Croix de Jesus-Christ.

Que si le Sauveur de nos ames, estant sur la terre, possedoit le plus grand esprit qu'eust jamais possedé un mortel, il ne falloit donc pas estre sot pour apprendre les maximes d'un si grand Maistre. Aussi ne doit-on pas croire que les Saints doivent estre necessairement des idiots.

Mais sans regarder les avantages de l'autre vie, considerons qu'en celle-cy, tous les Sages ont mis nostre plus parfait repos, dans cette belle inquietude, que la contemplation nous cause.

[201]
Aristote dit, qu'une simple satisfaction d'esprit, est plus touchante que tous les contentements qui peuvent flatter les sens[1]. Aussi y a-t-il bien plus de satisfaction à vivre en Ange, qu'en beste.

Que si le plus sage des Roys a prononcé, que la science n'est pas tant un fruit, qu'une affliction de nostre esprit :Il vouloit seulement dire que les connoissances sont precieuses, puis qu'elles coustent beaucoup à acquerir, et qu'un thresor ne nous seroit pas cher, s'il ne nous donnoit de la peine en sa recherche[2].

Ces subtils de la nouvelle impression, disent qu'Eve estoit sçavante et pecheresse, et que sa suffisance* est la cause de tous nos malheurs. Voilà un raisonnement tout à fait ridicule, et qui ne peut venir que de personnes qui ne sçavent pas que les saintes pages nous assurent, qu'Eve ne pecha, que pour sçavoir ce qu'elle ignoroit. Ce n'a donc pas esté par la connoissance, qu'elle avoit des sciences. De plus, Adam n'estoit pas moins sçavant, ny moins pecheur que sa femme ; mais bien davantage, nos mal-heurs n'estoient annexez qu'à son peché, et non pas au peché d' Eve.

Ces ambitieux continuans leurs impertinents discours, disent que l'esprit de l'homme est fort, et que celuy de la femme est foible: mais ils ne prennent pas garde qu'eux mesmes détruisent leur proposition en parlant d'Eve, qui paroist icy plus forte que

---

[1] *Éthique à Nicomaque*, 1176a 1-3.
[2] Allusion à Salomon dont il est question par la suite. Cf. 1 Rs 5 : 29 sq.

l'homme, puis qu'il a fallu un Diable pour la faire pecher, et qu'il n'a fallu qu'une femme pour

[202]

faire pecher Adam. Lors que les Sçavants disent que nostre sexe est foible, ils entendent parler du corps, et non de l'esprit ; mais les ignorants prennent tout à rebours. Aristote dit, qu'il n'y a rien dans l'entendement, qui n'ait passé par le sens[1] : mais les esprits bourus n'ont point d'autre entendement que leur fantaisie, ny d'autre jugement que celuy de leur caprice. Que les foux se forgent donc des chimeres en l'air, les Sages ont plus de solidité dans leurs pensées, que les foux n'ont d'apparence ; leur solidité est assurée, aussi bien que lumineuse.

Adam pecha par le déreglement de ses desirs ; et non par la grandeur de ses connoissances. Raisonnons de mesme du changement de Salomon, comme de la cheute d'Adam. Ce ne fut pas les sciences qui rendirent ce sage fou, et qui luy firent porter la marotte dans un âge avancé, ce ne fut que ses mauvaises inclinations. La prudence divine, et humaine luy faisoit assez entendre que les ouvrages des mains des hommes, ne pouvoient pas estre des Dieux, mais d'autre costé la concupiscence luy persuadoit qu'il ne devoit rien refuser aux sales objets de ses amours, et qu'il ne devoit point douter de la divinité de ses brutalitez qu'il adoroit[2]. Disons donc que l'extravagance des passions de ces hommes fut superieure à la regularité de leurs devoirs, et n'accusons pas leurs esprits, mais plustost leurs impietez, l'un les reprenoit interieurement, quand l'autre authorisoit leurs sacrileges.

[203]

Je sçay que Saint Augustin avoüe franchement qu'il estoit un ignorant, si lors qu'il n'avoit que la science du monde, qui le rendoit moins sensible aux tourments de Jesus-Christ, qu'aux peines de Didon, prenant plus de plaisir à lire l'Eneïde, que la Bible, mais enfin quand il commença d'estre parfaitement sçavant; je veux dire

---

[1] *De l'âme*, 432a ; *Métaphysique*, 981b 10-13.
[2] 1 Rs 11.

lors que les eaux de Baptesme le firent bon et vertueux Chrestien, il employa pour l'honneur de l'Eglise sa subtilité, qu'il avoit employée pour la déchirer[1] ; Et ce fut alors qu'il devint un grand Saint, et qu'il merita de porter le nom d'Aigle des Docteurs. Il est vray aussi, qu'à le bien prendre et à parler chrestiennement, la vray sapience, ou sagesse, consiste à sçavoir beaucoup, et à bien vivre, parce qu'un ignorant ne peut estre parfaitement homme de bien, ny un homme, pour docte qu'il soit, ne doit non plus estre estimé sage, si ses actions sont desreglées, et si sa vie ne respond à l'excellence de sa doctrine[2]. La premiere sagesse, dit tres-bien saint Gregoire de Nazianze, c'est la vie loüable, c'est l'ame pure envers Dieu. C'est par elle que les purs sont joints au pur, et les Saints sont associez au Saint. La metaphysique seule entre toutes les sciences est appellée sagesse, ou sapience, tant à cause de l'étenduë de son sujet qui comprend entierement tout ce qui est, que pour la certitude et l'universalité de ses principes[3]. A la sapience appartient la connoissance intellectuelle des choses eternelles, et à la science, la connois-

[204]
sance rationelle des choses temporelles, ou raisonnables, dautant que la raison est inseparable de l'entendement, dans lequel elles sont.

Platon dit qu'estre philosophe c'est estre amateur de sagesse, et que sçavoir philosopher ce n'est pas tant sçavoir beaucoup, que c'est se connoistre soy-mesme[4]. Seneque a confirmé la mesme chose en deux mots : La philosophie, dit-il, enseigne à faire et non à dire, et veut que chacun vive selon la loy qui luy est prescrite[5].

Apres avoir veu le déreglement des actions des hommes, qui ont voulu passer pour les plus grands genies du monde[6], ne

---

[1] *Confessions*, I, xiii, 20-22.
[2] Aristote, *Éthique à Eudème*, 1225b 11-15 ; *Éthique à Nicomaque*, 1146b 31.
[3] Allusion à Aristote, *Métaphysique*, 982a ; 997a ; 1003a.
[4] *Charmide*, 164d ; *Protagoras*, 343a-c.
[5] *De la vie heureuse*, 20.
[6] Cf. Part. II, ch. I, p. 181-196.

pouvons nous pas croire sans nous tromper qu'ils n'estoient pas Philosophes, puis que leurs actions dementoient leurs paroles? Mais que le titre de cette science appartient proprement aux Dames que je traite, puis qu'elles ont toûjours paru aussi sages qu'eloquentes, et aussi vertueuses que doctes.

CHAPITRE IV

Des Dames Chrestiennes renommées pour leur vertus, & pour leur Science

Mademoiselle de Scurman

[282]
Cette Damoiselle prit naissance au pays de Cologne, l'an 1621 et y est morte l'an 1660. Elle estoit sortie de parents nobles et puissants, qui l'éleverent à la vertu dés sa plus tendre jeunesse. Elle s'adonna avec ardeur aux Lettres humaines, puis elle embrassa la Philosophie, et mesme les mysteres de la Theologie, dans lesquels elle s'est acquise en mesme temps, le nom de tres-sçavante : de sorte que sa reputation venant à croistre avec son eminente doctrine et la fecondité de son esprit, elle passoit dans l'esprit des Sçavans pour un miracle de la Nature. Elle meritoit les mesmes loüanges pour la connoissance

[283]
qu'elle avoit de plusieurs Langues, et ce qui tient lieu de prodige, c'est qu'elle n'ignoroit ny celles de l'Orient, ny celles de l'Occident. Elle sçavoit tres-bien l'Hebreu, le Caldéen, le Syriaque, l'Arabe, le Turc, le Latin, le Grec, le François, l'Italien, l'Espagnol,

QVESTION
CELEBRE.

S'IL EST NECESSAIRE, OV NON,
que les Filles soient sçauantes.

Agitée de part & d'autre, par Mademoiselle
ANNE MARIE DE SCHVRMAN
Holandoise, & le Sr ANDRE' RIVET Poiteuin.

Le tout mis en François par le Sr COLLETET.

A PARIS,
Chez ROLET LE DVC, ruë S. Iacques
à la Iustice.

M. DC. XLVI.
AVEC PRIVILEGE DV ROY.

Anne Marie de Schurman, *Question celebre* ... (1646)
microfilm R. 24049 (page de titre)
Paris, Bibliothèque Nationale de France

Pl. 7

l'Anglois, l'Allemand, le Flamand, et l'Hollandois[1] : Mais ce qui est de plus merveilleux, c'est qu'elle estoit versée en toutes[2] sortes d'Arts et de Sciences ; ce qui donna une extreme passion aux plus illustres personnages de l'Europe, de contracter une étroite amitié avec elle : comme il paroist par les divers témoignages des plus excellents Autheurs d'aujourd'huy, entr'autres Messieurs Naudé et Martin Parisiens[3] ; Monsieur Colletet[4], le plus renommé de tous nos Poëtes, et Monsieur de Saumaise de Dijon, qui ne s'estant pas contenté de la loüer de bouche, a aussi employé sa plume pour publier ses loüanges, par tous les lieux où il ne se pouvoit faire entendre[5]. "Pourquoy, [dit-il], conservons nous le souvenir des Anciens, et pourquoy admirons nous ce qui a esté il y a long-temps?

---

[1] Sur Anne Marie de Schurman, voir Mirjam de Baar et al., Anna Maria van Schurman (1607-1678). Een uitzonderlijk geleerde vrouw, Utrecht, 1992 et, en particulier, les études de Mirjam de Baar et Brita Rang sur la Minerve hollandaise, p. 9-28 ; celle Brita Rang sur l'érudition exceptionnelle de A. M. de Schurman, p. 29 -47 ; et celle de Caroline van Eck sur ses écrits féministes, p. 49-60.

[2] Corr. de toute.

[3] Gabriel Naudé (1600-1653), érudit libertin, conservateur de la Bibliothèque du président de Mesmes, puis de celle de Mazarin. Il fréquentait les petites académies d'érudits et de curieux, comme celle des frères Dupuy dans l'hôtel du Président de Thou, rue des Poitevins.
M. Martin. S'agirait-il d'Étienne Martin de Pinchesne, le neveu de Voiture ? Il rassembla les œuvres de son oncle et les publia en 1650.

[4] Dès 1632, Anne Marie de Schurman a entretenu avec le pasteur André Rivet, professeur à l'Université de Leyde, une correspondance sur la question "S'il est bienséant aux femmes d'être des savantes?" Elle en a fait un traité qui fut publié une première fois en 1638 sous le titre Amica dissertia inter A. M. Schurmannian et A. Rivetum de capacitate ingenii mulieribus ad scientias, puis en 1646 dans ses Opuscula suivi de la correspondance avec A. Rivet, sous le titre Problema practica. Num fœminae christianae conveniat studium litterarum. Guillaume Colletet a traduit du latin la correspondance de 1632 sous le titre, Question célèbre. S'il est nécessaire, ou non, que les filles soient sçavantes ? (R. Le Duc, 1646).

[5] Antoine Baudeau de Somaize, auteur du Grand dictionnaire des Précieuses ou la Clef de la Langue des Ruelles (1660) et d'un second dictionnaire l'année suivante, a consacré une notice à Mlle de Schurman (Statira). D'autres encore ont fait son éloge, Jean de La Forge, Cotin, Sarasin, Ménage et Mlle de Gournay.

Nous avons à Utrecht ville distante seulement de 12 ou 15 lieuës d'icy, une noble fille, nommée Anne Marie de Scurman, qui est extraordinairement sçavante. On void en elle un si grand assemblage de vertus, qu'il ne luy en manque aucune. Elle seule sçait tout ce qu'on peut sçavoir de la main, et concevoir de l'esprit. Elle peint admirablement bien, elle entend la sculpture, et la graveure à merveille. Elle sçait parfaitement travailler au petit mestier, et jetter en cire. Pour

[284]

ce qui est des tapisseries et des autres ouvrages de filles, elle les y surmonte toutes, aussi luy ont elles donné volontairement le prix. Bref, elle sçait tant de belles choses, que personne ne sçauroit dire en quoy elle excelle le plus. Elle dispute des sciences les plus épineuses, comme de la Philosophie mystique ; de sorte que les plus sçavans demeurent tout étonnez, parce que cela approche du prodige. Elle n'a point d'emulateurs, d'autant que personne ne la peut imiter, et elle n'est enviée d'aucuns, parce qu'elle est au dessus de l'envie. Sa modestie qui m'est tres-bien connuë, ne me permet pas d'en dire davantage ; aussi n'est-il pas necessaire, puis que ses belles qualitez sont connuës de tous les beaux Esprits". Ce sont les paroles de Monsieur de Saumaise, qu'il a écrites il y a environ cinq ans[1].

Monsieur Crucius, Hollandois[2], luy écrivant dit, que Platon a tres-bien rencontré, lorsqu'il dit que la vertu donne de l'ornement à l'homme, mais s'il vous avoit veuë, il auroit encore mieux rencontré de dire, que vous embellissez la vertu.

Le principal et ordinaire admirateur des vertus de cette excellente fille, c'est Monsieur Martin, qui en sa faveur a fait un Eloge racourcy de ses merites, et l'Epigramme qui suit.

---

[1] Cf. *Dictionnaire des Précieuses*, I, p. 368.
[2] J. Crucius (1598-1666), homme de lettres hollandais, qui entretint une relation épistolaire avec Anne Marie de Schurman.

[285]

EPIGRAMME

Pour Mademoiselle de Scurman

Que vainement Rome publie
Les miracles de Cornelie,
Qui de son sexe fut la fleur :
Et qu'à tort la Grece se vante
De Sapho la belle sçavante
Qui dans l'art d'Apollon, s'est acquis tant
d'honneur.

Illustres filles de Parnasse,
Il faut que vous cediez la place
À ce nouvel Astre d'Utrec :
Vous n'avez parlé qu'un langage,
Mais Anne tres-docte et tres sage
Parle Hebreu, et Latin, et Grec.

Monsieur Jacob au Parlement, dit qu'on ne parle plus des miracles de la terre, puis que le Ciel en a produit un nouveau en la personne de Mademoiselle de Scurman[1]. Le temps a a triomphé des ouvrages de la Nature, et la renommée de celuy-cy ne sera jamais éteinte. Ceux-là n'ont contenté que la veuë de quelques-uns, au lieu que celuy-cy remplit l'ame et contente en mesme temps tout le monde. Les sept merveilles n'ont jamais pû produire ce grand chef-d'œuvre, mais celuy-cy en produit une infinité d'autres qui se multiplient tous les jours.

Monsieur Colletet a voulu gratifier la France,

---

[3] Le P. Louis Jacob de Saint-Charles, connu pour ses travaux de bibliographie. Sa *Bibliographie des femmes illustres par leurs écrits*, vraisemblablement inspirée du très fameux *Theatro delle donne letterate* de Francesco Agustino della Chiesa, parut en 1646 (BNF, ms fr. 22865).

[286]

en publiant le sçavoir de cette aymable Damoiselle, qui est née, dit-il, pour la gloire de son Sexe, et pour la confusion des hommes ; en effet tant de vertus qui luy sont comme naturelles ne leur sont qu'étrangeres. C'est un esprit qui prend toutes sortes de formes, les graces de la France, de l'Italie, et de l'Espagne, la suivent par tout : la connoissance qu'elle a des plus belles choses s'estend si loin, que je ne pense pas qu'elle ignore rien. Tous les éloges que l'Antiquité a donné à ses Sçavantes, ne font que la moindre partie de ceux qui luy sont deûs, elle a ajoûté tant de qualitez acquises aux dons de la nature, qu'elle n'a besoin que de soy mesme pour se faire admirer de toute la terre. Les arts et les sciences n'ont rien de si caché qu'elle ne découvre ; le Ciel luy a fait part des plus vives lumieres qui en descendent. On peut mesme avec raison l'appeller divine, ayant preferé la sainte Escriture aux sciences prophanes. Elle a des qualitez qui donnent de la passion à la vertu mesme, et qui peuvent forcer les plus beaux esprits à passer les mers et les monts pour la voir et pour l'ouyr. Il conclud disant, qu'il ne sera jamais satisfait qu'il n'ait veu la ville qu'Anne n'a pas seulement renduë le Temple de l'honneur, mais encore celuy de la vertu. Il a fait l'Epigramme suivant à sa loüange.

[287]

EPIGRAMME

Pour Mademoiselle de Scurman

Cette fille illustre, et sçavante,
Avec tant de graces nous vante
Son sexe merveilleux, qu'elle nous charme tous ;
Je dis pour la loüer, qu'elle a parmy les Dames
Mesme rang qu'Apollon s'est donné parmy nous :
Ne prenant des clartez que des divines flammes.

SONNET

À la mesme

Royne des beaux Esprits, que tout le monde admire,
Que je suis amoureux de tes rares écrits !
Plus je les considere, et plus j'en suis épris,
Et plus je les ay leu, plus je les veux relire.

Si Rome des sçavants le sejour et l'Empire
Vit couronner le front de ce Roy des Esprits,
De ce grand Orateur, qui emporta le prix,
Sur ceux qui triomphoient dans l'art de bien écrire.

De quel honneur faut-il te combler aujourd'huy,
Scurman, puis que tu vaux cent hommes comme luy,

[288]

Et que sur ses écrits, les tiens ont la Victoire ?
O Rome ! cesse donc de l'exalter encor,
Ou confesse qu'Utrec emporte la Victoire,
Puis qu'il porte en son sein un plus riche thresor.

EPIGRAMME

Pour la mesme

Quand je vois le Latin de cette Anne Heroïque,
Et l'air de son François, dont la force l'explique,
Je suis de tous les deux également épris :
Car si dans son discours je trouve des merveilles
Capables de charmer les plus doctes Esprits,
Dans ses lettres je voy des graces nompareilles.

SONNET

Pour la mesme

Prodige de sagesse, ainsi que de science,
Desir du siecle antique, ornement du nouveau,
Qui connois la nature, et ce qu'elle a de beau,
Et qui des plus beaux arts, as tant d'experience.

[289]
Que ne puis-je aujourd'huy dans mon impatience
Franchir des monts affreux, et des abysmes d'eau !
J'irois baiser tes pas, honorer ton berceau,
Et recevoir de toy les loix de l'eloquence.

Quoy que pour celebrer nos illustres Autheurs,
J'aye et des sentiments et des mots enchanteurs,
Et qu'en loüant ainsi, je me rende loüable.

Je confesse en lisant tes écrits immortels,
Que comme ton esprit n'eust jamais de semblable
Je n'eus jamais d'encens digne de tes Autels.

    Monsieur Naudé parlant de Mademoiselle de Scurman dit: "Cette Minerve Holandoise a une intelligence si parfaite de diverses Langues, qu'à peine croiroit-on qu'elle en pusse parler de deux, dans le haut degré de perfection. De plus, elle possede si parfaitement chaque idiome, et le parle de sorte, qu'il semble qu'elle ait consommé tout son loisir à les apprendre separement".
    Tous les peuples ont pû hardiment faire son Panegyrique en leurs Langues, sans apprehender de n'estre pas entendus, puis qu'elle les sçait toutes. Elle s'est acquise par son esprit, et par sa doctrine, une reputation si grande, qu'elle entend presque retentir ses loüanges parmy les nations de la ter-

[290]

re. O clair flambeau de l'Europe ! et l'ornement immortel des
Lettres, souffrez, je vous supplie, ce trait de loüange de vos vertus,
et permettez que je mesle ce petit brin de lierre à vos nobles et
fameux lauriers.

Cette merveilleuse fille s'estoit renduë par ses merites tres-
recommandable auprés de nostre grande Reyne Anne d'Autriche[1], et
de Louise Marie de Gonsague, femme d'Vladislaus Roy de Pologne[2].
Cette grande Princesse la voulut honorer de ses visites à Utrec le 26
jour de Decembre 1645 allant en Pologne, pour l'accomplissement
de son heureux mariage.

Une Religieuse Jacobine d'Avignon, sçait parler de 14
Langues, et a soutenu des Theses de Philosophie à Lyon, dés l'âge
de treize ans[3].

Sœur Rosvite Religieuse en Allemagne, a écrit en vers
Heroïques le Martyre de saint Pelage, qui luy ont acquis le nom de
tres-sçavante[4].

---

[1] Anne d'Autriche, infante d'Espagne, fille du roi Philippe III d'Espagne et de
Marguerite d'Autriche (1601-1666), reine de France par son mariage avec Louis
XIII (1615), régente pendant la minorité de Louis XIV, son fils (1643-1661).
Marie de Gournay lui a dédié l'*Égalité des hommes et des femmes* (1622).

[2] Marie de Gonzague, duchesse de Nevers (c. 1612- Varsovie 10 mai 1667),
mariée en 1645 à Ladislas IV, devenu roi de Pologne en 1632, puis, en 1649, à
son frère et successeur, Jean II Casimir. Elle eut une fille et un fils qui moururent
en bas âge. Saint-Amant aurait fait de mauvais vers sur sa grossesse. En Pologne,
elle fut appelée Louise-Marie car on jugeait que la seule reine pouvant porter le
nom de Marie était la Vierge Marie. Tallemant des Réaux lui a consacré une
historiette. Voir *Historiettes*, éd. A. Adam, Paris, 1960, p. 584-590.

Marie de Gonzague s'intéressait à l'astrologie et à l'astronomie. Voir
K. Targosz, *La cour savante de Louise Marie de Gonzague et les liens
scientifiques avec la France (1646-1667)*, trad. du polonais par V. Dimov,
Wrocaw, 1982, p. 30-33 ; 184-185. Sur ses rapports avec Port-Royal, voir C.
Gazier, *Les belles amies de Port-Royal*, Paris, 1950.

[3] Nous n'avons pu identifier ce personnage.

[4] Hrotsvitha (c. 932 - ?), moniale du couvent de Gandersheim en Saxe, auteur
de drames sacrés (*Liber dramaticus*), d'une chronique en vers (*Panégyrique des
Othons*) et de poèmes divers (*La Nativité de l'Immaculée Vierge Marie,
L'ascension de Notre-Seigneur, Le martyre de saint Pélage, La chute et la
conversion de Théophile*, etc.). Voir R. Gout, *Le miroir des dames chrétiennes*.

SECTION

Des Dames Françoises recommandables pour leur eminent sçavoir

Les Dames qui se preparent pour paroître à la fin de ce chapitre ne veulent pas dementir ma proposition, non plus que les premieres : au contraire elles sont dans la resolution de la bien confirmer. Ce sont nos Dames

[291]

Françoises, qui viennent faire voir que la France n'a pas esté, et n'est pas moins seconde à produire d'habiles femmes, que l'Italie et la Grece. Notre climat est trop doux, pour estre injurieux à la perfection des Graces : neantmoins je n'en rapporteray pas beaucoup d'exemples, tant parce que la multitude a empesché nos Historiens de nous les particularizer, qu'à cause que les modernes qui sont plus excellentes que les anciennes, nous doivent estre aussi plus recommandables.

Je commenceray par une lettre, qu'un des plus grands hommes de ce temps a écrite à une Damoiselle de France, qui par la grandeur de son esprit, a relevé hautement celle de sa Noblesse. Cette Lettre est une réponse qui luy est si glorieuse, que je croirois luy faire une injustice, si je ne luy donnois place icy[1].

Pages féminines du Moyen Âge, Paris, 1935, p. 52 sq.

[4] Allusion à une lettre de Juste Lipse en réponse à Marie de Gournay qui lui avait adressé un échantillon du *Promenoir*. Voir *Justi Lipsii Epistolarum centuria secunda*, 1590, lettre LX, trad. fr. par Rostain de Lyon, in É. Dezon-Jones, *Fragments d'un discours féminin*, Paris, 1988, "Correspondance de Marie de Gournay", p. 186 n. 2 : "Quelle qualification dois-je vous donner, Mademoiselle, lorsque vous m'écrivez de la sorte ? J'ai peine à en croire ce que je lis de votre main. Se peut-il que tant de pénétration et un si solide jugement, pour ne rien dire de tant d'esprit et de savoir, se montrent dans un sexe si différent du nôtre et se rencontrent dans le siècle où nous vivons ? Vous m'avez causé, Mademoiselle, une surprise mêlée d'embarras, et je ne puis vous dire si je me suis senti plus disposé à féliciter mon siècle ou à plaindre le sexe auquel j'appartiens. Prétendez-vous monter à notre niveau ou nous laisser au-dessous du vôtre ? Soit, aspirez à

Aussi-tost que j'eus leu vostre Lettre, je doutay de vostre sexe. Quoy, Mademoiselle, estes-vous fille, estant mere d'une si belle production ? vous semblez détruire vostre condition en la relevant, et n'estre plus fille, estant plus qu'égale aux hommes. Pour moy je vous avouë qu'avec mon approbation, je vous donne toutes mes admirations. Peu de sujets sont capables de me jetter dans l'extase, mais je confesse que vostre esprit me ravit. Ne me priez point de rien corriger, où tout est divin. S'il y a quelque chose à reprendre dans vos écrits, c'est la priere que vous me faites de leur faire une censure, qui ne peut estre qu'injuste, puis qu'il n'y a rien qui ne soit merveilleux. Je verrois volontiers la suite de tant de beaux Arguments, qui ne

[292]
peut estre que tres-agreable. Je croy que vous ne blamerez pas mon zele, si vous considerez la curiosité loüable que j'ay de sçavoir ce qu'une Vierge doit enfanter, par un prodige nouveau. Enfin, je vous diray, Mademoiselle, quoy que je n'aye jamais eu l'honneur de vous voir, que je ne laisse pas pour cela d'avoir beaucoup d'affection pour vous, et tout autant qu'on en peut avoir pour une personne d'un merite si rare que le vostre. Si vous la jugez digne de reconnoissance, je ne vous demande pour toute grace, que la continuation de vostre souvenir, qui me peut rendre immortel dans la memoire des hommes.

---

nous effacer, vous aurez pour vous Dieu et les hommes, à commencer par moi, qui vous aime sans vous connaître, qui vous admire quoique je prodigue peu mon admiration''. Plus tard, Juste Lipse regretta de lui avoir prodigé ses louanges si profusément. Voir G. Abel, ''Juste Lipse et Marie de Gournay'', *Bibliothèque d'Humanisme et Renaissance*, 35, 1973, p. 128-129.

Mademoiselle des Roches[1] et la Vicomtesse d'Auchy[2], se sont acquises le renom de tres-sçavantes, dans les Arts et dans les Sciences.

Juste Lipse, Censeur exacte des Esprits, dit, que pour se frayer le chemin à une gloire immortelle, il a fait l'eloge de Mademoiselle Marie de Gournet[3]. Il nous confirme ce que tant

---

[1] Catherine Fradonnet (1542 -1587), originaire de Poitiers où elle passa sa vie entière en compagnie de sa mère, Madeleine Neveu (c. 1530 -1587). Elle ne voulut jamais entendre parler de mariage, elle se consacra tout entière aux choses de l'esprit et à sa carrière littéraire. À partir de 1570 elle présida avec sa mère un salon littéraire qui connut une heure de gloire lors des Grands Jours de 1579. Elle semble avoir été connue à l'époque pour ses écrits sur l'éducation féminine, plusieurs épîtres à sa mère, un poème intitulé *Agnodice* et deux dialogues, *Dialogue de Placide et Severe, Dialogue d'Iris et Pasithée*. Ses œuvres furent publiées avec celles de sa mère entre 1578 et 1583. Sur le salon littéraire des Dames des Roches, voir G. Diller, *Étude sur la vie littéraire à Poitiers dans la deuxième moitié du XVI* siècle, Genève, 1936.

[2] Charlotte des Ursins, fille de Gilles Jouvenel des Ursins, seigneur d'Armentières, et de Charlotte d'Arces (c. 1570-3 janvier 1646), épouse d'Eustache de Constant, vicomte d'Auchy ou plutôt d'Oulchy, d'après le nom de sa terre, Oulchy-le-Château, entre Soissons et Château-Thierry. Elle créa une des premières "académies femelles" (c. 1605) à l'imitation de l'Académie française. Malherbe avec qui elle avait eu une intrigue amoureuse (la vicomtesse d'Auchy est la fameuse "Caliste" à qui Malherbe a adressé maintes poésies et lettres) figure parmi les beaux esprits qui fréquentaient ce cercle. Après 1628 la vicomtesse continue de recevoir les disciples de Malherbe et généralement ceux qui représentent les nouvelles tendances littéraires. Elle publia sous son nom les *Homélies sur saint Paul*, un ouvrage qu'elle avait commandé à un théologien de profession. À revendiquer ainsi la gloire littéraire, elle y gagna le renom de "pédante". Tallemant des Réaux lui a consacré une historiette (*Historiettes*, p. 132-137). Voir aussi Timmermans, p. 71-77 et 79-84.

[3] Juste Lipse (1547-1606), humaniste flamand, professeur à Iéna, Leyde et Louvain, auteur d'ouvrages d'érudition en langue latine, traducteur de Tacite. C'est par une lettre de Juste Lipse (mai 1593) que Marie de Gournay apprit le décès de Montaigne. À partir de cette date elle entretint une correspondance suivie avec l'humaniste jusqu'à sa mort en 1606.
À l'époque, le nom de Marie le Jars de Gournay (1565-1645) était sans doute associé à celui de Montaigne (son édition des *Essais* l'occupa toute sa vie). Mais on connaissait aussi ses traités sur l'éducation (*Égalité des hommes et des femmes ; Grief des Dames*) et ses écrits autobiographiques (*Copie de la Vie de la Demoiselle de Gournay, Peincture de mœurs ; Apologie pour celle qui escrit*) qui

d'autres nous assurent, qu'elle estoit en si grande reputation d'esprit, d'eloquence, et de doctrine, qu'elle pouvoit fermer la bouche aux plus sçavans hommes de ce siecle. Ne peut-on pas pareillement mettre au rang des miracles du monde, les graces signalées que Madame la Duchesse d'Anguien[1] a receu du Ciel et de la Nature, tant au corps qu'en l'esprit ? Et Madame la Marquise de Lenoncour[2] n'a-t-elle pas un raisonnement si fort et si merveilleux, qu'il surprend ceux qui ont l'honneur de converser avec elle ?

[293]
Pour Madame la Marquise d'Haraucour[3], son air modeste, sa beauté, sa taille ravissante, et son esprit qui est sans doute de ceux qui plaisent, qui charment, et qui sçavent adroitement enchanter les cœurs les plus insensibles, mais specialement son eloquence qui ravit tous ceux qui ont le bonheur de l'entendre, et qui estant jointe à tant

---

parurent dans *L'Ombre de la Demoiselle de Gournay* (1626), puis sous leur forme ultime dans le dernier recueil publié du vivant de l'auteur, *Les Advis, ou les Présents de la Demoiselle de Gournay* (1641). Marie de Gournay a écrit, outre un roman (*Le Proumenoir de Monsieur de Montaigne* [1594]), des réflexions sur des questions de morale, de philosophie, de linguistique et de poétique. Dans son *Traité sur la Poésie*, elle fait l'apologie de Ronsard et des poètes que Malherbe avait critiqués. Sa hardiesse lui valut de nombreuses critiques. M. de Gournay a donné aussi des traductions de Tacite, Salluste, Ovide, Cicéron. Elle est une des premières femmes de lettres à vivre de sa plume. Voir M. Isley, *A Daughter of the Renaissance. Marie le Jars de Gournay*, The Hague, 1963.

[1] Marie de Bourbon, comtesse de Saint-Pol (La Fère 1539- Pontoise 1601), successivement épouse de Jean de Bourbon, comte d'Enghien, son cousin germain (1557), de François II de Clèves, duc de Nevers et de Léonor d'Orléans, duc de Longueville (1563).

[2] Françoise de Laval, morte le 16 décembre 1615, fille de René de Boisdauphin et de Catherine de Baïi. Mariée sucessivement avant le 25 mai 1558 à Henri de Lenoncourt, sieur de Coupvrai (1537-1584), Louis de Rohan, prince de Guéméné, comte de Montbazon.

[3] Ce nom n'apparaît nulle part. Il existait une marquise d'Havaugour, une certaine Françoise de Balzac-Clermont d'Entragues, mariée à Louis de Bretagne. On rencontre aussi une certaine damoiselle de Haucourt, fille de Daniel d'Aumale, seigneur de Haucourt (morte sans alliance en 1694) qu'on associait à l'époque au mouvement précieux. Elle était surnommée Doranide ; voir *Dictionnaire des précieuses*, t. II, p. 252 ; Timmermans, p. 106-107.

d'autres merites, fait dire que tant de merveilles ensemble luy peuvent acquerir le titre d'incomparable.

Je ne puis avec verité dire de la Marquise de Rosay[1], qu'il n'y a rien à rejetter de tout ce qu'elle avance ; ce qu'on appelle ailleurs superflu, est chez elle bien-seant et necessaire. Il n'y a pas un mot qui n'ait son prix et son energie particuliere : les Sçavans qui ont l'honneur de son entretien, ne pourroient pas perdre une syllabe de son discours, sans s'estimer en quelque façon malheureux.

SECTION

Mademoiselle de Scudery

Ne voyons nous pas que les Livres de Mademoiselle de Scudery sont de plus grande estime, et se debitent à plus grand prix, que ceux des plus renommez Historiens ? Son Libraire a taxé une demie pistole, pour lire seulement une Histoire de cette illustre Sçavante[2].

Ne fait-on pas une estime tres-particuliere des lettres de Madame la Baronne de Changy[3],

---

[1] Nous ne savons qui est ce personnage.

[2] Madeleine de Scudéry (1607-1701), connue par ses contemporains sous le nom de Sapho (voir *Dictionnaire des Précieuses*, II, p. 371-374). Elle présida un salon que fréquentèrent Conrart, Pellisson, Ménage, Godeau et Chapelain. Elle a publié, outre plusieurs romans-fleuves (*Artamène ou le grand Cyrus* [1649-1653], *Clélie* [1654-1661] où se trouve la Carte de Tendre), des nouvelles, des *Conversations* et les *Harangues héroïques de femmes* (1642). La critique est partagée sur l'attribution de cet ouvrage à Georges ou à Madeleine de Scudéry. On attribue en général à Madeleine la *Harangue de Sapho à Erinne* dont il est question ici.

[3] Mlle de Changy, 2ᵉ moitié du XVIᵉ siècle, dame d'honneur de Louise de Lorraine. "Une tres-belle et fort honneste Damoyselle, et qui ne valloit pas d'estre bannye de la compaignie de sa maistresse ny de la court ", dit Brantôme (*Recueil des Dames*, t. II, iv, p. 527). Dix jours après son mariage à Louise de Lorraine (1575), le roi Henri III chassa toutes les filles et demoiselles de sa cour.

[294]

Madame de saint Balmont[1], et de celles de Mesdemoiselles d'Orsagues et d'Armoises[2].

Les Historiens parlant d'Athenes disent, que la terre de ce pays est si sterile, qu'elle ne produit presque pas le necessaire pour la vie de l'homme : mais qu'elle est bien recompensée par la multitude des beaux Esprits, qui y ont paru dans tous les siecles, estant comme un prodige d'y voir naistre un ignorant. Et qu'au contraire, nous avons pour nos voisins, un pays si gras et si fecond, que toute sorte de biens s'y rencontrent en abondance, à la reserve toutefois de celuy, que l'on peut nommer grand par excellence, je

[1] Alberte-Barbe d'Ernecourt de Saint Balesmont (1607-1660), originaire de Lorraine. Ce fut l'héroïne la plus admirée du dix-septième siècle. Ses contemporains l'appelaient l'"Amazone chrestienne" pour sa très grande dévotion à la Sainte Vierge, sa dextérité à l'art de la guerre et sa vaillance remarquable. Pendant la guerre de Trente ans, elle affronta les troupes du duc de Lorraine pour mettre en sûreté la statue de Notre-Dame de Benoitevaux dans la chapelle de son château. Sa loyauté envers son Roi est légendaire. C'est un moment important dans l'évolution du mythe de l'Amazone. Avec Madame de Saint Balesmont la figure antique de l'Amazone (symbole de la force, de la vaillance féminine et de la virginité) recouvre sa signification première, elle prend aussi une dimension chrétienne (l'Amazone incarne alors les vertus chrétiennes de piété, générosité et charité). Les exploits guerriers de Madame de Saint Baslemont ont été relatés par son biographe, le Révérend père Jean-Marie de Vernon. Voir *L'amazone chrétienne, ou les aventures de Madame de Saint-Balmont*, Paris, 1678. Voir aussi M. Cuénin, *La dernière des Amazones. Madame de Saint Baslemont*, Nancy, 1992. Sur la popularité du mythe de l'Amazone à l'aube des temps modernes et la dimension politique qu'il prend alors, voir S. Steinberg, "Le mythe des Amazones et son utilisation politique de la Renaissance à la Fronde", in *Royaume de féminye. Pouvoirs, contraintes, espaces de liberté des femmes, de la Renaissance à la Fronde*, sous la dir. de K. Wilson-Chevalier et É. Viennot, Paris, 1999, p. 261-273. Sur ce mythe et le topos du monde à l'envers, voir J. Carlier-Détienne, "Les Amazones font la guerre et l'amour", *L'Ethnographie*, 76, n° 1-2, p. 11-33. Madame de Saint Balesmont a écrit plusieurs pièces de théâtre. Il nous reste d'elle *Les jumeaux martyrs* publiés en 1650 (une édition critique est parue chez Droz en 1995) et quelques lettres (voir sa biographie).

[2] De toute évidence des mondaines du temps.

veux dire, d'un bel esprit, qui a toûjours esté si rare en ce pays, que quand il y en paroist un, on croit y voir un Phenix.

Mais quoy que les mesmes Historiens nous assurent qu'il n'y ait jamais qu'un seul Phenix au monde ; je peus neantmoins assurer que ce pays seul en possede maintenant deux, en possedant, comme il fait, deux sœurs, qui sont ornées d'esprit si prodigieux, et de voix si miraculeuse, qu'elles doivent non seulement passer pour des Phœnix, mais pour des Anges. Je me fais violence de priver mon Livre de l'ornement de leurs noms, mais la deffence qui m'est faite de les nommer, jointe à l'obeïssance que je leur dois, me prive de la joye que j'aurois de satisfaire à un million de personnes considerables qui souhaitent l'honneur de les connoistre au prix de ce qu'elles ont de plus cher.

Les Sciences qui semblent avoir tant d'épi-

[295]

nes pour les hommes les plus subtils, n'ont pour elles que des roses. L'excellence de leur esprit a trouvé de l'ouverture et du jour dans leur profondeur, où les hommes ne peuvent penetrer qu'apres de longues études.

La Physique, où l'on ne peut jamais assez étudier, leur est si familiere et si parfaitement connuë, qu'il semble qu'elles n'y ont plus rien à rechercher. On prendroit leurs esprits pour les Secretaires de la Nature, tant elles ont de facilité à déveloper les dépendances des causes et des effects, de la matiere et de la forme, de la substance et des accidens, du Ciel et de la terre, des sujets simples et des composez, du corps et de l'ame. Mais lors qu'elles parlent des Anges, traitans de la Metaphysique, vous diriez qu'elles parlent de leurs compagnons, tant les pensées qu'elles ont pour ces Intelligences relevées, les élevent au dessus d'elles-mesmes. C'est ce qui ravit les Sçavans qui ont la satisfaction de les en ouyr raisonner, comme vous le pourrez voir au discours qui suit[1].

---

[1] "De la science des Anges".

GABRIELLE SUCHON

(1631-1703)

Gabrielle Suchon est née en 1631 à Semur, capitale d'Auxois, d'une bonne et ancienne famille de cette ville. Elle fut pendant quelques années religieuse jacobine, puis réclama contre ses vœux. Sans le dire à personne, elle alla à Rome afin d'obtenir du Pape un "rescrit" contre ses vœux. Condamnée par un arrêt du Parlement de Dijon à rentrer dans son monastère, elle éluda cet arrêt et demeura le restant de sa vie auprès de sa mère. Elle est décédée le 5 mars 1703 à l'âge de 72 ans.

Selon l'abbé Papillon, elle portait toujours sur la tête un espèce de voile en souvenir de son premier état et passait son temps à lire, à écrire, et à donner des leçons aux enfants. Son entretien était fort agréable : "Je me souviens d'une conversation que j'eus avec elle, où elle etala les avantages de son sexe, qu'elle deffendoit avec beaucoup de fermeté"[1].

On lui attribue deux ouvrages. Le premier, intitulé *Traité de la morale et de la politique, divisé en trois parties, sçavoir la liberté, la science, et l'autorité où l'on voit que les personnes du Sexe pour en être privées, ne laissent pas d'avoir une capacité naturelle, qui les en peut rendre participantes* (À Lyon, chez B. Vignieu, à compte d'auteur, 1693), concerne les injustices faites aux femmes et les droits qui leur ont été spoliés ; le second, *Du celibat volontaire, ou la vie sans engagement* (À Paris, chez Jean et Michel Guignard, 1700), célèbre le célibat comme un état favorable à l'épanouissement et au bonheur de la femme[2] :

> Toutes les personnes qui n'ont pas de penchant pour le couvent et pour le mariage, peuvent embrasser le Célibat, où elles possèderont des avantages qu'elles n'ont pu trouver dans les autres vocations : Sa fin particulière n'est autre que le repos de la conscience et la vie tranquille [...] c'est ce

---

[1] Cf. *Bibliothèque des auteurs de Bourgogne*, 2 t., Dijon, 1842, t. I, p. 765.

[2] Sur cet ouvrage voir J. Geffriaud Rosso, "Gabrielle Suchon : une troisième voie pour la femme", in *Ouverture et dialogue. Mélanges offerts à Wolfgang Leiner*, Tübingen, 1988, p. 669-678 ; P. Hoffmann, "Le féminisme spirituel de Gabrielle de Suchon".

bien-vivre qui nous est enseigné par la raison, dont la loi nous conduit toujours à la modération de nos passions. (p. 29-30)

Le *Traité de la morale et de la politique* veut montrer que les femmes ont "une puissance et capacité naturelle pour être libres, sçavantes, conductrices et dominantes" (Préface générale, f. E iiij). Cependant celles-ci sont privées de trois grands biens qui font l'objet d'une scrupuleuse examination dans les trois parties qui composent l'ouvrage : 1. la liberté ; 2. la science et 3. l'autorité. La première partie s'ouvre sur une définition de la liberté (ch. 1-2) et traite des différentes sortes de liberté (ch. 3), de la liberté de condition (ch. 4), de la liberté d'état et de profession (ch. 5-6), de la liberté de lieu et de l'utilité des voyages (ch. 7-8), de la liberté d'esprit (ch. 9-11), de cœur (ch. 12-14) et de conscience (ch. 15-17), des effets bénéfiques de la liberté (ch. 19-22) qui sont ensuite contrastés avec les effets néfastes de la contrainte (ch. 23-38)[1], et de la différence entre liberté et libertinage (ch. 33).

La deuxième partie commence par une définition de la science et de ses espèces (ch. 1-4). Après avoir montré la nécessité de la connaissance des choses divines (ch. 5) et l'utilité des sciences humaines (ch. 6-7), l'auteur expose les nombreux bienfaits de la science : la science éclaire l'entendement (ch. 8) ; elle fortifie et perfectionne la mémoire (ch. 9) ; elle règle la volonté (ch. 10) ; elle conduit et dirige le cœur (ch. 11-12). Suivent plusieurs éloges de la science : la science est le plus grand don de Dieu, après la Grâce divine (ch. 13) ; elle est le plus grand ornement de l'esprit humain (ch. 14) ; elle a toujours été recherchée par les sages (ch. 15) ; elle a toujours été estimée par les grands du monde (ch. 16). G. Suchon conclut que les talents naturels et les biens de la fortune doivent être

---

[1] Les arguments développés dans les chapitres 24-26 ("De quelle maniere la contrainte se peut trouver dans le cloître"), 27-28 ("Contrainte de l'état seculier"), 34-35 ("Réponse à une premiere objection que le mariage étant établi de Dieu ; et les ordres de Religieux approuvez de l'Eglise qui est conduite par le Saint Esprit, l'on ne sçauroit encourir aucun danger dans le choix qu'on peut en faire") et 36-38 ("Réponse à une seconde objection que la clôture est necessaire aux Filles, pour la conservation de la chasteté") seront repris dans *Du célibat volontaire, ou la vie sans engagement*.

employés à l'acquisition des sciences (ch. 17). Deux chapitres sont ensuite consacrés à la science expérimentale (ch. 18-19). Le chapitre 20 reproduit ici soutient que les personnes du Sexe sont capables de science. Le chapitre suivant prétend célébrer celles qui ont réussi dans les sciences mais aucun nom n'est mentionné. L'auteur se penche ensuite sur l'ignorance. Après en avoir fait une brève description (ch. 22), elle passe en revue les diverses sortes d'ignorance (ch. 23), puis en expose les effets : l'ignorance cause les ténèbres et l'obscurité de l'entendement (ch. 24) ; elle affaiblit la mémoire (ch. 25) ; elle produit le désordre et le dérèglement de la volonté (ch. 26) ; elle cause l'endurcissement du cœur (ch. 27-28). Vient ensuite une satire mordante de l'ignorance qui rappelle en plusieurs points le discours de Marie Le Gendre : l'ignorance est une punition de Dieu et la cause des plus grands maux qui se commettent dans le monde (ch. 29) ; elle est la cause de tous les désordres où tombent les personnes du beau Sexe, de la médisance (ch. 30) ; de la vanité et du luxe (ch. 31-32) ; de l'amour profane (ch. 33-34) ; de l'avarice (ch. 35). En guise de conclusion, l'auteur se propose de répondre aux objections suivantes : 1. la curiosité peut être préjudiciable (ch. 36-37) ; 2. la trop grande application à l'étude sert souvent d'obstacle à la vraie dévotion (ch. 38) ; 3. l'étude est très pénible et les personnes du Sexe n'ont pas les moyens de s'y adonner.

La troisième partie comprend plusieurs chapitres sur le gouvernement (ch. 1-4) et les lois (ch. 5-9). Les chapitres 10 à 12 veulent montrer que les femmes ne manquent pas de bonne qualité pour avoir part dans le gouvernement, que ce n'est donc point par insuffisance qu'elles sont privées d'autorité, mais seulement par les lois et par les coutumes introduites à leur désavantage. Plusieurs types de dépendance sont ensuite examinés : la dépendance dans les choses spirituelles (ch. 13-14) ; la dépendance politique (ch. 15) ; la dépendance domestique (ch. 16). Les chapitres 17-20 prennent le contrepied et viennent clore l'argument : de la transgression des lois (ch. 17-18) ; de l'aversion des supérieurs (ch. 19) ; murmure entre les égaux (ch. 20). Suivent les réponses de l'auteur à trois objections : 1. le gouvernement est une charge de conscience (ch. 21) ; 2. la conduite des autres est pénible et importune à ceux qui commandent;

3. il faut avoir de si grandes qualités pour pouvoir commander que très peu les possèdent toutes.

Le *Traité de la morale et de la politique* comprend aussi un *Traité qui fait voir que c'est mal à propos que l'on attribuë aux personnes du Sexe trois dangereuses qualitez ; qui sont la Foiblesse, la Legereté, & l'Inconstance* et des pièces de circonstance (une élégie et un éloge).

Le Président Cousin porte un jugement avantageux de cet ouvrage. Son compte rendu est paru un an après sa publication dans le *Journal des Sçavans* : "cet ouvrage, composé en moins d'un an, sans aucun conseil, ni secours étranger, n'est pas une des moindres preuves de ce que la personne qui nous le donne, soutient à l'avantage de son sexe".

On reproduit ici, outre le chapitre 20 sur les capacités intellectuelles des femmes (Part. II), la *Preface generale* dans laquelle Gabrielle Suchon s'explique sur la composition de l'ouvrage, sur ses sources (la Bible d'abord, ensuite les Pères de l'Église, puis les auteurs anciens, enfin les auteurs modernes dont les vues s'accordent avec les siennes) et l'usage qu'elle en fait, sur ses choix en matière de langue et de style. On peut voir l'attitude équivoque de Gabrielle Suchon : elle ne cesse de se justifier sur ses choix comme pour se faire pardonner ("les fautes en seront plus excusables"), elle veut plaire, c'est évident, pourtant elle se réclame le droit à l'indépendance vis-à-vis des pratiques littéraires (langagières surtout) chères à ses contemporains; elle revendique la filiation avec les grands auteurs de l'Antiquité, en même temps elle insiste sur l'originalité de son œuvre. La préface se présente comme un guide de lecture, mais c'est aussi la défense d'une œuvre jugée "vulnérable" car "c'est le travail d'une Fille [...] qui deffend toutes celles de son sexe". L'intérêt principal de ce texte réside dans "le regard replié au dedans", dans la réflexion critique d'un auteur qui se penche sur son œuvre et sur l'écriture en général et ne craint pas d'exprimer son opinion sur des points spécifiques de controverse comme la théorie de l'imitation, la doctrine de l'innutrition, l'usage des citations, la question du style, du langage, etc. En ce sens, Gabrielle Suchon s'inscrit dans la lignée d'une Marie de Gournay, d'une Marguerite Buffet (*Nouvelles observations sur la langue française*), de ces femmes qui firent œuvre de pionnières (la première en particulier) en s'intéressant à des questions proprement théoriques et philologiques. Gabrielle Suchon semble être familière avec les écrits théoriques de Marie de Gournay. Dans la préface, son influence, et par delà celle de Montaigne, est très sensible.

Les extraits reproduits ici sont basés sur l'édition de 1693 et l'exemplaire de la Bibliothèque Nationale à présent sur microfiche R. 6220.

TRAITÉ// DE LA// MORALE// ET DE LA// POLITIQUE,// DIVISÉ EN TROIS PARTIES.// SÇAVOIR// LA LIBERTÉ, LA SCIENCE,// ET L'AUTORITÉ.// OU L'ON VOIT QUE LES PERSONNES DU// Sexe pour en étre privées, ne laissent pas d'avoir une capa-// cité naturelle, qui les en peut rendre participantes.// AVEC UN PETIT TRAITÉ DE LA FOIBLESSE,// de la Legereté, & de l'Inconstance, qu'on leur// attribuë mal à propos.// Par G. S. ARISTOPHILE.// À LYON,// Imprimé aux dépens de l'Auteur, Chez B. VIGNIEU, ruë Belle// Cordiere, & se vend Chez JEAN CERTE, ruë Merciere.// M. DC. XCIII.// AVEC PRIVILEGE DU ROI, ET APPROBATIONS.

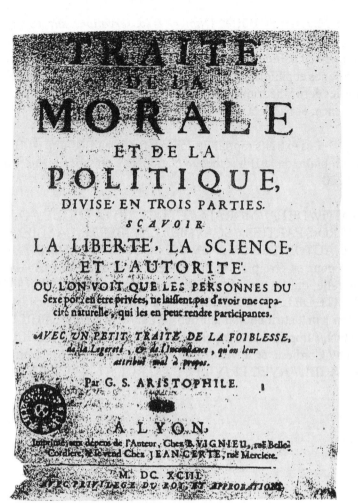

Gabrielle Suchon, *Traité de la morale et de la politique* (1693)
microfiche R. 6220 (page de titre)
Paris, Bibliothèque Nationale de France

Pl. 8

TRAITÉ DE LA MORALE ET DE LA POLITIQUE

(1693)

PREFACE GENERALE

[f. A iiij]

Ce n'est pas sans raison que le Divin Philosophe remercioit les Dieux de l'avoir fait naître homme et non pas femme[1]; les peines et les abaissemens qu'endurent les personnes du Sexe feminin étant en si grand nombre, que c'est un singulier bon-heur d'en étre exemt[2]. Cette verité étant si commune que tout le monde en est persuadé et convaincu, il semble qu'il n'y peut avoir aucune necessité d'en écrire: C'est ce qui m'oblige de faire voir les raisons et les motifs qui donnent naissance à ce traité. Car ce n'est pas assez de connoître confusement les disgraces que les femmes experimentent tous les jours, si l'on n'en fait la remarque en particulier, et si l'on n'en devise les poincts et les articles.

La contrainte, l'ignorance, et la dependance où les personnes du Sexe passent leur vie renferment toutes les peines qui les rendent

---

[1] Allusion à Platon, *Timée*, 42a-c & 90. François de Billon se réfère au même passage lorsqu'il dit dans *Le fort inexpugnable de l'honneur du Sexe Femenin* (Paris, 1555), f. C ij vᵒ : "Lequel Platon, ainsi que refere Lactance, rendoit graces à Dieu de quatre choses, entre autres. La premiere, pourautant qu'il étoit nay Homme, & non brute Beste. La Seconde, pource qu'il étoit Grec, non Barbare. La tierce a l'occasion de ce que sa nayssance avoit été en Athenes, & du temps de Socrates. Et la quatrieme, pource que Dieu, l'avoit plus tost créé Masle, que Femelle".

[2] Souvenir de M. de Gournay, *Grief des Dames* : "Bienheureux es-tu, lecteur, si tu n'es point de ce sexe qu'on interdict de tous les biens, l'interdisant de la liberté ; ouy qu'on interdict encore à peu pres de toutes les vertus, luy soustrayant le pouvoir, en la moderation duquel la plupart d'elles se forment, afin de luy constituer pour seule felicité, pour vertus souveraines et seules, ignorer, faire le sot et servir" (p. 63).

inferieures aux hommes, de sorte que dans la Privation de Liberté, de Science, et

[f. A iiij v°]

d'Autorité, l'on peut connoître qu'elles n'ont point de part à tous les plus grands avantages que l'on posséde dans la Politique et dans la morale. Le traité de ces trois choses est une entreprise aussi necessaire et utile, que laborieuse et delicate, à cause que la plus grande partie des femmes s'imaginent que ces états de contrainte, d'ignorantes, et de sujettes leur sont si naturels, que leurs souffrances ne peuvent jamais recevoir de remede. Plusieurs les prennent d'une maniere si peu élevée que souvent la simplicité de leur esprit ne les abaisse pas moins, que les loix et les coûtumes introduites à leur desavantage : elles en pourroient néanmoins tirer beaucoup d'utilité, et faire connoître, à tout le monde qu'elles sont capables de les supporter d'une façon si spirituelle et avec des dispositions si parfaites, que les choses memes que l'on fait pour leur abaissement peuvent servir à leur élévation.

Pour découvrir la source, l'origine et les causes de l'ignorance, de la contrainte, et de la dépendence dans lesquelles se passe la vie des personnes du Sexe, je prouve par des raisons si fortes et si pertinentes que la conduite que l'on tient sur elles est un effet de la coûtume plûtôt qu'une impuissance naturelle d'étudier, de gouverner et d'agir avec liberté : qu'il faut tomber d'accord que l'on ne scauroit jamais leur contester cette capacité necessaire pour faire de grandes et belles actions[1].

---

[1] C'est ce qu'affirmait déjà Christine de Pisan. Cf. *Cité des Dames*, texte traduit et présenté par T. Moreau et É. Hicks, Paris, 1992, I, 27, p. 91-92 : "si c'était la coutume d'envoyer les petites filles à l'école et de leur enseigner méthodiquement les sciences, comme on le fait pour les garçons, elles apprendraient et comprendraient les difficultés de tous les arts et de toutes les sciences aussi bien qu'eux. Et cela arrive en effet, car, comme je t'ai indiqué tout à l'heure, les femmes ayant le corps plus délicat que les hommes, plus faible et moins apte à certaines tâches, elles ont l'intelligence plus vive et plus pénétrante là où elles s'appliquent". Dans l'*Égalité des hommes et des femmes* (1622), M. de Gournay reprend la même idée, mais elle met au grand jour les enjeux

Je ne doute point que le titre qui paroit à la tête de ce Livre ne soit censuré par ceux qui ne prendront pas la peine d'en lire la suite, et de considerer attentivement les raisons sur lesquelles il est appuyé et établi. C'est

[f. E]

ce qui fait que plusieurs Critiques ne manqueront pas de dire que la privation de Liberté, de Science, et d'Autorité étant si commune et si ordinaire aux personnes du Sexe, que jamais elles n'ont fait d'autres figures, ce ne leur est pas une chose penible et fâcheuse. Si elles sont sans liberté elles sont moins exposées aux occasions du crime disent-ils, si elles sont privées de Sciences elles le connoissent moins, si elles sont sans autorité pour l'empêcher elles n'en sont point responsables ; et les choses étant prises de cette maniere ces privations leur peuvent étre utiles, mais comme dans la société civile et chrêtienne il y a du bien à faire comme du mal à éviter ; étant ignorantes, captives, et abaissées, elles sont privées d'une infinité de moyens par lesquels elles pourroient procurer la gloire de Dieu, l'utilité du prochain, et se distinguer elles mêmes par des qualitez d'esprit qui ne sont pas communes à tout le monde.

L'on ne sçauroit aucunement douter que toutes ces grandes et importantes privations ne soient des abaissemens et des peines aux personnes du Sexe ; par ce que pour avoir toûjours été en usage comme on le pretend elles n'en sont pas moins desavantageuses et leur ancienneté n'en diminuë pas la rigueur. De méme que les ennuis, la tristesse, les maladies, la pauvreté, les mépris et les affrons qui affligent les esprits et les corps des hommes depuis le peché d'Adam, ne sont pas moins penibles à ceux qui vivent à present, qu'aux autres qui vivoient il y a cinq ou six mille ans ; et la mort qui les moissonne tous les jours n'est pas moins amere aux agonisans qu'elle a été autrefois à ceux qui sont reduits en poudre depuis tant de siecles. Et si l'on auroit sujet

---

politiques en prenant l'exemple de la loi salique (p. 43 sq.). Voir aussi Montaigne, *Essais*, III, v, p. 875 : "Je dis que les masles et femelles sont jettez en mesme moule ; sauf l'institution et l'usage, la difference n'y est pas grande".

[f. E v°]

de se mocquer d'un homme lequel pour consoler celui qui pleureroit
la perte de son pere ou de son ami, lui diroit pour toute raison que
ceux des autres sont morts et meurent tous les jours ; c'est avec plus
de justice que l'on se doit railler de ceux qui soûtiennent que la
contrainte, l'ignorance, et la dependance des femmes ne sont pas des
peines, par ce que jamais elles n'ont été traitées d'autre maniere.

La privation est un champ si fertile et si abondant en toutes
sortes de miseres que ses productions vont à l'infini ; et qui voudroit
parler de tous les mauvais fruits qu'elle fait manger aux personnes
du Sexe entreprendroit un travail qu'il ne pourroit jamais achever.
C'est pour éviter la confusion dans la multitude de tant de choses
differentes que je les ay voulu renfermer en trois principaux articles;
qui ne sont autres que la privation des trois plus grands biens que
l'on peut jamais avoir dans la Morale et dans la Politique. Et comme
la privation suppose toûjours dans le sujet qui la souffre une capacité
naturelle pour acquerir et pour posseder le bien dont il est privé[1] ; je
montre par bonnes et solides raisons, par autoritez, et par exemples
que les femmes sont capables de Liberté, de Science, et d'Autorité.
L'on ne sçauroit jamais douter de cette verité si l'on considere que
ces avantages leur appartiennent tant par le droit de leur naissance,
que par l'autorité des saintes lettres, et par celui des habiles gens des
siecles passez. Les exemples que plusieurs de leur Sexe en ont
laissez sont incontestables ayant excellez en de tres-grandes
perfections et rares qualitez.

Je fais mon possible de les faire paroître illustres mal-

[f. E ij]

gré les abaissements où elles passent leur vie ; afin qu'elles puissent
dire avec le Prophete couronné, *nous sommes faites des prodiges
devant plusieurs* : Par ce que si la grace a ses prodiges aussi-bien que
la nature, la morale ne manque pas d'avoir les siens; avec ces
differences que les prodiges de la nature causent souvent la ruine de
leurs sujets, que ceux de la grace tendent toûjours à perfectionner les
leurs ; pendant que ceux de la politique et de la morale ne les

---

[1] Aristote, *Catégories*, 12a 26-30.

detruisent pas entierement, mais ils retiennent seulement le cours de leur activité, d'autant que l'on empéche qu'ils n'arrivent pas à l'état sublime dont ils sont capables. C'est en ce sens que les personnes du Sexe sont de veritables prodiges, par ce qu'elles possedent la raison, l'intelligence, l'esprit, le jugement, et la volonté qui peuvent tout apprendre et tout sçavoir; et néantmoins ces lumieres, ces brillans et ces flâmes sont cachées et ensevelies sous la cendre des mauvaises coûtumes et de la conduite de ceux qui ne peuvent souffrir qu'elles éclattent, ni qu'elles paroissent ce qu'elles sont en effet, et encore moins ce qu'elles pourroient étre si elles avoient une autre éducation.

Les raisons que j'avance pour prouver l'excellence de la Liberté, de la Science, et de l'Autorité, étant tirées du merite et de la dignité de ces trois grands sujets, elles ne doivent pas étre contestées par les esprits judicieux et raisonnables qui ne sçauroient condamner l'application que j'en fais aux personnes du Sexe. La liberalité du Createur n'est pas moindre à leur égard qu'à l'endroit des hommes, étant aussi bien prevenuës et assistées de la grace divine qu'ils le peuvent étre[1].

De plus les raisons que je propose étant soûtenuës

[f. E ij vº]

par une infinité de passages tant de l'ancien que du nouveau testament, il faut necessairement se rendre à toutes ces veritez. Si j'ay suivi avec respect la simplicité du langage de ce livre sacré en mettant les mémes paroles et les propres termes qui s'y trouvent écrits, c'est à cause qu'ils sont d'un poids et d'une autorité si grande que deux mots valent plus que des volumes entiers composez par l'esprit et par le travail des hommes. Les paroles du livre de Dieu ayant cela de particulier d'éclairer, de toucher, de persuader et d'attirer les cœurs, étant si puissantes d'elles mémes qu'elles n'ont pas besoin des discours étudiez des creatures, pour se faire croire et aimer de ceux qui les lisent.

Quoi que cette autorité divine soit plus que sufisante pour persuader les choses les plus difficiles et les plus mal-aisées à croire, je me sers encore de celle d'un grand nombre de Peres de l'Eglise,

---

[1] Allusion à S. Augustin, *Confessions*, XIII, xxiii, 33.

qui passent pour les maîtres entre ceux qu'elle honore de la qualité
de ses Docteurs. Comme les Saints Augustin, Jerôme, Ambroise,
Gregoire, Chrysostome, Bernard, Thomas, et autres Saints
personnages desquels la Doctrine est en veneration depuis tant de
siecles, leurs écrits servant d'oracles à tous les sçavans. J'ay suivi
exactement les sentimens de ces grands hommes, sans changer ni
alterer tant soit peu le sens de leurs paroles dans l'application que
j'en ay faite ; estimant qu'une seule de leurs sentences vaut mille fois
mieux pour la deffense d'une cause que de longs et amples discours
faits par des gens du commun. Ces habiles esprits ayant été
incapables d'en soutenir de mauvaises, puisqu'ils étoient tres éclairez
et tres-justes dans leurs discernemens.

[f. E iij]
    Si aprés l'écriture sacrée, et la Doctrine des Saints Peres,
l'on doit considerer des autoritez, ce sont celles des anciens Sages.
Car bien que ces Philosophes ne fussent pas éclairez des lumieres de
la Foy, ils ne laissoient pas d'avoir tant de belles connoissances que
de tout tems les Saints et les Catholiques ont defferez à leurs
sentimens dans toutes les choses où ils n'ont pas été contraires à la
Religion chrêtienne. Et l'on a toûjours bon augure d'un livre où l'on
trouve souvent les noms illustres des Socrates, des Platons, des
Aristotes, des Cicerons, des Seneques, des Plutarques et autres
grands personnages du tems passé, dont les lumieres n'ont point
cessé de briller depuis qu'ils ont parus sur le theatre du monde. Car
non seulement ils ont penetrez dans les profonds secres de la nature,
mais encore ils ont inspirez aux hommes le sentiment d'une Divinité,
et leur ont donné les preceptes necessaires pour vivre sagement, et
pour rendre à Dieu, à leurs semblables, et à eux-mémes ce qu'ils sont
obligez. J'ay pris un soin particulier de ne point changer les paroles
et les sentences de ces habiles gens afin de les laisser dans leur force
et naturelle beauté, du moins autant que leur en ont pû conserver
leurs sçavans et laborieux traducteurs.
    Comme la liberté est une chose extrémement delicate, que
la science est élevée et sublime, et que l'autorité est illustre et
éclatante, et que l'on prive autant que l'on peut les personnes du
Sexe de ces trois grands avantages, le parti que je deffends a besoin

d'avoir de puissans appuis. C'est pourquoi bien que j'en ay trouvé de tres-forts et de tres-considerables dans le livre de Dieu, et dans ceux des sçavans tant Saints que profanes, je n'ay eû garde de

[f. E iij v°]

negliger les Auteurs modernes, lesquels bien loin de s'opposer aux sentimens que les Anciens ont eû en faveur des femmes, ils ont écrits à leur louange, ayant fait une profession publique de contrarier ceux qui ne s'etudient qu'à les abaisser. Comme l'ont peut voir dans les femmes fortes, dans les illustres, dans l'honneste femme, dans l'égalité des deux Sexes[1], et dans plusieurs autres livres qui sont tous des ouvrages faits par des Auteurs de ce siecle; lesquels ont estimé que leur esprit, leur science, leur plume et leur tems seroient bien employez à soûtenir la verité en publiant hautement le merite, la valeur et la capacité des personnes du Sexe et comme leurs sentimens favorisent beaucoup mes propositions je les mets en usage en quelques endroits ; non pas pour derober leur doctrine et pour me parer des plumages d'autrui comme la Corneille d'Esope[2], mais pour montrer que tres-mal à propos les Critiques entreprendroient de

---

[1] Pierre Le Moyne (jésuite), *La gallerie des femmes fortes*, 1647 ; Georges et Madeleine de Scudéry, *Les femmes illustres ou les Harangues héroïques de Monsieur de Scudéry*, 1642 ; Jacquette Guillaume, *Les Dames illustres*, 1665; Jean de La Forge, *Le cercle des femmes sçavantes*, 1663 ; Jacques Du Boscq (cordelier), *L'honneste femme*, 3 vol., 1632-1636 ; François Poullain de La Barre, *De l'égalité des deux sexes*, 1673.

[2] Ésope, *Fables*, "La corneille et le corbeau". Passage emprunté au *Proumenoir de Monsieur de Montaigne*, Épître dédicatoire de l'édition de 1594: "Je rapporte l'argument de ce comte d'un petit livre que je leuz d'avanture il y a quelque an, et d'autant que je ne l'ay sçeu revoir onques puis, j'ay mesme oublié son nom et celuy de l'auteur encore. Si est-ce quand je l'aurais entre-mains, que je voudrois aussi bien qu'à cette heure escrire sans luy rien emprunter, pource que je ferois religion de fouiller ses inventions du meslange des miennes, et je n'ay point apris l'exemple de la corneille d'Esope, sinon pour le fuyr. J'ayme mieux estre vuide que pleine de debtes" (p. 84-85). Voir aussi *Advis sur la nouvelle edition du Proumenoir de Monsieur de Montaigne* : "je ne m'entends point à me diaprer des plumes d'autruy, pour le moins en sorte qu'elles me puissent estre attribuées" (p. 94).

censurer ce que j'ay écrit ; puisque tant de gens capables ont parlé si sçavamment à la gloire des femmes.

Quoique les comparaisons ne puissent jamais avoir tant de force que les raisons solides et bien établies, et que les autoritez des sçavans, et elles sont neamoins trés-necessaires à la perfection d'un discours, à cause que leur diversité donne du plaisir et du contentement au Lecteur, et que leur rapport et convenance reveille l'esprit en lui presentant les choses sous un voile étranger, lequel bien loin de les cacher ou de les rendre obscures les fait paroître plus évidentes et plus faciles à comprendre étant d'un tres-grand soulagement aux personnes studieuses[1]. C'est pourquoi je les ay mises souvent en

[f. E iiij]

usage dans les endroits où elles peuvent être utiles à l'éclaircissement de mes propositions. Je les fais paroître aussi naturelles et expressives qu'on le peut souhaitter, si elles ne sont pas éclattantes et bien polies, j'ay la consolation qu'elles ne sont ni empruntées ni recherchées, la raison, la verité, et mon travail leur ayant donné naissance.

Comme les exemples sont toûjours d'un tres-grand poids, et qu'avec les raisons les plus pertinentes, et l'approbation des plus Saints et des plus Doctes, l'on pourroit dire que tout se[2] termine seulement en paroles, mais que pour des effets il ne s'en trouve point, les femmes n'ayant jamais donné des marques de leur

---

[1] Cf. Sénèque, *Épîtres à Lucilius*, LIX, in *Œuvres complètes*, publiées sous la dir. de M. Nisard, Paris, 1842, p. 629 : "si l'on nous voulait interdire l'usage [des comparaisons] et les laisser aux poëtes, ce serait faute d'avoir lu les anciens auteurs. Ils ne cherchaient pas encore de l'applaudissement par l'éloquence ; ils parlaient avec simplicité, et seulement pour se faire entendre ; néanmoins leurs écrits sont tous remplis de comparaisons. Pour moi, j'estime qu'elles sont nécessaires, non pour la raison qui les rend si familières aux poëtes, mais afin que, soulageant notre faiblesse, elles fassent voir la chose comme présente aux yeux de l'auditeur". Comparer à ce passage dans l'*Advis sur la nouvelle edition du Proumenoir de Monsieur de Montaigne* (p. 94), très probablement inspiré de Sénèque, dans lequel M. de Gournay s'explique sur l'usage des métaphores.
[2] Corr. de ce.

suffisance* et capacité, j'en rapporte un si grand nombre de grands[1], de genereux, et d'éclattans quoi qu'en abregé, que l'on ne scauroit jamais obscurcir et détruire ce qui est écrit à la loüange du Sexe : je les ay tirez des anciens et graves auteurs, et j'en ay fait le recit brievement et en peu de mots, ayant connu que plusieurs Ecrivains de ce tems avoient composez des livres entiers de semblables histoires. Le Lecteur ne doit pas être surpris de ce qu'en méme tems que je fais voir que les personnes du Sexe sont privées de plusieurs beaux avantages, je fais leur éloge. Car il faut ainsi traiter de cette matiere puisque l'on ne sçauroit prouver l'absence d'un bien dans un sujet, que l'on ne fasse voir en méme tems qu'il est capable d'avoir la possession et la joüissance de ce méme bien. Ce ne seroit pas une privation aux personnes du Sexe d'étre contraintes, ignorantes, et dependantes, si elles n'avoient une puissance et capacité naturelle pour étre libres, sçavantes, conductrices et dominantes. C'est ce

[f. E iiij v°]

qui m'a engagée de publier leurs louanges dans le tems méme que j'ay parlé de leur abaissement.

Cette agreable surprise, ou pour mieux dire cette contrainte volontaire, m'auroit donné une satisfaction entiere sans la crainte que j'ay eû que parlant à l'avantage des femmes aprés tant de bons esprits qui se sont mélez d'en écrire l'on ne vint à penser que mon Ouvrage ne seroit qu'une imitation de celui des autres. Mais grace à Dieu il n'y a rien de cela, et je n'ignore pas qu'il vaut beaucoup mieux ne rien donner du tout que de prendre aux uns pour faire des presens aux autres.

Tous ceux qui auront lû les Auteurs tant anciens que modernes sur les sujets de la Liberté, de la Science, et de l'Autorité, et sur les loüanges des personnes du Sexe connoîtront facilement que ce n'est ni leur stile, ni leurs pensées, ni leur methode, ni leur maniere d'écrire, puis qu'aucun ne s'est encore avisé de faire l'Eloge des femmes comme il se voit en ce traité, qui est une piece plus meditée qu'imitée. La raison, la verité, l'étude, et l'experience lui ayant donné l'étre, et non pas les idées et les conceptions de ces

---

[1] Corr. de grand.

braves Ecrivains ; pouvant dire avec verité que je n'ay travaillé que
sur les miennes propres, et que j'ay porté tant de respect à tous ces
Auteurs que je n'ay pas voulu abaisser leurs pensées en les faisant
passer pour les miennes[1]. J'ay cité exactement dans le corps du
discours ou à la marge leurs noms et les endroits de leurs ouvrages
d'où j'ay tiré quelques remarques pour enrichir ma composition ; et
j'aurois crû beaucoup diminuer de leur force et de leur beauté si je
les avois mis en usage sans faire connoître les sçavans maîtres qui
ont produits de si beaux sentimens et des pensées si sublimes[2].

[f. I]
Je n'ay pas suivy en la composition de ce livre le sentiment
de Seneque qui veut qu'on tienne caché l'auteur en se servant de ses
pensées et qu'on taise son nom pendant qu'on prend son bien et

---

[1] Souvenir de M. de Gournay et en particulier du passage cité ci-dessus, *Le proumenoir de Monsieur de Montaigne*, Épître dédicatoire de l'édition de 1594 et *Advis sur la nouvelle edition du Proumenoir de Monsieur de Montaigne*, p. 84-85 & 91. Sur la question de l'originalité de l'œuvre, voir aussi *Discours sur ce Livre, À Sophrosine*, in *Les Advis, ou les Presens de la Demoiselle de Gournay*, Paris, Toussainct Du-Bray, 1634, f. aiiij v°: "J'appelle Livre original, non celuy qui l'est entierement, pource qu'il ne s'en trouveroit presque point de cette marque, mais bien celuy qui l'est pour la plus-part" .
Rapprocher aussi de Montaigne, *Essais*, II, xvii, p. 641-642 : "les plus fermes imaginations que j'aye, et generalles, sont celles qui, par maniere de dire, nasquirent avec moy. Elles sont naturelles et toutes miennes. Je les produisis crues et simples, d'une production hardie et forte, mais un peu trouble et imparfaicte ; depuis je les aye establies et fortifiées par l'authorité d'autruy, et par les sains discours des anciens, ausquels je me suis rencontré conforme en jugement : ceux-là m'en ont assuré la prinse, et m'en ont donné la jouyssance et possession plus entiere".
[2] M. de Gournay était qualifiée par ses contemporains de "pédante" (voir Tallemant des Réaux, *Historiettes*, p. 379-380). Aussi s'explique-t-elle sur le choix qu'elle a fait de "citer les autheurs par leurs noms" (*Advis sur la nouvelle edition du Proumenoir de Monsieur de Montaigne*, p. 88 sq.). Chez G. Suchon, l'identification des sources n'est pas systématique et les indications relatives aux textes d'où proviennent les citations sont en général assez vagues. M. de Gournay dont la *Preface* s'inspire si manifestement, n'est pas nommée une seule fois.

qu'on se l'approprie[1]. Cette maniere d'écrire est fort usitée à present, où la plupart des habiles gens suivent la Doctrine des anciens sans les citer ny faire connoître les sources desquelles ils tirent tant de belles conceptions[2]. Je n'ay pourtant jamais eu envie de les imiter, aussi ne m'appartient il pas ; et de plus les seuls noms de ces grands personnages donnent une force et une valeur extraordinaire à toutes les propositions qui sont soutenuës par leur autorité.

J'ay avancé beaucoup de choses à leur faveur que je n'aurois osé produire par moy-même, et ceux qui m'auroient esté les plus contraires seront contraints d'approuver mes sentimens; puis que je fais voir qu'ils sont conformes à ceux de tant d'habiles gens qui ont emporté l'estime des siecles passez, et auront encore celle de ceux qui seront jusqu'à la fin du monde. De sorte que ma pauvreté n'est pas honteuse et dépouillée, puisqu'elle est revetuë de tant d'ornemens magnifiques. Car tout de méme que ce n'est pas une mendicité de recevoir les bienfaits des Rois et des Princes, ce n'est pas aussi une nudité d'esprit de consulter les Maîtres des Sciences, de se servir de leur Doctrine, et de suivre leurs lumieres pour fortifier les nôtres, et éclaircir nos difficultez.

Les écrits des sçavans peuvent recevoir diverses expositions, et s'accommoder aux differentes necessitez des ames. S. Bernard

---

[1] *Épîtres à Lucilius*, LXXXIV, in *Œuvres complètes*, p. 710 : "nous devons [...] imiter les abeilles, et mettre séparément ce que nous avons recueilli de diverses lectures (car il se conservera mieux étant ainsi séparé) ; puis confondre ces sucs différents, et leur donner, par notre industrie, un goût composé de tout cela, en sorte que, bien qu'on s'aperçoive de ce qui a été pris ailleurs, on voit bien toutefois que ce n'est pas la même chose. [...] Mais cachons avec industrie ce que nous avons emprunté, et ne faisons paraître que ce qui est à nous. Si l'on reconnaît dans vos ouvrages quelques traits d'un auteur que vous estimiez particulièrement, que ce soit une ressemblance de fils, et non pas le portrait ; car un portrait est une chose morte".

[2] M. de Gournay s'en prend à ses contemporains qui pillent les auteurs anciens sans même les nommer et, en particulier, au Cardinal Du Perron. Cf. *Advis sur la nouvelle edition du Proumenoir de Monsieur de Montaigne*, p. 90-91 : "Belle reigle vrayement, par laquelle celuy sera tousjours le plus noble et le plus poly, qui se trouvera le plus hardy larron [...] Vive la picorée, sur tout en un siecle qui s'en sçait ayder en tant de sortes".

parlant des écritures sacrées nous assure qu'on les peut expliquer en divers sens, sans

[f. I v°]

commettre aucune absurdité[1]. Quelle raison peut on avoir pour trouver mauvais que les saintes lettres, les livres des Peres, et des Auteurs graves soient appliquez differemment pourveu que l'on suive toûjours la foy Catholique et orthodoxe, puisque les choses materielles sont propres à divers usages et servent à plusieurs et differentes fonctions.

Quoyque je mette en usage tout ce qui est necessaire pour établir une verité et la faire paroître en son jour, ce n'est pas encore assez pour avoir entrée dans les esprits du tems, si la façon de produire tant de diversité ne leur plaît. C'est à dire si le stile, et les termes qui le composent ne sont approuvez des Lecteurs, lesquels ayant une capacité tres inegalle et le goût fort different, il est malaisé pour ne dire impossible de les satisfaire et contenter tous, puisqu'une méme façon d'écrire peut étre approuvée des uns et condamnée des autres. Le stile pompeux et enflé donne du plaisir à ceux qui se contentent de ce qui paroît éclatant ; le stile melé de pointes, de subtilitez, et de gentillesses est toûjours agreable aux esprits qui ont plus de feu et de vivacité que de force et de penetration; pendant que celuy qui ne s'attache qu'aux expressions solides et élevées est toûjours estimé et recherché des sçavans.

Comme je ne me picque point d'avoir part à ces trois sortes de stiles, n'ayant ni les termes brillans et ampoulez du premier, ni les adresses delicates du second, ny la noblesse et élevation du troisiéme, sans m'arrester au desir de plaire et d'emporter l'approbation des Lecteurs par ces manieres d'écrire et de composer. J'ay mis en usage celle que m'a pû fournir le Caractere de

---

[1] Bernard de Clairvaux (1090-1153), de l'ordre de Cîteaux, était appelé par ses contemporains le *Doctor mellifluus*, celui qui a fait couler le miel des Écritures. Il discerne trois degrés dans l'intimité du Seigneur, qui sont pour lui les trois sortes de sens qu'on découvre successivement dans le texte : historique, moral et mystique.

[f. I ij]

mon esprit, ayant travaillé autant qu'il m'a été possible pour rendre le sens naturel, aisé, et intelligible, les expressions fortes, et le langage sans affectation, sans artifice et sans mollesse. Si j'étois capable de juger des choses je prefererois toûjours la solidité à la politesse, la Doctrine à l'élegance, et l'utilité à tous les agréemens que l'on trouve dans les discours qui n'ont rien de plus grand que des paroles delicates et choisies. C'est pourquoy j'ay évité la recherche des termes trop affectez pour ne me servir que de ceux qui sont les plus faciles à comprendre[1].

Pour ne point tomber dans la confusion j'ay divisé mon ouvrage en trois parties, dont la premiere contient trente-huit chapitres, la seconde quarante, et la troisiéme vingt trois. Ayant encore observé pour une plus grande clarté et facile intelligence de faire une division de deux ou de trois points en chacun des chapitres, afin d'éviter les obscuritez et les circonlocutions, et pour faire connoître les choses plus aisément ; ce qui paroîtra d'abord au Lecteur spirituel et intelligent ; encore que cette distinction ne soit pas inserée à la marge ; mais cela se voit et se comprend par le sens et par la suite du discours.

Un livre seroit peu considerable dont l'Auteur feroit sa gloire des petites observations du langage, et des termes nouveaux dont l'on se sert maintenant, plûtôt que de la force des raisons, de la gravité des sentences, du poids des autoritez, du rapport des comparaisons, et de la verité des exemples[2] ; c'est ce qui a fait dire à Sénèque que les Philosophes et les Sages n'ont jamais perdu le tems apres des fleurettes et des mots choisis ; mais que tous leurs discours donnent à connoître qu'ils sont veri-

---

[1] Cf. Sénèque, *Épîtres à Lucilius*, C et Montaigne qui se réclame de Sénèque. Voir *Essais*, II, xvii, que G. Suchon semble aussi connaître : "mon inclination me porte plus à l'imitation du parler de Seneque" (p. 621). Rapprocher de M. de Gournay, *Discours sur ce Livre, À Sophrosine*, f. aiiij sq.

[2] Après avoir considéré si le livre est original, l'essentiel, selon M. de Gournay, est "de voir s'il est en bon genre, et son genre de gros en gros c'est le discours de raison [...], de regarder la trempe du raisonnement, la vigueur des imaginations, & la lumiere du jugement". Cf. *Discours sur ce Livre, À Sophrosine*, f. a iij v° & b ij.

[f. I ij v°]

tablement des hommes et que c'est un grand sujet de honte à ceux qui portent[1] cette qualité de ramasser des termes affectez et de mettre en usage des paroles étudiées qui servent plus d'amusement que d'instruction[2].

Il semble que le prix et la beauté du langage est comme celuy des habits et des modes qui sont dans un continuel changement, de là vient que tant d'excellens écrivains qui ont été l'étonnement et l'admiration de leur siecle, sont à present negligez à cause qu'ils ne parlent point selon les termes des réformateurs de la langue Françoise[3]. Et par un grand abus l'on méprise la maniere d'écrire et de parler des Anciens qui sont les Maîtres des sciences et des grandes et solides doctrines pour s'attacher à des mots inventez et à des phrases polies. Comme les hommes de ce siecle ont reformez le langage de ceux qui les ont precedez ils auront peut être un jour la même critique de ceux qui viendront au monde apres eux[4].

Les choses pouvant étres difformes lors qu'elles sont ou trop grandes ou trop petites ou autrement qu'il ne faut ; je ne sçais pas en quel genre de deffectuosité l'on mettra ce livre ni de quelle couleur on en fera la peinture ; mais je sçay bien que tout le mépris qu'on en sçauroit jamais faire ne peut aucunement diminuër ce qu'il y a de bon et de profitable, et que la louange et l'estime des hommes ne le sçauroient rendre ni plus elegant ni plus accompli. C'est pourquoy je préviens sans m'étonner le dessein de ceux qui voudront faire sa critique ; non pas afin qu'ils m'épargnent mais pour m'instruire moy méme, puisque connoître ses defauts en matiere de science ce n'est pas estre tout à fait ignorante ; mais c'est plûtôt un commencement de connoissance et de lumiere[5].

---

[1] Corr. de porte.

[2] *Épîtres à Lucilius*, C, p. 794 : "Un discours trop recherché ne convient pas à un philosophe. Comment se montrera-t-il constant et résolu ? Comment fera-t-il épreuve de ses forces s'il craint de dire un mot impropre ?"

[3] Allusion aux poètes de la Pléiade et à la réforme de Malherbe.

[4] Ce sont les arguments invoqués par M. de Gournay dans la *Deffence de la Poësie et des poëtes*, in *Les Advis*, Premier Livre, p. 389-483.

[5] Sénèque, *Épîtres à Lucilius*, VI.

[f. I iij]

Il faudroit avoir perdu le bon sens pour espérer de garantir tout ouvrage de la critique puisque ceux des plus grands hommes ont passez par cét épreuve[1]. Et S. Jerôme écrivant à Paulin, luy dit que Tertulien pour avoir eu de belles pensées n'a pas laissé d'avoir une expression rude et difficile. Que saint Cyprien a traité des vertus d'un stile doux et agreable mais n'a rien dit de l'Ecriture sainte. Que le glorieux Martyr Victoria a de la peine d'exprimer ses pensées, et qu'Arnobe un Auteur grave est inegal et embarrassé, son discours étant confus et sans ordre[2]. De maniere que dans cette prodigieuse multitude d'écrivains sacrez et profanes, il s'en trouve tres peu que l'on estime accomplis de tout point.

Un Moderne pour nous apprendre que tout est sujet à la censure dit ces mots, quelques-uns se sont avisé de dire que Seneque fait un continuel mélange d'épithetes et d'antitheses, que Ciceron est prolixe et affecté, que Pline est accusé de mensonge, et Thucidite d'obscurité.

Les Poëtes qui font souvent la critique des autres ne l'ont pas évitée ; puisque l'on a trouvé les uns licentieux, rudes et negligez, les autres ont passé pour être enflez et fougueux, et d'autres encore pour être languissans et contraints. Generalement parlant, ceux qui ont écrit en toutes sortes de sciences n'ont point manqué de blâme et de correction, et il n'est pas à croire que ceux qui écrivent à present puissent avoir plus de privilege[3].

---

[1] Dans l'*Apologie pour celle qui écrit*, M. de Gournay passe en revue les grands hommes qui ne font cas du blâme d'autrui. Son admiration va tout particulièrement à Socrate : "Il peut bien être cependant, que jamais aucune roideur d'âme, réservé celle de Socrate, n'alla nettement et constamment jusqu'à ce point, de mépriser le reproche des fautes et des vices" (É. Dezon-Jones, *Fragments d'un discours féminin*, p. 148). Elle a écrit aussi un traité en deux parties intitulé "De la médisance" (voir 1ʳᵉ partie, in *Les Advis*, Livre premier, p. 84-93).

[2] *Lettres*, LVIII, 10.

[3] Les jugements défavorables portés à travers les siècles sur les hommes illustres servent en général à démolir les détracteurs du sexe féminin comme chez J. Guillaume (*Les Dames illustres*, seconde Partie, ch. I). Ils ont ici pour fonction de souligner la diversité des opinions humaines, l'incertitude du jugement humain, la relativité des choses (autre souvenir de Montaigne).

Si nous croyons de bons Auteurs saint Augustin la merveille des esprits a tiré de Varron ce sçavant Romain une grande partie de ce qu'il a écrit dans son livre de la Cité. Et Platon ce grand genie confessoit franchement que plusieurs choses qui étoient dans ses livres venoient

[f. I iij v°]

de Socrate ; et neanmoins il s'est si bien approprié ce qu'il donne à son Maître, que ce qu'il tient d'emprunt semble lui étre tout particulier. Plusieurs nous veulent persuader que l'université du Prince de l'éloquence latine est tirée en partie du Timée de Platon. Et un sçavant qui a écrit au commencement de ce siécle nous assure qu'il n'apprehende aucun blâme pour avoir mis dans ses ouvrages quantité de choses qui venoient d'Aristote.

J'aurois un singulier plaisir, mon Lecteur, si quelques bons esprits avoient traitez des privations qu'endurent les personnes du Sexe ; parce que je n'aurois eû qu'à suivre leurs vestiges, continuer leur dessein et imiter leur methode. Mais personne ne s'étant encore avisée d'ecrire sur cette matiére, les hommes ayant mieux aimé rendre ces privations effectives que de les tracer sur le papier, et que les femmes n'ont pas encore fait usage de leur plume pour deffendre leur cause ; j'ay esté contrainte de chercher un chemin pour entrer dans ce champ spacieux des souffrances du Sexe tout rempli de ronces et d'epines, et en mème tems j'ay tiré de toutes ces pointes picquantes des fleurs et les fruits pour faire leur couronne et la consommation de leur merite[1], et pour en former les caracteres qui servent à faire leur éloge.

La breveté étant d'elle méme toûjours obscure, et l'obscurité servant d'obstacle à l'intelligence ; je me suis servie d'une façon d'écrire un peu etenduë, étant tres-difficile de renfermer en peu de paroles tant de definitions, de divisions, descriptions, de passages et d'exemples. J'ay méme esté contrainte de mestre en usage les

---

[1] Exemple du symbolisme floral très en faveur dans la rhétorique éloquente du dix-septième siècle. Voir E. Hyde, "Royaume de fleurs/royaume de fémynie : fleurs et *gender* en France à la fin de la Renaissance", in *Royaume de fémynie*, p. 278-279.

repetitions en quelques endroits où je les ay trouvées absolument necessaires pour soûtenir mes propositions

[f. I iiij]

et pour les rendre plus utiles et plus agreables. Si les personnes sans etude les prennent pour des redites importunes, les habiles gens connoîtront facilement qu'elles sont inevitables, et que pour étre quelquefois les mémes termes, ils sont neanmoins appliquez differemment et à divers sujets[1].

Les particules conjonctives dont je me sers souvent n'étant pas selon le stile du tems ne seront pas bien receuës de plusieurs, elles paroîtront plus propres[2] aux argumens de l'école et de la dispute, que pour la composition d'un livre. Mais comme celui-cy est nouveau en son titre, et extraordinaire dans son sujet et dans les matieres dont il traite, j'ay plutôt recherché la force du raisonnement pour le rendre incontestable, que la politesse du discours qui plaît d'abord à l'esprit et ne le remplit pas, et qui ne l'ebloüit un moment que pour le laisser toûjours vuide. De plus je n'ay pas assez de temerité pour croire que je puisse imiter les maîtres de l'elegance Françoise qui se font admirer aujourd'huy.

Puisque je ne peux recevoir de la critique que de trois sortes de gens, qui sont les sçavans, ceux qui apprenent, et les ignorans je me dois facilement consoler ; par ce que les premiers qui seuls me peuvent faire du mal sont ceux que j'aprehende le moins à cause qu'étant les seuls capables de connoître les defauts ou la perfection d'un ouvrage, sans doute qu'ils approuveront ce qui est conforme à la verité, à la raison et aux regles des sciences; et s'ils trouvent quelque chose à reprendre c'est toûjours un grand bien d'étre corrigé par les Sages et par les Maîtres de l'art. Pour les seconds ils ne sçauroient me porter beaucoup de prejudice par ce qu'étant encore appren-

---

[1] Comparer à M. de Gournay, *Discours sur ce Livre, À Sophrosine*, f. a iiij.
[2] Corr. de propre.

[f. I iiij v°]

tifs et en état de ne pouvoir juger des choses, dont ils ne connoissent pas le prix et la valeur, leur opinion auroit peu de credit. Et quant aux troisiémes il ne faut pas leur empécher le plaisir de contredire et de critiquer ce que font les autres, puisqu'ils ne peuvent ou ne veulent rien faire eux-mémes[1]. La fin étant ce qui fait agir les estres raisonnables, il ne faut pas manquer d'avertir le Lecteur de celle que je me suis proposée en la composition de ce livre, où ayant traité du merite des femmes, aussi bien que des privations qu'elles endurent, je ne pretens pas neanmoins de decrediter les hommes ausquels appartient la primauté de la nature humaine, ni de faire aucun tort à l'estime que l'on doit à tous ceux qui sont veritablement des hommes. C'est à dire des sages, des judicieux, des sçavans, des habiles, des debonnaires, et des prudens ; comme je l'expliquerai plus particulierement dans les avant propos des trois parties.

Je n'ay point eû d'autre intention en tout ce traité que d'inspirer aux personnes du Sexe des sentimens genéreux et magnanimes afin qu'elles se puissent garentir d'une contrainte servile, d'une stupide ignorance, et d'une dépendance basse et ravalée. Ce qu'elles pourront faire tres facilement si elles suivent ce qui est inseré à propos sur chacun de ces sujets, sans qu'il soit besoin pour cela de se revolter contre les hommes ni de secouër le joug de leur obeïssance, comme firent autre fois les Amazones, que les femmes de ce tems pourront imiter par une force et generosité Chrétienne, laquelle pour être moins éclatante ne laissera pas d'en

---

[1] Rapprocher de Montaigne, *Essais*, II, xvii, p. 640-641 : "Et puis, pour qui escrivez vous ? Les sçavans à qui touche la jurisdiction livresque, ne connoissent autre prix que de la doctrine, et n'advouent autre proceder en noz esprits que celuy de l'erudition et de l'art : si vous avez pris l'un des Scipions pour l'autre, que vous reste il à dire qui vaille ? Qui ignore Aristote, selon eux s'ignore quand et quand soy-mesme. Les ames communes et populaires ne voyent pas la grace et le pois d'un discours hautain et deslié. Or ces deux especes occupent le monde. La tierce, à qui vous tombez en partage, des ames reglées et fortes d'elles-mesmes est si rare, que justement elle n'a ny nom, ny rang entre nous : c'est à demy temps perdu d'aspirer et de s'efforcer à luy plaire".

être plus utile et plus profitable. Et sans rien diminuer de la soumission et deference

[f. O]

qu'elles doivent à ceux du premier Sexe, elles les laisseront paisiblement dans la possession de tous leurs avantages. Pendant qu'elles feront un bon usage de ceux qu'on ne peut leur refuser sans une tres-grande injustice, et dont elles ne pourront se priver elles mêmes que par une extréme stupidité ou notable négligence. Tout ce qui vient de l'esprit des femmes étant toûjours suspect à celui des hommes, j'ay été longtems en doute si je laisserois le Lecteur en suspens pour sçavoir si c'est un homme qui soutient le parti des femmes, ou si c'est une femme qui deffend toutes celles de son sexe[1]. Aprés avoir consulté le bon sens et la raison la dessus je ne fais point de difficulté de confesser que c'est le travail d'une Fille, par ce que les fautes en seront plus excusables, et que ce traité ne scauroit être que tres avantageux aux personnes du Sexe qui peuvent participer à la science, et à la force du discours aussi bien que les hommes[2]. Je le presente au Lecteur sous le nom d'Aristophile étant juste de lui donner ce titre, puisque un amour ardent et passionné pour l'étude et pour les belles connoissances a donné lieu à sa production et que c'est dans la retraite qu'il a été composé. Pouvant dire avec verité que j'étois dans un abandonnement si géneral de toutes les creatures que je n'avois de secours et d'assistance que du seul créateur qui m'a fait la grace de ne me point abandonner moy méme et de travailler à

---

[1] Comparer à M. de Gournay, *Grief des Dames* : "Bienheureux derechef qui peux estre sage sans crime, ta qualité d'homme te concedant, autant qu'on les defend aux femmes, toute action, tout jugement, et toute parole juste, et le credit d'en estre creu, ou pour le moins escouté" (p. 63).

[2] Comparer à M. de Gournay, *Proumenoir de Monsieur de Montaigne*, Épître dédicatoire de l'édition de 1594, p. 85 : "Mais c'est, au reste, un déplaisir qu'on soit tousjours contrainct en tels subjects que cestuy cy, de laisser couler des traitz un peu molz pour une plume feminine ; toutesfois ils portent en recompense l'utilité d'advertir les dames de se tenir en garde. Au surplus, votre sentence m'ayant rendu ce tesmoignage honorable, que mon entendement estoit plus propres aux matieres solides qu'aux legeres ..."

cultiver mon esprit, pendant que les autres tâchoient de toutes parts à me jetter dans l'abaissement.

Ce n'est pas icy l'oraison d'Isocrates en la composition de laquelle son Auteur employa trois olimpiades, c'est à dire l'espace de quinze années[1], sans que jamais en tout

[f. O v°]

ce tems il aye fait autre chose remarquable que sa belle et sçavante composition, mais c'est icy un ouvrage composé en moins d'un an sans ayde ny conseil de personne. Ayant été conceu dans la souffrance de mille traverses et persecutions, produit et enfanté dans la spéculation, le silence et la retraite, et enfin achevé et perfectionné dans les maladies et dans les continuelles infirmitez du corps. J'ay été contrainte de faire comme ceux qui voyagent, lesquels étant sortis tard sont obligez d'user d'une grande diligence pour arriver au lieu qu'ils se sont proposez. Ce n'est pas, mon Lecteur, des paroles étudiées que je vous presente ; mais c'est des privations relevées par des raisons solides, remplies par des authoritez puissantes, et enrichies par des exemples autant véritables qu'illustres.

Fasse le Ciel que tout de méme que du tems d'Alexandre le Grand les Amasonnes parurent dans l'Asie et dans l'Europe ; que du regne de Loüis le Grand, de Loüis Auguste, de Loüis quatorsiéme la merveille des Rois, les libres, les sçavantes, et les genéreuses puissent paroître sur le Theatre de la France, et se relever de l'ignorance dans laquelle leur Sexe est si profondement abaissé.

L'Asie a veu venger les braves Amasonnes
Du tems qu'un souverain conquit tout l'Univers,
Les femmes aujourd'huy sans porter les couronnes,
Se peuvent élever par la prose et les vers,
La liberté d'esprit leur fait beaucoup apprendre,
Sous le regne d'un Roy qui surpasse Alexandre.

---

[1] *Isocrates*. Isocrate, orateur athénien (436-338 av. J.- C.), auteur de discours qui sont considérés comme le modèle de l'éloquence attique.

DEUXIEME PARTIE :

"De la science, la privation qu'en souffrent
les personnes du Sexe, ne les empeschent pas
d'avoir des qualités qui les en rendent capables"

CHAPITRE 20

Les personnes du Sexe sont capables des sciences

[128]
C'est une chose constante que Dieu n'a rien créé d'inutile, et
que les moindres creatures sont destinées à des usages particuliers et
à des fins pour lesquelles elle sont propres[1]. Ces avantages que l'on
ne sçauroit denier aux plus petits des étres, se doivent accorder avec
beaucoup plus de raison à ceux qui sont plus relevez et plus éclatans:
car puisque toutes les creatures sensibles et materielles se rapportent
aux intelligentes et raisonnables comme étant destinées à leur
service, il leur est aussi d'une necessité trés-absoluë de se porter aux
objets qui sont conformes à leur dignité, et ausquels elles doivent
tendre pour arriver à leur perfection. C'est une loy naturelle à toutes
les creatures intelligentes, de se porter au desir du bien, et à la
recherche de la verité[2]. Ce qui se doit entendre sans aucune
exception de sexe, parce que celui que l'on fait passer pour le moins
capable a autant de droit d'y pretendre que les hommes, bien qu'ils se
soient toûjours vantez d'avoir l'avantage et la préference en toutes
choses. Mais pour ce qui est de la science il est trés-facile de faire
connoitre que les femmes pour en être privées, ne laissent pas d'en
être capables et de posséder les qualitez necessaires pour y bien
reussir : cette verité peut être prouvée de trois maniéres différentes,

---

[1] Cf. s. Augustin, *Cité de Dieu*, XII, v. Sur l'influence augustinienne à la suite
de la traduction des *Confessions* par Arnaud d'Andilly (1650), voir L.
Timmermans, p. 212-213.
[2] Cf. s. Augustin, *Cité de Dieu*, XII, i.

la premiere par le titre de leur nature raisonnable et intelligente, la seconde par l'autorité de Dieu même, et en troisiéme lieu par celle des plus grands personnages de l'antiquité.

Ce seroit non seulement contrarier la raison, mais encore s'opposer à la creance* Catholique, de soutenir que la différence des sexes se trouve entre les ames aussi bien que dans les corps[1], puisqu'elles sont toutes également creées de Dieu et formées à son image et ressemblance. De sorte que d'y pretendre des distinctions, c'est se former des opinions extravagantes et corrompuës, puisqu'elles sont toutes les effets d'un même principe et les productions d'une puissance infinie. Aussi le Seigneur disoit à

[129]
Moïse lors que lui ayant commandé de parler au Roy d'Egypte, il s'excusoit sur l'empéchement de sa langue, *n'est-ce pas moy qui ay fait la bouche de l'homme, qui ay formé le sourd et le muët, le clairvoyant et l'aveugle, ils sont tous les ouvrages de mes mains*[2].

Il n'y a rien de plus assuré que le corps de la commune Mere du genre humain a été tiré du côté d'Adam et qu'elle est une partie de lui-même[3]. Qui pourroit donc douter de la sufisance et capacité du sexe, lequel ayant une même origine que les hommes tant pour l'ame que pour le corps, il leur est tellement égal en dignité que les femmes ont autant de droit d'aspirer aux belles connoissances qu'en peuvent avoir ceux du premier Sexe. Parce que l'intelligence naturelle qui tire son être de la raison, et la lumiere de la Foy qui se communique par la grace, leur sont egalement communes, à cause que ses bienfaits viennent immédiatement de Dieu, et du fond de leur nature qui est

---

[1] G. Suchon reprend un argument fréquemment invoqué par les apologistes du siècle précédent. Cf. Agrippa, *De nobilitate*, p. 96 : "Dieu très bon très grand [...] a créé l'homme à son image et l'a créé mâle et femelle : distinction de sexe qui ne consiste qu'en la situation différente des parties pour lesquelles la procréation exigeait une diversité. Mais il a attribué à l'homme et à la femme une âme identique et de forme absolument semblable, où la différence des sexes ne se manifeste nullement".

[2] Ex 4, 10-11.

[3] Gn 2, 21-23.

unique et de même espece dans les deux Sexes[1]. Or comme il n'y a
point d'être veritable qui ne possede la puissance d'opérer, autrement
il seroit oisif et inutile, parce que la puissance et l'opération étant
inséparables de la substance, l'on ne sçauroit disputer aux femmes
l'avantage des lettres. Et comme dit trés-sagement Seneque, les
semences de tous les ages, et de toutes les sciences sont cachées dans
nous-mêmes dés nôtre naissance, et Dieu ce grand Ouvrier et maître
Souverain augmente aprés les inventions et les arts par plusieurs et
differens moyens, afin que chacun travaille à se perfectionner selon
son talent[2]. Et les creatures raisonnables ne seroient pas dans la
perfection de leur être, si elles ne pouvoient agir selon leur nature qui
est intelligente et spirituelle.

Si les Anges ont l'esprit plus subtile et plus promt que les hommes,
c'est à cause de la noblesse de leur nature[3] ; mais dans l'humaine tous
les sujets sont égaux quant à la substance et aux qualitez propres qui
lui sont attachées : les hommes ne se pouvant jamais prevaloir de
leur capacité naturelle au préjudice des femmes, qui possedent non
seulement la raison et l'intelligence, mais encore la disposition des
organes qui contribuent beaucoup à la bonté de l'esprit. Et comme
il paroit aussi vif et penétrant en elles que dans ces maîtres du genre
humain, je ne vois aucune raison par laquelle l'on puisse justement
leur interdire l'étude

[130]

des sciences, si ce n'est qu'entre les hommes il s'en trouve qui sont si
depourveus de lumiére et si denués de capacité, qu'une seule pointe
de raison les distingue d'avec les brutes. Ce qui est si ordinaire dans
tous les états et conditions, que l'on ne sçauroit jamais soutenir le
contraire sans perdre la qualité de raisonnable. Comme aussi l'on ne
peut nier sans faire tort à la verité que dans tous les siecles il n'y ait
eu des femmes trés-habiles dans les sciences, adroites dans les arts,

---

[1] S. Augustin considère les hommes et les femmes égaux non par nature mais
en vertu de la Grâce départie par Dieu à chacun d'eux. Cf. *Confessions*, XIII,
xxiii, 33 ; *De genesi ad litteram*, XII, 42.

[2] *Des bienfaits*, IV, 6, 6.

[3] Notion tirée de s. Augustin, *Cité de Dieu*, XI, xii.

et intelligentes dans les affaires. Puisque sans parler de cette logique naturelle et de ce bon sens qui raisonne pertinemment sur toutes choses sans avoir aucune étude, qui sont des qualitez qu'une grand partie des personnes du Sexe possedent avantageusement, il semble que la delicatesse de leur tempérament est-tres propre à la subtilité de l'esprit. Puisque selon Aristote la chair molle, les cheveux doux et le tein blanc en sont des marques, et que leur facilité à bien comprendre les choses fait connoître la bonne disposition de leur cerveau, dont la substance mediocrement molle, claire et luisante sert beaucoup à recevoir les impressions des objets qui se presentent, et se les étant une fois imprimez les retient fortement[1].

Bien que tous ces raisonnemens fondez sur les choses naturelles et sur les proprietez de l'être, soient assez puissans pour prouver que les personnes du beau sexe sont capables de la connoissance des lettres : les paroles de dieu rendront cette verité encore mieux établie. *Le Seigneur créa l'homme*, dit le sacré texte, *et lui donna une aide semblable à lui[2], et les ayant pourveus d'yeux, d'oreilles, de langue, de conseil et d'un coeur pour penser, il les remplit de discipline et d'entendement, et leur crea la science de l'esprit leur donnant le bon sens pour connoitre les biens et les maux, et toutes les merveilles de ses oeuvres, afin qu'ils en pussent raconter les grandeurs, et que la loy de vie, de justice et de jugement leur servit d'heritage.* Aprés cét oracle divin ceux qui voudroient disputer aux femmes les qualitez necessaires pour s'addonner aux sciences, ne seroient pas moins ridicules que les insensez qui soutiendroient qu'elles sont depourveuës des sens corporels, dont elles ont un continuel usage aussi-bien que les hommes. Ces veritez sont exprimées en des termes si clairs que toute la critique des envieux ne les sçauroit jamais obscurcir. Ce sont des paroles qui

[131]

ne demandent pas l'explication des Doctes pour se faire entendre, elles portent l'intelligence avec les mots, et les lettres qui les composent leur servent d'interpretation. Le sens en est si naturel et

---

[1] Allusion à *De la physiognomonie*, 806b 4-24 ; 807b 12-17.
[2] Gn 2, 20-23.

intelligible, que ceux qui auroient la temérité de le contredire passeroient pour des gens sans esprit et sans jugement.

Les personnes du Sexe qui negligent les dons de Dieu, et ne s'appliquent pas aux belles connoissances dont elles sont capables, non seulement sont dignes de compassion ; mais encore meritent un rigoureux chatiment, à cause qu'elles ne recherchent pas la fin pour laquelle Dieu les a creées, occupant leur esprit à des bassesses qui lui sont tellement inférieures que jamais il ne les devroit considérer. Il faut bien qu'elles soient propres à des choses grandes, puisque le Sage nous assure, que *la sagesse marche toûjours avec les nobles et vertueuses femmes*[1]. Il semble que Dieu se plaint par son Prophete Ezechiel du tort qu'on leur fait de les priver des sciences lors qu'il dit ces admirables paroles, *pendant que vous beuvez les eauz trés-pures, vous les troublez de vos pieds, et mes brebis sont nourries du reste de vos patures. Elles boivent et mangent ce que vous avez laissé et troublé : je feray moy-même le jugement entre le betail gras, et celui qui est maigre et affamé*[2]. Quel est ce troupeau engraissé et bien nourri, sinon les sçavans et les Doctes qui se repaissent agréablement dans les sciences et se desalterent dans les fontaines des Ecritures, et dans celles des habiles gens qui les ont precedez : mais ils empéchent autant qu'ils peuvent que ces brebis maigres et languissantes, qui ne sont autres que les personnes du Sexe se puissent nourrir et engraisser de ces viandes delicieuses dont ils font si bonne chere, et ausquelles ils ne veulent pas qu'elles participent. Ils troublent les eaux trés-claires, et obscurcissent ces belles lumieres, pour leur en ravir l'intelligence.

Dieu qui connoît parfaitement l'incredulité du coeur des hommes, qui ne peut-être surmontée que par des preuves convainquantes, ne s'est pas contenté de l'autorité de ces divines paroles pour donner à connoitre le merite et la capacité naturelle des femmes : mais encore il a voulu laisser dans le livre de vie plusieurs exemples, qui font bien voir qu'il les a favorisées de science et même

---

[1] Adaptation de la notion exprimée dans Ecq. 1, 14 : la Sagesse est plantée avec chaque homme.
[2] Ez. 34, 18-20.

du don de prophetie. Marie soeur de Moïse a été une de ces illustres[1], puisque aprés le passage de la mer rouge

[132]

elle composa ce beau Cantique où elle chante les magnifiques bienfaits du Seigneur. Debora en a été une autre, parce qu'aprés la deroute de Sifara genéral de l'Armée du Roy de Chanaan, elle disoit hautement à la loüange de Dieu que les Roys et les Princes de la Terre m'ecoutent moy qui chanteray des Hymnes et des Pseaumes au Seigneur[2] : vous Israël qui avez volontairement presentez vos ames aux perils benissez son saint nom. Anne mere de Samuël ne composa-t'elle pas un admirable Cantique qui commence par ces paroles, mon coeur s'est réjoüit au Seigneur, il n'y a point d'autre Dieu que lui, il est uniquement saint et fort[3]. Celui de l'incomparable Judith aprés la défaite d'Holopherne et la delivrance de sa chere Bethulie, n'est pas moins digne d'admiration, parce qu'elle fait le recit des merveilles du tout puissant d'une maniere si eloquente, que l'on est facilement touché en le lisant[4]. L'Eglise dans ses divins offices se sert des ouvrages de ces sçavantes et habiles femmes, pour donner des loüanges à Dieu, et entretenir la devotion des peuples.

Dans le tems que Jeremie et Sophonias instruisoient ceux de Jerusalem et leur predisoient les malheurs dont ils étoient menacez, Oldam Prophetesse en faisoit autant de son côté. Et par l'ordre du Roy le grand Prêtre Helcias la fut consulter lors que l'on retrouva le livre de la loy dans le temple, pour apprendre ce qui devoit arriver des Propheties et menaces qui s'y voyoient écrites : elle les assura que tout s'accompliroit, à cause que les peuples avoient abandonné le service du vray Dieu et sacrifié aux Idoles des Etrangers[5]. L'exemple de la Reine de Saba qui fut attirée des extrémitez de la terre, plus pour entendre les paroles de Salomon, que pour voir les richesses et les mangnificences de sa Cour, nous fait bien connoître

---

[1] Ex 15, 20-21. Il s'agit de Miriam, la sœur d'Aaron.
[2] Jug. 4 et 5.
[3] 1 Sm. 1, 20 - 2, 10.
[4] Jud. 14.
[5] 2 Rs 22, 11-20.

la grandeur de son esprit, que l'Ecriture nous explique plus particulierement quand elle dit, que cette Princesse vint exprés pour éprouver le Roy par des questions difficiles à comprendre et pour lui découvrir ce qu'elle avoit sur le coeur. De sorte qu'aprés avoir éclairci ses doutes, et s'être renduë plus sçavante auprés de lui, elle se retira avec ces paroles en bouche, vôtre Dieu soit beni qui vous a mis sur le trône d'Israël, parce qu'il a aimé son peuple et qu'il vous a étably Roy pour regner avec équité et pour rendre la justice[1].

[133]
Il semble qu'aprés avoir prouvé que les personnes du Sexe sont capables de l'étude des sciences, tant par les principes de leur nature intelligente, que par l'autorité et les exemples de l'Ecriture sainte : Je ne devrois pas me mettre en devoir de chercher d'autre appuis pour fortifier cette proposition. Neanmoins comme les Peres de l'Eglise en sont les interpretes, je me serviray des sentimens des plus grands personnages de l'Antiquité pour l'établir encore plus fortement, et pour la rendre incontestable. Et comme pour faire parler tous ceux qui ont bien voulu favoriser cette cause trés-juste, il faudroit composer plusieurs grands volumes : je me serviray seulement de l'autorité de trois Docteurs de l'Eglise qui sont des plus anciens et des plus forts entre ceux ausquels elle donne cette grande et sublime qualité.

Le premier est saint Augustin qui égale les femmes aux hommes. Quand il dit, que nous sommes tous sortis des mains de Dieu ; et qu'encore qu'il aye ordonné la distinction des sexes quant au corps; il est pourtant trés-vray qu'à les considérer selon l'esprit il n'y a ni male ni femelle : non plus qu'on ne reconnoit parmi les Fideles ni les Juifs, ni les Grecs, ni les libres, ni les esclaves, qui sont des différences qui divisent la charité, sans marquer aucune diversité de nature[2]. Et quand il parle du Cantique d'Anne mere de Samuël que nous avons déja cité, il dit ces mots, qui est celui qui ne connoit pas

---

[1] 1 Rs 10, 1-9.
[2] *Confessions*, XIII, xxiii, 33. S. Augustin estime que la femme possède trois facultés intellectuelles : l'une passive (la mémoire), l'autre active, et la volonté. Cf. *De Genesi ad litteram*, XII, 42 et III, 22.

que les paroles de cette femme surpassent la mesure et la capacité de l'esprit humain[1]. Qui peut ignorer que par cette femme dont le nom s'interprete grace, la Religion Chrêtienne, la Cité de Dieu même de laquelle Jesus-Christ est le Roy et le Fondateur ne soit ainsi décrite par un esprit de Prophetie.

Saint Jean Chrysostome passe bien plus avant, quand il veut que les maris soient les écoliers de leurs femmes, il le faut entendre parler lui-même lors qu'aprés avoir invectivé contre les spectacles et les comedies il dit ces paroles, ce n'est pas assez de vous avoir montré vos playes, voyons maintenant le moyen de les guerir, où chercheray-je des remedes à vos maux, sinon de vous envoyer aujourd'huy à vos femmes, afin qu'elles vous instruisent elle-mêmes, au lieu que selon saint Paul, vous de-

[134]

vriez être leurs Maîtres. Mais puisque le peché a renversé cét ordre, que le corps a pris le dessus et la tête le dessous ; il faut user de cette voye pour rétablir toutes choses dans le bon état[2].

Qu'apprendrons-nous de saint Jerôme, que l'on peut justement nommer le Panegiriste du Sexe ; il ne faut que l'entendre parler pour en sçavoir mille belles choses. Ecrivant à sainte Demetrie Vierge pour l'avertir de se tenir sur ses gardes au sujet d'une Herésie, qui s'étoit élevée dans l'Eglise, touchant certaines questions curieuses, il dit qu'elle avoit receu de Dieu l'esprit d'intelligence en toutes choses et qu'elle n'avoit pas besoin de consulter aucun Docteur touchant cette herésie et d'autres encore plus dangereuses. C'est pourquoy il n'usoit point de défense auprés d'elle ; mais la prioit seulement de mettre en usage ses lumieres, pour ne point tomber dans l'erreur[3]. Combien de grandes choses ne dit-il pas de la science de sainte Marcelle, quand il nous assure, que les Livres d'Origene ne parurent pas si-tôt dans Rome, qu'elle s'opposa publiquement à ses fausses opinions ; bien que des Prêtres, des Solitaires et des personnes fort

---

[1] *Cité de Dieu*, XVII, iv.
[2] S. Chrysostome, Homélie VII, in *Matthieu*. Allusion à Ep. 5 : 22 ; Col. 3 : 18.
[3] S. Jérôme, *Lettres*, CXXX, 16.

considérables dans le siecle les eussent embrassées. Elle les fit condamner, produisant les témoins pour les convaincre, elle presenta divers exemplaires du Periarchon, elle écrivit plusieurs lettres pour les obliger à se venir deffendre ; ce que n'osant faire, ils aimerent mieux être condamnez que de se voir convaincus[1]. Et dans une lettre il lui mande, qu'étant toûjours occupée à la lecture des grands ouvrages, elle ne lui faisoit jamais de question qui ne lui donnât beaucoup de fatigue pour y répondre, et qui ne l'engageât à lire exactement l'Ecriture Sainte[2]. Il lui renvoye Pammaque l'un des premiers de Rome, pour avoir sa Traduction du livre de Job[3]. Et à un sien ami, il lui marque, qu'ayant écrit un livre des Hommes illustres depuis le tems des Apôtres, il se pouvoit addresser à la même sainte Marcelle, qui demeuroit au Mont Aventin pour l'avoir[4].

Ce grand et fort esprit n'a pas cru se trop abaisser de communiquer ses ouvrages à des femmes, comme font ceux d'apresent ; puisque même il les a preferées à plusieurs hommes qui passoient pour être des plus capables : c'est ce qu'il fit bien voir

[134]

quand il manda à l'un de ses plus familiers de parler à sainte Fabiole Romaine, pour avoir deux Livres qu'il lui avoit envoyez, afin qu'il en pût tirer des copies[5]. Il dedia ses Commentaires sur Ezechiel à sainte Eustochium, la priant de les avoir agreables, et de l'excuser d'avoir tant tardé, que plusieurs traverses qui lui étoient arrivées en étoient la seule cause : mais qu'enfin il les avoit achevez avec l'aide de la plume de ses écrivains, sans avoir eu qu'avec beaucoup de peine le loisir de les corriger[6]. Il lui dedia encore son Livre de la

---

[1] S. Jérôme, *Lettres*, CXXVII, 9-10.

[2] S. Jérôme, *Lettres*, XXIX, 1.

[3] Peut-être allusion à la lettre XLVIII, 4, dans laquelle s. Jérôme informe Pammaque qu'il a donné une traduction de Job, qu'il pourra emprunter un exemplaire à sainte Marcelle sa cousine.

[4] Il s'agit de Désidérius. Cf. S. Jérôme, *Lettres*, XLVII, 3.

[5] Il s'agit de Marcellin. Cf. *Lettres*, CXXVI, 2.

[6] S. Jérôme, *Commentaires sur le prophète Ezéchiel* in *Œuvres complètes*, trad. en français et annotées par l'Abbé Bareille, 18 vol., Paris, Louis Vivès, 1879, vol. VI, p. 424 : "Après avoir fini les dix-huit volumes d'explications sur Isaïe,

Virginité[1]. Et dans une lettre qu'il écrivit à saint Aselle fille de grande qualité, il lui manda qu'il s'étoit veu environné d'un nombre considérable de Vierges et de femmes, ausquelles il avoit souvent expliqué les livres sacrez : que cette lecture les avoit renduës assiduës auprés de lui, que l'assiduité avoit produit la familiarité, qui avoit fait naître la confiance, dont ses ennemis avoient pris occasion de le calomnier : mais que l'esprit, la science et la vertu ayant été les seuls motifs de ses conversations, il ne faisoit que du mépris de tous les discours des hommes[2]. Il dedia encore à cette même sainte Aselle la vie de saint Hilarion qu'il avoit écrite, et dans son avant-propos, il l'appelle la gloire et l'ornement des Vierges[3]. Ce ne seroit jamais fait, si l'on vouloit rapporter tous les Eloges que ce saint Docteur donne aux personnes du Sexe : mais comme j'en ay déja dit quelque chose, selon les sujets des chapitres precédens, et que dans ceux qui suivent j'en pourray encore parler; je mets fin à ce que j'en pourrois dire en cét endroit : étant d'ailleurs trés-persuadée, que l'estime et le suffrage de ce grand Homme en faveur du Sexe doit faire plus d'impression sur les esprits, que des volumes entiers de plusieurs personnes du commun.

L'autorité des Sages profanes n'est pas moins avantageuse aux femmes, que les autres que nous avons rapportées cy-dessus, et ceux qui voudroient soûtenir qu'elles manquent de capacité, à cause qu'elles sont empechées d'en donner des marques par l'étude et par

---

mon vif désir était pour remplir la promesse que j'avais souvent faite, et à vous-même, ô vierge du Christ Eustochium, et à la mémoire de votre mère Paule, de passer à Ezéchiel et de mettre, comme on dit, la dernière main à l'édifice des Prophètes".

[1] S. Jérôme, *Divus Hieronymus ad Eustochium de custodia* virginitatis, in *De Virginitate opuscula sanctorum doctorum, Ambrosii, Hieronymi, et Augustini*, Rome, 1562, p. 63. Cf. aussi Lettres, XXII, 2 et XLIX, 18.

[2] S. Jérôme, *Lettres*, XLV.

[3] S. Jérôme, *Vie de s. Hilarion*, Paris, 1829, p. 5 : *À Sainte Aselle, vierge*. "Vertueuse Aselle, l'ornement et la gloire des Vierges, souvenez-vous de moi, je vous prie, en vos saintes oraisons. Entreprenant d'écrire la Vie du bienheureux Hilarion j'invoque le Saint-Esprit dont il était rempli, afin que celui qui l'a comblé de tant de vertus m'assiste pour les raconter dignement, et égale mes paroles à ses actions".

l'exercice, seront bien-tôt condamnez par le Philosophe Romain, qui nous assure que celui-là ne laisse pas d'être bon Artisant, lequel parcequ'il manque d'instrument ne peut exercer son métier : qu'un homme n'est pas moins éloquent pour être contraint de se taire, ni vaillant encore qu'il

[135]

ait les mains liées, ni bon Pilotte, bien qu'il soit en terre-ferme : parce qu'ils n'ignorent rien de ce qui appartient à la perfection de leurs Sciences et de leurs Arts, encore qu'ils ne soient pas dans la puissance de les exercer et de les mettre en pratique[1]. Plutarque parle du Sexe en des termes si avantageux, que l'on ne sçauroit rien s'imaginer de plus pressant. La vertu est toûjours une même, dit ce Philosophe, bien que les objets qu'elle regarde et les sujets qui l'exercent soient differens ; c'est par cette raison que ce seroit une chose trés-pernicieuse d'oublier ou mépriser les femmes, lesquelles pour leur esprit et merite doivent être en perpetuelle memoire dans le souvenir des hommes qu'elles ont souvent égalez en Science ; et même il soûtient que les Vers de Sapho ne cedent en rien à ceux d'Anacreon, que la prudence de Tanaquil n'étoit pas inférieure à celle du Roy Servius, que la constance et magnanimité de Porcie et de Timoclée, étoit égale à celle de Brutus et de Pelopidas, et enfin que la magnificence de la Reyne Semiramis avoit un air aussi grand que celle du Roy Sesostris[2]. Il veut encore que les maris servent de Regent, de Precepteur et de Maître à leurs femmes, pour les rendre habiles et sçavantes dans la Philosophie et dans toutes les grandes et belles connoissances[3].

Diotime et Aspasie n'ont-elles pas été introduites dans les disputes de Socrates chez Platon, qui confesse en avoir appris

---

[1] Peut-être souvenir de *Épîtres à Lucilius*, LXXXV. Sénèque soutient que "ce qui est nuisible à une chose ne la rend pas nécessairement mauvaise. [... Ainsi] la tempête ne diminue rien de l'art du pilote, ni de l'exercice qu'il en fait" (in *Œuvres complètes*, p. 716).

[2] Plutarque, *Œuvres morales & meslées*, 243 a-d.

[3] Plutarque, *Œuvres morales & meslées*, 145b-c.

beaucoup de choses[1]. Et dans leurs conférences Diotime l'ayant prié d'apporter toute l'attention de son esprit à ce qu'elle vouloit dire, elle lui enseigna que l'amour consiste et s'occupe à contempler ce qui est beau, et lui fit connoître à la fin de son discours qu'elle parloit d'une beauté perpetuelle, qui n'est point sujette au changement[2]. Aspasie fut fort frequentée de Pericles, comme étant une femme éclairée et sçavante ; et ce sage Prince qui étoit trés-habile dans les sciences, tiroit beaucoup d'avantages des entretiens qu'il avoit avec elle. Plusieurs autres grands Hommes la frequentoient souvent, et menoient avec eux leurs femmes pour l'entendre parler et apprendre d'elle la Rethorique et la Philosophie[3].

L'on ne sçauroit disputer que la perfection du bon sens ne se trouve plûtôt dans les personnes du Sexe que dans les hommes, et que c'est par cette raison que les loix leur accordent de tester

[136]
à l'âge de douze ans, ce qui n'est permis aux hommes qu'aprés quatorze[4]. Et autrefois parmi les Romains, on leur donnoit le nom huit jours aprés leur naissance, pendant qu'il en faloit neuf pour le donner à ceux de l'autre Sexe, à cause qu'elles croissent plûtôt, et arrivent plus promptement à leur maturité[5]. Elles ne sont pas traitées injustement par toutes sortes de personnes ; puisqu'il s'en trouve quantité de raisonnables, aussi bien parmi les modernes qu'entre les anciens, qui leur rendent justice et ne veulent pas qu'on leur dispute la beauté de l'esprit, la vivacité de l'imagination, la force de la memoire, l'éloquence sans art et sans peine. Ils assurent que la nature leur est si favorable qu'elle leur donne libéralement ce que les hommes ne peuvent avoir qu'avec beaucoup de travail et d'étude :

---

[1] *Diotime*. Platon, *Banquet*, 201d ; *Aspasie*. Platon, *Ménexéne*, 236 sq.
[2] *Banquet*, 201f-212a.
[3] Plutarque, *Périclès*, XLVI.
[4] Il fallait atteindre la majorité pour jouir du droit de tester. Suivant la Coutume de Beauvoisis la minorité des filles cessait à douze ans, celle des garçons à quinze ans accomplis. Mais il y avait sur ce point des variétés infinies entre les diverses coutumes.
[5] Plutarque, *Quaestiones Romanae*, CII.

que l'on ne peut leur dénier la prudence du jugement, et que c'est une cruauté de leur défendre les Sciences, puisqu'elles en sont capables aussi bien que les hommes : et qu'étant obligées de vivre, selon la droite raison comme eux, elles sont obligées d'avoir les mêmes connoissances : que c'est une extrême lâcheté à elles de s'en priver par la crainte de violer une mauvaise coûtume: que les choses hautes et relevées ne sont difficiles, qu'autant qu'elles demeurent en elles-mêmes : et qu'une ame excellente ne peut rien de plus grand que les autres, si elle n'est instruite et exercée ; mais si-tôt qu'elle méprise les choses communes et ordinaires, c'est alors qu'elle a des connoissances plus élevées et qu'elle tient des discours qui ne sont pas vulgaires et connus de tout le monde.

Les personnes du Sexe ne pourront jamais se relever de cette injuste privation qu'elles endurent, si elles ne travaillent à détruire l'ignorance, que l'on veut leur rendre inséparable, et comme toutes les choses qui ne sont pas usitées, encore qu'elles soient trés-bonnes et trés-justes, surprennent les foibles et irritent les mal-intentionnez: les chauve-souris ne pouvant supporter la lumiere du jour, qu'elles répondent à ceux qui n'approuvent jamais ce qui les surpasse, et qui taxent* toûjours d'extravagance les choses qui ne sont pas de la regle commune ou plûtôt qui s'opposent aux mauvaises coûtumes, qu'elles veulent bien être folles de la maniére qu'en parle le Prince des Philosophes, quand il soûtient, qu'il n'y eut jamais de grand esprit

[137]
qui n'ait eu un grain de folie[1]. Et que son maître Platon assure, qu'étant dans un sens froid et rassis, il ne pouvoit jamais ouvrir les portes de la Poësie[2]. Qu'elles acceptent de bon coeur ces extravagances judicieuses et brillantes, pendant qu'elles laissent aux

---

[1] Aristote, *Problèmes*, 953a. À l'époque, l'hystérie (causée par la prédominance de la bile noire) est interprétée en fonction des sexes. Voir L. S. Dixon, *Perilous Chastity. Women and Illness in Pre-Enlightment Art and Medicine*, Ithaca & London, 1995, ch. VI, "Melancholic Men and Hysterical Women. The Sexual Politics of Illness".

[2] *Phèdre*, 245a. Sans doute G. Suchon s'inspire-t-elle de Sénèque. On retrouve ces deux exemples dans *De la tranquillité de l'âme*, XVII, 10.

le saint Esprit blâme, quand il dit ; que le nombre des fols est infini.
En un mot, qu'elles aiment mieux être spirituelles et censurées, que
d'être rampantes et avoir l'approbation des hommes.

MADAME DE PRINGY

Mme de Pringy est la fille de M. de Marenville, garde du trésor de la Chambre des Comptes de Paris. Elle a été mariée en premières noces à M. le Comte de Pringy, en secondes à M. d'Aura, seigneur d'Entragues, d'une illustre maison de la Haute Auvergne[1]. Entre 1694 et 1707 elle s'est essayée à des genres divers (portrait, roman, récit biographique, réflexions morales, discours, traité) et a publié six ouvrages : *Les differens caracteres des femmes du siecle, avec la description de l'amour propre, contenant six caracteres et six perfections* (A Paris, chez la Veuve de Charles Coignard et Claude Cellier, 1694)[2] ; *Junie, ou les sentimens romains* (Paris, 1695), ouvrage attribué parfois à Lesconvel ; *L'amour à la mode, satyre historique* (Paris, 1695) ; *À la Gloire de Msgr le Dauphin. Discours academique sur son retour d'Allemagne*, paru dans *La nouvelle Pandore* (Paris, 1698) ; *Critique contre la prevension* (Paris, J. Musier, 1702) ; *La vie du Pere Bourdaloue de la Compagnie de Jesus* (Paris, 1705) ; et un *Traité des vrais malheurs de l'homme* (Paris, 1707).

Mme de Pringy ne pratiquait pas la littérature pour occuper ses loisirs comme le faisaient nombre de ses contemporaines. Son abondante production, le fait aussi qu'elle ait concurru à des prix académiques (*Discours academique sur son retour d'Allemagne*) témoignent d'une véritable vocation d'écrivain. L. Timmermans a noté l'entrée massive des femmes en littérature dans la seconde moitié du dix-septième siècle et tout particulièrement l'émergence de la femme auteur, qui explique peut-être la soudaine vogue de ces "dictionnaires de femmes" dans lesquels sont répertoriés les noms de celles qui ont fait quelque ouvrage, i.e. *Le dictionnaire des Précieuses* du sieur de Somaize (1661), *Le cercle des femmes sçavantes* de Jean de La Forge (1663), *La Nouvelle Pandore, ou les Femmes illustres du siecle de Louis le Grand* de Claude-Charles

---

[1] Sur la biographie de l'auteur, voir J. M. Quérard, *La France littéraire, ou dictionnaire bibliographique* ..., Paris, 1827-1864.

[2] Une seconde édition est parue en 1699.

Guyonnet de Vertron (1698), etc. L'activité littéraire de Mme de Pringy semble se terminer aux environs de 1707, date qui correspond à peu près à celle de son second mariage avec le seigneur d'Entragues (1709). À l'époque, il est peu séant, pour une dame de condition, d'exercer un métier, d'autant plus celui d'écrivain, et de publier ses écrits. *Les differens caracteres* comporte une épître dédicatoire à la t*res-haute et tres-puissante* amie, Marie d'Orléans, duchesse de Nemours, qui vise à légitimer l'entrée en littérature et le passage à la publication.

Au cours de sa longue carrière, Mme Pringy s'est montrée sensible aux changements de goûts de son public. Elle n'hésite pas à manier une grande variété de styles, de techniques et de genres. Elle a subi fortement l'influence de La Bruyère. Dans le passage reproduit ici, on verra qu'elle fait sienne aussi plusieurs réflexions de Poullain de la Barre, ardent défenseur du beau sexe. Il avait publié une vingtaine d'années plus tôt *De l'égalité des deux sexes* (1673) et (1679) et *De l'éducation des Dames* (1674) et (1679), deux ouvrages qui connurent un retentissement profond dans l'histoire du féminisme.

Les differens caracteres contiennent une série de portraits satiriques dans lesquels coquettes, bigotes, spirituelles, économes, joueuses, plaideuses y trouvent leur compte. La censure est l'occasion de donner à chacune les moyens de corriger ses défauts, d'"inspirer à chaque état le juste sentiment de se blamer". En réalité, Mme de Pringy dénonce les défauts des unes pour mieux mettre en valeur les qualités des autres, d'où le titre *six caracteres six perfections*. L'ouvrage s'organise de la manière suivante :

Partie I

Ch. 1 : Le caractere des Coquettes	Ch. 2 : La modestie
Ch. 3 : Le caractere des Bigotes	Ch. 4 : La pieté
Ch. 5 : Le caractere des Spirituelles	Ch. 6 : La science
Ch. 7 : Le caractere des Economes	Ch. 8 : La regle
Ch. 9 : Le caractere des Joueuses	Ch. 10 : L'occupation
Ch. 11: Le caractere des Plaideuses	Ch. 12 : La paix

Partie II

Description de l'amour-propre ; passion dominante des femmes

Les chapitres reproduits ici (Partie I, ch. 5 & 6, p. 75-107) s'inspirent de la méthode cartésienne adoptée par Poullain de la Barre, qui consiste à passer au crible de la raison tous les préjugés antiféministes. D'un intérêt tout particulier est le passage concernant les plaisirs intellectuels qui n'est pas sans rappeler l'*Epistre dedicatoire* de Louise Labé.

Nous nous servons ici de la seconde édition augmentée publiée à Paris, chez Médard-Michel Brunet en 1699. Notre texte est basé sur l'exemplaire de la Bibliothèque Nationale coté R. 21595 qui est à présent sur microfiche m. 21505.

LES DIFFERENS// CARACTERES// DES FEMMES DU SIECLE,// AVEC// LA DESCRIPTION// DE L'AMOUR PROPRE,// contenant six Caractères & six Perfections.// Par Madame de Pringy.// Seconde Edition augmentée.// fleuron// A Paris au Palais,// Chez Medard-Michel Brunet,// M. DC. XCIX.// AVEC. PRIVILEGE DU ROY.

LES DIFFERENS CARACTERES DES FEMMES DU SIECLE

(1699)

LES SPIRITUELLES

CHAPITRE V

[f. G ij]
Une femme qui se pique d'esprit, est insupportable pour la société, parce qu'il est rare d'en trouver de ce caractére qui soit exempte d'une injuste

[f. G ij v°]
prévention, dont je vais faire le détail.

La plus coquette est moins charmée de sa beauté, que la moins spirituelle ne l'est de son genie. C'est un mépris universel qu'elle a pour toutes les creatures ; il semble qu'elle confonde l'homme avec les animaux, du moment que sa raison n'est pas accompagnée d'un bel esprit ; et elle vit dans un éloignement du sens commun par la gloire, où l'éleve ce prétendu bel esprit, qui fait

[f. G iij]
qu'elle devient autant insupportable aux autres, que les autres luy paroissent insuportables à elle-mesme. Une femme que ses lumieres aveuglent, est si loin de la verité, qu'il ne faut pas s'estonner si les plus sages la fuyent, et si les moins timides la craignent. Car elle n'est capable que de donner de belles couleurs au mensonge, et de faire le mal avec plus de subtilité. En voicy la raison. Une femme effleure les sciences et ne les approfondit jamais.

[f. G iij v°]
Elle reçoit l'éloquence naturellement, et la met en usage sans se servir des regles qui nous asseurent de la suivre. Elle s'attache aux Auteurs qui donnent le plus dans son sens, sans s'embarasser de choisir ceux dans le sens desquels il faut donner pour estre habile. Elle noüe une societé de gens qui passent pour gens d'esprit ; parce qu'ils sçavent mieux que d'autres applaudir au defaut des Grands et aux erreurs des femmes. Elle s'applique à censurer les

[f. G iiij]
ouvrages, comme si la censure n'estoit pas un droit de l'excellence, dont le plus habile homme à peine est capable. Elle étudie ses mots ; car le terme fait tout à la chose auprés d'elle ; toute l'érudition ne sçauroit luy plaire sans politesse ; parce que la sagesse et la verité n'est pas son étude, mais la delicatesse et l'usage : et pourvû qu'elle observe une pureté d'expressions laquelle l'exempte de pecher contre les loix du beau langage, elle se repose du

[f. G iiij v°]
surplus, et ne s'embarasse gueres de penser comme une autre ; pourvû qu'une autre ne parle pas comme elle. Le desir qu'elle a de paroistre habile est un obstacle à le devenir : car il faut beaucoup de peines et de temps caché, pour acquerir un merite éclatant et approuvé ; et les femmes aiment mieux perdre le temps sans peine, que de cacher la peine et le temps pour acquerir la vertu. C'est pourquoy leur plus beau talens d'esprit est la conversation ;

[f. G 5]
c'est-là où le desir qu'elles ont de paroître éclate, et où elles répandent dans chaque esprit quelque defaut du leur : car elles font une course de genie dans une aprés midy de temps ; elles passent de la doctrine aux mœurs, de l'usage à l'opinion, du serieux à l'enjoüement, du solide à la bagatelle, et elles traitent en deux heures de tous les interests de l'Europe, sans en avoir connu pas un; on épuise les matieres sans les avoir touchées ; on offense la raison

[f. G 5 v°]

en voulant raisonner : on a un tissu de pensées qui fournissent des mots pour remplir le temps, et on se contente en faisant couler quantité d'expressions sur des choses inconnuës. L'usage fait que la politesse cache une partie de l'ignorance, et qu'un adulateur satisfait et prévient par son encens; on ne le distingue plus de l'homme équitable ; on se repose sur une dangereuse approbation, ne consultant point la science qui peut éclairer. Les fausses

[f. G 6]

lumieres qui ébloüissent, font un si beau jour et si facile, que l'amour propre prend soin de le conserver, et l'on se croit élevé à des connoissances, dont à peine le nom demeure dans la memoire.

Voilà l'usage des femmes spirituelles ! Une grande idée d'esprit qu'elles ont dans l'imagination. Ce n'est point une connoissance, une regle, ni un sçavoir, c'est une idée ; c'est-à-dire, une spacieuse étenduë qui comprend toutes les grandes choses.

[f. G 6 v°]

Un vaste lieu en elles-mêmes, où elles imaginent voir l'assemblage de toutes les differentes beautez de l'esprit. Elles font un mélange confus de tout ce qu'elles sçavent, et cet amas de sciences imparfaites remplit leur cœur, aussi injustement que leur esprit. L'opinion gaste la volonté, et le déreglement du cœur fixe les erreurs de l'esprit, et ne luy permet plus de changer.

Quand une femme est parvenuë à ce malheur, il est presque impossible de

[f. G 7]

la conduire à la verité. Elle ne voit toutes les choses de l'esprit qu'au travers de son goût. Elle condamne ou elle approuve, selon que ce mesme goût est flatté par le sujet qu'elle examine ; et puis elle regle la bonté de son jugement sur le jugement de ceux qui ont trop de bonté pour elle ; et par cette injustice elle s'écarte de plus en plus de la verité. Car ses lumieres trompées par elle-même dans leur principe, la trompent toûjours dans leurs effets. Le soin qu'el-

[f. G 7 v°]

le se donne d'augmenter cette capacité erronnée, ne sert qu'à
l'aveugler davantage.

Chaque image qu'elle apperçoit, chaque idée qu'elle se
forme, chaque opinion qu'elle reçoit, sont autant de nouveaux
obstacles à la verité, qu'elle se propose et qu'elle ignore. Il arrive en
elle d'une suite necessaire, qu'elle n'a plus les facultez de l'esprit
libres d'agir, qu'en faveur des faux principes qu'elle a receus ; parce
que l'esprit a des actions d'ha-

[f. G 8]

bitudes; il n'est pas toûjours dans l'examen où le doute le conserve;
il passe outre, quand affermi sur l'opinion qu'il a connuë, examinée
et reçuë, il se porte aprés déterminement à tout ce qui suit, ou qui se
rapporte au principe qu'il a choisi ; et c'est ce qui fait que les esprits
sont si differens et si asseurez dans chaque caractére, parce qu'ils ne
font plus que suivre une proposition approuvée, qui regle les
differentes opinions que les sujets fournissent.

[f. G 8 v°]

Quand un homme qui consulte la verité croit la trouver, il se
fixe et se détermine. Il ne sort plus de ce point ; il doute de tout le
reste et ne s'asseure que par rapport au point qui l'a fixé, auquel il
croit la verité attachée, et c'est ce qui la rend juste dans les suites, en
cas qu'il ne soit pas trompé dans son choix. Car il ne se détourne
point de son premier principe, il est toûjours le même ; c'est un
sentiment uniforme qui le conduit sur toutes choses. Il connoît
bientôt que le

[f. H]

fruit de sa peine est une lumiere sans ombre, qui l'exempte de toutes
les taches de l'erreur ; mais la mesme raison qui fortifie ce bon
genie, fortifie aussi le mauvais.

La stabilité est la suite d'une opinion que l'on aime, et les
femmes qui se determinent avec bien plus de facilité que les
hommes, sont plus sujettes aussi à s'éloigner de la verité : elles

prennent parti sans raisonner, et n'ont pas plûtôt suivi leur penchant, que ce mesme penchant

[f. H v°]
fait toutes leurs lumieres, et les entretient dans cette erreur de choix, qu'elles ignorent plus que personne. Elles manquent par une vivacité, qui les fait déterminer sans refléchir, et cette premiere faute où l'ignorance les fait tomber, est la source de tous ces égaremens de raison ou de sens commun qu'elles ont sur toutes choses, et qui les rend insupportables. Car elles ne sont pas assez maîtresses d'elles-mesmes pour se corriger ; leur connoissance seduite par l'opinion

[f. H ij]
ne se rend pas au soin des amis, aux avis des bons Auteurs, ni mesme aux premieres teintures qu'elles ont de changer. L'habitude de l'opinion est plus forte que toutes les passions ensemble, il faut un effort surnaturel, pour ramener à la verité un esprit gâté par de faux principes qui luy plaisent. Une femme de qui l'esprit n'est pas juste, change les objets de nature et de place, il faut que la verité se tourne pour qu'elle la voye droite. Car elle n'apperçoit rien qu'au

[f. H ij v°]
travers des ombres qui la trompent, et qui font qu'elle trompe les autres, parce qu'elle insinuë ses fausses lumieres, et se sert de couleurs vives pour les faire sentir aussi justes qu'elle les conçoit.

Les hommes sont exemts de cet écüeil ; mais les autres femmes de qui l'aveuglement fait chercher les lumieres, s'aveuglent davantage en voulant s'éclairer, et donnent dans le piege des spirituelles, qui est de s'admirer en se trompant, et de tromper ceux

[f. H iij]
qui les admirent. Leur connoissance confuse, la facilité qu'elles ont à se porter aux choses élevées, et le desir de paroître habiles, sont les causes de leur ignorance ; elles se font des cbstacles qui leur rendent la science beaucoup plus necessaire et plus facile.

LA SCIENCE

CHAPITRE VI

[f. H iij v°]
L'esprit est de tout sexe[1]. L'ame est un estre spirituel
également capable de ses operations dans les femmes comme

[f. H iiij]
dans les hommes. Et si les hommes sont destinez à des emplois
laborieux pour lesquels il faut de la science et de l'application, les
femmes que l'usage a exclu de ces emplois avec justice, leur
delicatesse ne permettant pas qu'elles en pussent soûtenir le poids, ne
sont pas exclües de l'érudition. Car la science est necessaire à tout le
monde[2], et ceux qui en sont gâtez[3], le seroient beaucoup plus par[4]
leur ignorance qu'ils ne le sont par ses lumieres[5]. Si un demi-

[f. H iiij v°]
sçavant prend de la vanité pour peu de choses, un ignorant en prend
pour rien, et celuy qui est capable de superbe sans rien sçavoir, se
croiroit un Ange s'il sçavoit quelque chose. Tout ce qu'il apprend

---

[1] Comparer à Poullain de la Barre, *De l'égalité des deux sexes*, deuxième
partie, p. 59 : "Il est aisé de remarquer, que la différence des sexes ne regarde
que le corps : n'y ayant proprement que cette partie qui serve à la production des
hommes ; et l'esprit ne faisant qu'y préter son consentement, et le faisant en tous
de la mesme maniere, on peut conclure qu'il n'a point de sexe. Si on le considere
en luy-même, l'on trouve qu'il est égal et de mesme nature en tous les hommes, et
capable de toutes sortes de pensées ; les plus petites l'occupent comme les
grandes".
[2] Cf. *De l'égalité des deux sexes*, deuxième partie, p. 72 : "En effet nous avons
tous hommes et femmes, le mesme droit sur la verité, puisque l'esprit est en tous
également capable de la connoistre [...] Ce droit [...] naist de ce que nous en avons
tous autant besoin les uns que les autres[...]"
[3] 1694 : qu'elle gâte.
[4] 1694 : de.
[5] Cf. *De l'égalité des deux sexes*, p. 74 : "D'où vient que quelques sçavans
sont vicieux [...]".

contribüe bien moins à sa perfection qu'à son orgüeil; c'est pourquoy la premiere marque d'une personne habile est avant que de rien sçavoir, de sçavoir bien qu'elle ne sçait rien et de desirer sçavoir beaucoup[1].
Quand ces dispositions-là

[f. H 5]

se trouvent dans une personne qui veut se donner une application serieuse et prendre l'étude à cœur, elle s'aperçoit bien-tôt, par le plaisir qu'elle prend dans la peine qu'elle se donne, de la necessité dont est la science pour sa perfection. C'est pourquoy quelque laborieuse que soit l'étude elle ne s'en rebute point, pourvû qu'elle s'instruise elle est contente. Est-il rien de plus capable de satisfaire l'esprit que de luy donner les moyens de s'assurer sur ce

[f. H 5 v°]

qu'il pense et de deliberer seurement dans ses opinions? Entre mille idées confuses qui se présentent à luy sur un mesme sujet, démêler sans se tromper la plus juste et la plus raisonnable, ne point confondre le vray et le faux et par des principes qui le reglent, se mettre à l'abri de l'erreur. Quelle joye de voir le partage de tous ces bons sentimens quoique opposez que les anciens ont laissez pour modéle, et de s'exercer l'esprit sur les tresors des plus beaux esprits

[f. H 6]

du monde[2]. Avoir la liberté de choisir dans des sentimens parfaits celuy qui nous est le plus agreable et faire de l'antiquité la plus éloignée un plaisir toûjours nouveau pour nôtre imagination, pouvoir contribuer à regler sa conduite en satisfaisant sa curiosité, et mettre

---

[1] Cf. *De l'égalité des deux sexes*, p. 74 : "Il n'y a que la fausse science capable de produire un effet si mauvais. On ne peut apprendre la véritable, sans en devenir plus humble, et à se convaincre de sa foiblesse, que de considerer tous les ressorts de la machine [...]"

[2] Cf. *De l'égalité des deux sexes*, p. 72 : "[I]l n'y a que les idées de la verité, qu'on se procure par l'étude [...] qui puissent faire la vraye félicité de cette vie [...] le bonheur consiste principalement dans la connoissance de la verité [...]"

par l'intelligence de nos ancestres un ordre à nos pensées et à nos discours, aussi juste que la raison en met à nos actions.

Franchement celuy qui néglige la science est bien

[f. H 6 v°]

prés d'abandonner la raison, et du dégoût des justes regles de la Philosophie, il n'y a pas loin à la perte du sens commun[1]. Car le moyen d'estre habile par ces vapeurs de vivacité qu'un sang boüillant donne dans certaines occasions, où la disposition des organes, jointe à la passion qui nous anime, nous fait trouver de bonnes choses, les exprimer justes et qui jugeroit de nous sur cet essay, nous croiroit doctes, pendant que nous n'avons en-

[f. H 7]

core que les moyens de le devenir. Non! on a beau avoir le plus beau naturel du monde, il faut les couches de la science pour en faire un portrait aimable, et quelque bel esprit dont la nature nous ait favorisé, il n'est jamais naturellement tout ce qu'il peut estre avec les sciences. Quelquefois mesme un sçavant d'un genie fort inferieur est capable de l'effacer sans ressource ; parce qu'il est vray que celuy, qui n'a pas des régles seures pour l'action

[f. H 7 v°]

de l'esprit, perd la verité aussi facilement qu'il la trouve, le tout par hazard. C'est pourquoi les femmes qui sont plus capables par la vivacité qu'elles ont à s'élever aux choses les plus sublimes, et plus sujettes par le changement à quitter la verité quand elles l'ont une fois atteinte, ont plus besoin de sciences que tout autre pour élever leurs lumieres avec ordre, et les fixer avec asseurance. Il faut chercher le plan d'érudition le plus approuvé, s'ar-

---

[1] Cf. *De l'égalité des deux sexes*, p. 77 : "Mais pour les avantages de l'esprit [....] chacun a droit sur tout ce qui est du bon sens ; le ressort de la raison n'a point de borne ; elle a dans tous les hommes une égale juridiction [...]"

[f. H 8]

rester à ses régles pour conduire nos connoissances et lorsque par des maîtres que tout le monde approuve on s'est instruit sur toutes choses, il ne faut pas croire en sçavoir assez. C'est ignorer le point de la science parfaite que de se reposer dans le chemin de la verité, à peine la vie d'un homme suffit-elle pour sçavoir ce qu'un enfant ne devroit pas ignorer ; on se lasse au lieu de s'animer, la vanité nous fixe et souvent une approbation nous fait negliger par orgüeil le

[f. H 8 v°]

travail de nostre perfection. Nous en demeurons à ces premieres teintures du sçavoir et sans nous échauffer du desir que les lumieres de l'esprit ont droit d'inspirer, nous en demeurons au point des demi-sçavans, qui est de paroître beaucoup. Cependant il est peu de ces genies élevez, de ces esprits au-dessus du commun qui tombent dans cette non-chalance, un mouvement plus noble les enleve à la vanité et ce qu'ils sçavent, leur sert d'éguillon pour ap-

[f. I]

prendre. Vous les voyez quoique fixes aux sentimens des meilleurs auteurs s'instruire avec tous les autres et sans se broüiller par la diversité des opinions, s'affermir dans la plus juste qu'ils ont préferée, et faire servir toutes les oppositions à la gloire de la verité. Pour sçavoir beaucoup, il faut s'aimer peu, et ne se point consulter, l'amour propre s'oppose à la peine, et l'opinion à la verité, tout nous doit estre suspect, quand c'est nous qui l'inventons

[f. I v°]

et qui le jugeons[1]. Je ne dis pas qu'il faille se soûmettre à toutes sortes de jugemens plus facilement qu'au nôtre ; mais le nôtre nous doit toûjours faire trembler dés qu'il n'est pas directement conforme aux anciens et aux modernes d'une excellente raison. C'est pourquoy vous voyez que ces personnes élevées, ces esprits sublimes qui se

---

[1] À la suite de Descartes, Poullain de la Barre, quant à lui, conseille de douter de tout et de faire table rase des idées reçues. Cf. *De l'égalité des deux sexes*, première partie et seconde partie, p. 106 sq.

PRINCIPAUX ÉCRITS SUR LA QUESTION FÉMININE
(XVᵉ-XVIIᵉ siècle)

1404/5   Christine de Pisan, *Livre de la Cité des Dames* (BNF fr. 607), traduit en flamand, sous le titre de *Stede der Vrouwen*, pour Jan de Baenst en 1475, puis en anglais par Brian Anslay en 1521.

1485   Martin Le Franc, *Le champion des dames* (écrit en 1442), Lyon (réédité à Paris par Galliot du Pré en 1530).

1490   Ferdinand de Lucenne, *Le triumphe des dames* (trad. de Juan Rodriguez de La Cámera, *Triunfo de las Donas* [c. 1440]), Paris, Pierre Le Caron.

1493   Laurent de Premierfait, *De la louenge et vertu des nobles et cleres dames* (trad. de Boccaccio, *De claris mulieribus* [1361/62]), Paris, Anthoine Vérard.

c.1500   Jehan Marot, La vraye disant advocate des Dames (BNF fr. 1704), imprimé à Paris aux environs de 1529.

1503   Symphorien Champier, *La nef des Dames vertueuses*, Lyon, J. Arnollet.

1504   Antoine Dufour, *Les vies des femmes celebres* (ms. du Musée Dobrée, Nantes).

1516   *Dialogue apologetique excusant ou defendant le devot sexe feminin*, Paris, s.n. d'imprimeur.

1521   Ravisius Textor, *De memorabilibus et claris mulieribus aliquot diversorum scriptorum opera*, Parisiis ex aedibus S. Colinaei.

1523   Pierre de Lesnauderie, *Louange de mariage et recueil des hystoires des bonnes, vertueuses et illustres femmes*, Paris, chez François Regnault.

1529   Heinrich Cornelius Agrippa, *De nobilitate et praecellentia foeminei sexus*, Antverpiae, M. Hillenius (trad. fr. par Galliot du Pré, Paris, 1530).

1534   Jehan du Pré, *Le Palais des nobles Dames*, Lyon, [Pierre de Sainte-Lucie].

1534   Gratian Du Pont, seigneur de Drusac, *Les controverses des sexes masculin et femenin*, Toulouse, Jacques Colomiés.

232 ÉCRITS SUR LA QUESTION FÉMININE

1536   Jean Bouchet, *Le jugement poetic de l'honneur femenin et sejour des illustres et claires dames*, Poitiers, E. de Marnef.

1539   Hélisenne de Crenne, *Les epistres familieres et invectives*, Paris, chez Denis Janot.

1541   François Habert, *Le jardin de foelicité avec la louënge et haultesse du sexe feminin en ryme françoyse*, Paris, par Maistre Pierre Vidoue.

1542   Bertrand de la Borderie, *L'Amye de Court*, Paris, chez Gilles Corrozet.

1542   Charles Fontaine, *La Contr'Amye de Court*, Paris, par Adam Saulnier.

1542   Antoine Héroët, *La parfaicte Amye*, Lyon, par P. de Tours.

1551   Denis Sauvage, *Des Dames de renom* (trad. de Boccaccio, *De claris mulieribus* [1361/62]), Lyon, chez Guillaume Rouille.

1551   *La louenge des femmes*, Lyon, chez Jean de Tournes.

1553   Guillaume Postel, *Les tres merveilleuses victoires des femmes du nouveau-monde*, Paris, chez Jehan Ruelle.

1553   Charles Estienne, *Paradoxes*, "Pour les femmes". Declamation XXIII. "Que l'excellence de la femme est plus grande, que celle des hommes", in Marie de Romieu, *Premieres œuvres poetiques*, Paris, chez Lucas Breyer, 1581.

1553   Claude de Taillemont, *Discours des Champs faëz, à l'honneur, et exaltation de l'Amour, et des Dames*, Lyon, chez Michel du Bois.

1553   François de Billon, *Le fort inexpugnable de l'honneur du sexe femenin*, Paris, pour Jean Dallyer.

1555   Louise Labé, *Œuvres* ("A.M.C.D.B.L."), Lyon, chez Jean de Tournes.

1564   Jean de Marconville, *De la bonté et mauvaistié des femmes*, Paris, pour Jean Dallier libraire.

1573   Nicole Estienne, dame Liebault, *Les miseres de la femme mariée, où se peuvent voir les peines et tourmens qu'elle reçoit durant sa vie, mis en forme de stances*, Paris, chez Pierre Menier.

1576   Alexandre van der Bussche, dit le Sylvain de Flandres, *Recueil des Dames illustres en vertu*, Paris (rééd. Lyon, 1581).

1578   Claude de Taillemont, *Discours des champs faez, à l'honneur & exaltation de l'amour, & des dames*, Lyon, chez Benoît Rigaud.

1579   Catherine des Roches, *L'Agnodice*, in *Les œuvres de mes-dames des Roches de Poetiers, Mere & Fille*, 2ᵉ éd., Paris, pour Abel L'Angelier.

1581   Marie de Romieu, *Brief discours que l'excellence de la femme surpasse celle de l'homme*, in *Les premieres œuvres poetiques*, Paris, chez Lucas Breyer.

1583   Catherine des Roches, *Dialogue de Placide, et Severe* ; *Dialogue d'Iris, et Pasithée*, in *Les secondes œuvres de mes-dames des Roches de Poictiers, Mere & Fille*, Poitiers, pour Nicolas Courtoys.

1588   Nicolas de Cholières, *La guerre des masles contre les femelles*, Paris, par Pierre Chevillot.

1595   Alexandre de Pontaymeri, sieur de Focheran, *Paradoxe apologetique, où il est fidellement demonstré que la femme est beaucoup plus parfaicte que l'homme en toute action de vertu*, Paris, chez Abel L'Angelier.

1599   Pierre de Brinon, *Le triomphe des Dames*, Rouen, chez Jean Osmont.

1600   Artus Thomas, sieur d'Embry, *Discours contre la mesdisance. Qu'il est bien séant que les filles soyent sçavantes, discours*, Paris, chez Lucas Breyer.

1602   Jacqueline de Miremont, *Apologie pour les Dames, où est monstré la précellence de la femme en toutes actions vertueuses*, Paris, chez Jean Gesselin.

1604   Charlotte de Brachart, *Harengue faicte par damoiselle C. de B. surnommée Aretuze qui s'adresse aux hommes qui veuillent deffendre la science aux femmes*, Chalon sur Saone, chez Jean Des Preys.

1614   Marguerite de Valois, *Discours docte et subtil dicté promptement par la Reyne Marguerite à l'autheur des secretz moraux*, in P. François Loryot, *Les fleurs des secretz moraux*, Paris, Desmarquetz.

1617   Jacques Olivier (pseud. d'Alexis Trousset), *L'alphabet de l'imperfection et malice des femmes*, Rouen, chez R. Féron.

1617   Sieur Vigoureux (Capitaine du château de Brie-Comte-Robert), *La defense des femmes contre L'alphabet de leur pretendue malice et imperfection*, Paris, P. Chevalier.

1617   Jacques Olivier, *Response aux impertinences de l'aposté capitaine Vigoureux sur la "Defence des femmes"*, Rouen, chez R. Féron.

1617   Sieur de La Bruyère, *Replique à l'antimalice ou défense des femmes, du sieur Vigoureux, autrement dict Brye-Comte-Robert*, J. Petit-Pas.

1618   Le Chevalier Pierre de l'Escale, *Le champion des femmes. Qui soustient qu'elles sont plus nobles, plus parfaites, & en tout plus vertueuses que les hommes. Contre un certain misogynès anonyme auteur & inventeur de l'imperfection & malice des femmes*, chez la Veuve M. Guillemot.

1618   Marguerite de Valois, *Discours docte et subtil envoyé à l'autheur des Secretz moraux*, in *L'excellence des femmes, avec leur response à l'autheur de L'alphabet*, (anonyme), Paris, chez Pierre Passy.

1620   Dydime des Armosins, *Les trophées célestes, où se peuvent voir les généreux et immortels faicts des femmes illustres*, Lyon, chez Th. Arnaud d'Armosin.

1621   Louis le Bermen, sieur de la Martinière, *Le bouclier des dames, contenant toutes leurs belles perfections*, Rouen, J. Besogne.

1622   Marie de Gournay, *Egalité des hommes et des femmes. A la reyne*, s.l.

1625   Honorat de Menier, *La perfection des femmes, avec l'imperfection de ceux qui les mesprisent*, Paris, J. Jacquin.

1626   Marie de Gournay, *Grief des Dames*, in *L'ombre de la damoiselle de Gournay, œuvre composée de meslanges*, Paris, Jean Libert.

1629   Nicolas Angenoust, sieur d'Avans, *Le paranymphe des Dames*, Troyes, P. de Tuau.

1634   Sieur de La Franchise, *La defence des dames, ou bien reponse au livre intitulé : Question chrestienne touchant le jeu, addressé aux dames de Paris*, Paris, impr. de P. Targa.

1635   Sieur Guerry, *Traicté de l'excellence du sexe fœminin, et des prerogatives de la Mere de Dieu*, chez J. Pétrissal.

1640   M. de Saint-Gabriel, *Le merite des dames*, 3ᵉ éd., Paris, chez J. Le Gras.

1640   Crispin de Passe, *Les vrais pourtraits de quelques unes des plus grandes dames de la chrestienté, desguisées en bergeres*, Amsterdam, J. Broeesz.

1640   *La bibliothèque des Dames*, Paris, A. de Sommaville et T. Quinet.

1641   Louis Machon, *Discours ou sermon apologétique en faveur des femmes, question nouvelle, curieuse et non jamais soustenuë*, Paris, T. Blaise.

1641   Anna Maria van Schurmann, *Dissertatio de ingenii muliebris ad doctrinam et meliores litteras aptitudine*, Paris.

1642   Susanne de Nervèse, *Apologie en faveur des femmes*, in *Œuvres spirituelles et morales*, Paris, Jean Paslé.

1642   Jacques du Bosc, *La femme heroïque ou les heroïnes comparées avec les heros en toute sorte de vertus et, à la fin de chaque comparaison plusieurs reflexions morales*, Paris, chez Nicolas et Jean de La Coste.

1646   Anna Maria van Schurmann, *Question célèbre. S'il est nécessaire, ou non, que les filles soient sçavantes ? Le tout mis en françois par Guillaume Colletet*, Paris (reprod. de la correspondance de 1632).

1646   François du Souci, sieur de Gerzan, *Le triomphe des Dames*, Paris, chez l'auteur.

1647   P. Hilarion de Coste, *Les eloges et les vies des reynes, des princesses, & des dames illustres en pieté, en courage & en doctrine, qui ont fleury de nostre temps, et du temps de nos Peres* (1ʳᵉ éd. 1630), éd. augmentée, Paris, chez Sebastien & Gabriel Cramoisy.

1647   Pierre Le Moyne, *La gallerie des femmes fortes*, Paris, Antoine de Sommaville.

1650   Gabriel Gilbert, *Le panegyrique des dames*, Paris, A. Courbé.

1656   Samuel Chappuzeau, *Le cercle des femmes, entretien comique tiré des dialogues d'Erasme*, suivi de *l'Histoire* d'Hymenée, Lyon, chez M. Duhan.

1661   Antoine Baudeau, sieur de Somaize, *Le dictionnaire des Précieuses*, Paris.

1662   *Apologie de la science des Dames.* Par Cléante, Lyon, chez B. Coral.

1662   Molière, *L'école des femmes*, Paris, Guillaume de Luynes ; Amsterdam, D. Elzevier (la pièce fut jouée pour la l[re] fois sur le théâtre du Palais Royal le 26 décembre 1662).

1663   Jean de la Forge, *Le cercle des femmes sçavantes*, Paris, J.-B. Loyson.

1664   Élisabeth Marie Clément, *Dialogue de la princesse sçavante et de la dame de famille. Contenant l'art d'élever les jeunes dames dans une belle & noble education*, Paris, J.-B. Loyson.

1665   Jacquette Guillaume, *Les Dames illustres, où par bonnes & fortes raisons, il se prouve, que le Sexe Feminin surpasse en toute sorte de genres le Sexe Masculin*, Paris, chez Thomas Jolly.

1667   Louis de Lesclache, *Les avantages que les femmes peuvent recevoir de la philosophie et principalement de la morale. Ou l'Abregé de cette science*, chez l'auteur et L. Rondet.

1668   Marguerite Buffet, *Nouvelles observations sur la langue françoise ... Avec un Traitté sur les eloges des illustres sçavantes, tant anciennes que modernes*, Paris, Jean Cusson.

1672/3   Molière, *Les femmes savantes*, Paris, chez Pierre Proné (la pièce fut jouée pour la l[re] fois sur le théâtre du Palais Royal le 11 mars 1672).

1674   Poullain de la Barre, *De l'éducation des Dames pour la conduite de l'esprit dans les sciences et dans les mœurs. Entretiens*, Paris, J. du Puis (réédité en 1579).

1675   Poullain de la Barre, *De l'excellence des hommes contre l'égalité des sexes*, Paris, J. du Puis.

1679   Poullain de la Barre, *De l'égalité des deux sexes, discours physique et moral où l'on voit l'importance de se défaire des préjugés*, 2e éd. (l[re] éd. 1673), Paris, A. Dezallier.

1685 Jacques Chaussé de La Terriere, *Traité de l'excellence du mariage ... Où l'on fait l'apologie de la femme ; contre les calomnies des hommes*, chez S. Périer.

1686 Abbé Claude Fleury, *Traité du choix et de la methode des etudes* (ch. XXXVI : Etudes des femmes), Paris, P. Auboutin, P. Emery et Ch. Clousier.

1687 Abbé de Fénelon, *De l'éducation des filles*, Paris, P. Auboutin, P. Emery et Ch. Clousier.

1690 Gilles Ménage, *Historia mulierum philosopharum. Scriptore Aegidio Menagio*, Lugduni, Claudium Rigaud.

1693 Gabrielle Suchon, *Traité de la morale et de la politique, divisé en trois parties, sçavoir la liberté, la science, et l'autorité*, Lyon, chez B. Vignieu.

1693 François Gacon, *Epistre à Monsieur D^{xxx}* [Des-Préaux] *sur son dialogue ou Satire Xme contre les femmes*, Lyon, sans éditeur.

1694 Charles Perrault, *L'apologie des femmes*, chez la Veuve J.- B. Coignard et J.-B. Coignard Fils.

1694 Nicolas Boileau-Despréaux, *Dialogue, ou Satyre X (Sur les femmes)*, Cologne.

1694 Madame de Pringy, *Les differens caracteres des femmes du siecle*, Paris, chez la Veuve de Charles Coignard et Claude Cellier.

1694 Pierre de Bellocq, *Lettre de Madame de N ... à Madame la Marquise de ... sur la satyre de M. Des Préaux contre les femmes*, Paris, N. Le Clerc.

1697 Henriette-Julie de Castelnau, comtesse de Murat, *Mémoires de Mme la Comtesse de ...* [Murat] *avant sa retraite, ou la Défense des dames*, Paris, Claude Barbin.

1698 Claude-Charles Guyonnet de Vertron, *La nouvelle Pandore, ou les Femmes illustres du siecle de Louis le Grand*, Paris, chez la Veuve C. Mazuel.

1698　C. M. D., Noël, *Les avantages du sexe ou le triomphe des femmes, dans lequel on fait voir par de très-fortes raisons, que les femmes l'emportent par dessus les hommes, & méritent la préférence*, Anvers, H. Sleghers.

1698　Jacques de Losme de Monchesnay, *Satire nouvelle contre les femmes, imitée de Juvénal, du sieur D. L. ****, Paris, Ch. Osmont.

GLOSSAIRE

DES MOTS MARQUÉS D'UN ASTÉRISQUE

A

abaye : (abayer) aboyer
allentit : (allentir) ralentir, apaiser, rendre moins vif
appen : (appendre ou apendre) offrir en hommage, consacrer, dédier
arene : sable
atterre : (atterrer) laisser tomber (à terre)
autans : autans, vents du sud
averne : provenant de l'Averne (Enfer)

B

bailler : donner
baumeus : (basme) qui adoucit les peines
bausmez : (bausmer) qui a un parfum balsamique
bourelant : (boureller) torturer
bris : débris

C

canivet : petit morceau d'acier tranchant muni d'un manche et servant à tailler les plumes d'oie
caractera : (caracter) graver
carée : (lat. carere = se tenir éloigné de) cachée ?
carolle : (caroler = danser en rond) chœur ou danse
casuellement : par hasard.
cayers : (lat. *quaterni* = par quatre) feuille pliée en quatre pages, d'où l'ensemble des pages d'un livre fourni par une feuille pliée, coupée, numérotée
charbonner : (fig.) noircir

chesnons : liens composés de maillons
collaudée : (collauder) louer, faire l'éloge
comite : chef des rameurs d'une galère
conquerre : forme très souvent employée pour conquérir
coupeau : sommet d'une montagne, colline, par ext. sommet
courage : sentiments, pensées, courage
coural (coral) : corail
coutre : couteau
crayer : marquer de craie
creance : croyance, opinion

D

debile : faible, affaiblie
decevoir : tromper
despite : (despiter) qui méprise, dédaigne
dessert : (deservir) mériter
diamantin : de diamant, dur et solide comme le diamant, orné de diamant
disert : éloquent
distraire : séparer, écarter, détourner

E

emperiere : impératrice, reine, souveraine
enfumée : couverte de fumier
enfumer : fumer
engeance : race
ennuiter : (ennuicter) plonger dans la nuit
envielly : fortifié par le temps, enraciné
eschelleurs : (eschheller) monter, escalader

esclaver : dompter

espesses : épaisses

espointer : aiguillonner

estranger : éloigner, repousser, chasser

estrena : (estrener) faire un présent à quelqu'un, faire don

exercite : armée

F

felicitez : heureux

flair : odeur, parfum

foiblet : faible

forfaiteurs : (forfaire) commettre un forfait, agir en dehors du devoir

forlignantes : (forlignier) s'écarter de la bonne voie, dévier ; transgresser

G

glus : piège fait de glu, attraits, appas

guerdonne : (guerdonner) récompenser

guidon : enseigne

H

halena : (halener) exhaler par la respiration, souffler

heur : chance (bonne ou mauvaise), chance favorable, bonheur

hommage : hommage, engagement solennel de servir son seigneur

hommagea : (hommage) rendre hommage à

huis : porte extérieure ou intérieure d'une maison

I

imperé : dominé

impiteus : impitoyable, cruel

intemperé : manquant de juste t e m p é r a m e n t, d'harmonie, d'équilibre ; débauché, déréglé, excessif

ireus (ou yreus) : irrité, exprimant la colère, irascible

L

lairras : futur de laisser

los : louange, gloire, honneur, renom

M

magasin : local recevant des objets mis au rebut, devenus inutiles

malheurtez : infortunes, malheurs, état malheureux

malle : mauvais

manotes : petites mains, menottes

marbrines : de marbre

marry (marrie) : irrité, mécontent

masure : ruine, édifice en ruines

mattant : (matter) vaincre

merveille : fait, nouvelle qui suscite l'admiration

moindrir : amoindrir, diminuer

momes : médisants, calomniateurs

mutine : querelleur, qui a tendance à se rebeller

N

navreure : blessure

O

orines : d'or, terme ordinairement utilisé pour les cheveux blonds

ost : (lat. ostem) armée ennemie

outra : (outrer) blesser, percer

P

parfournir : achever

paroir : paraître, apparaître

partisseur : (partir) partager, répartir

patir : supporter, souffrir

perclus : privé de, paralysé

pesteus : nuisible, malfaisant

piafeus : plein d'ostentation

pipez : trompés

playeuse : affectée d'une plaie, blessée

presse : foule épaisse et désordonnée

R

ravallées : (ravaller) abaisser

recorder : rappeler, exposer, faire connaître

retif : qui hésite, résiste, refuse de, réticent

rodomonteur : (Rodomonte, personnage de l'Arioste) fanfaron, bravache

rogues : cruelles

S

saboulent : (sabouler) pousser du pied, secouer violemment, agiter

sceptreux : en forme de sceptre

seillons : sillons

semond : (semondre) avertir, conseiller ; engager, inciter, pousser à

sente : sentier

seurté : sûreté, sentiment de sécurité, assurance

sommeur : porteur (?)

soucheau : souchon, souche

souffreteus : manquant, privé

sourdre : jaillir, couler

sucrines : (sucrin) sucré, doux

suffisance : capacité physique, intellectuelle ou morale

surgeons : rejetons d'un arbre, d'une plante

T

tance : (tancer, tenc[i]er) quereller, tourmenter ; blâmer, reprocher

taxer : blâmer, accuser

travaillez : (travail) souffrance, fatigue

U

usure : (lat. usura) intérêt de l'argent prêté, profit

V

vaisseau : vase, récipient, coupe, plat

viperique : (lat. vipera) de la nature de la vipère

INDEX DES NOMS PROPRES

Nous gardons l'orthographe telle qu'elle apparaît dans les textes et indiquons entre parenthèses l'orthographe courante.

ABRÉVIATIONS UTILISÉES

Ancien Testament :

Gen.	Genèse
Ex.	Exode
Jug.	Juges
Sm.	Livre de Samuel
Rs	Livre des Rois
Chron.	Livre des Chroniques
Jud.	Livre de Judith
Mac.	Livre des Maccabées
Ecq.	Livre de l'Ecclésiastique
Ez.	Ézéchiel

Nouveau Testament :

Mt.	Évangile selon Matthieu
Lc	Évangile selon Luc
Jn	Évangile selon Jean
Ac.	Actes des Apôtres
Éph.	Épître de Paul aux Éphésiens
Col.	Épître de Paul aux Colossiens

BIBLIOGRAPHIE

I. Œuvres attribuées aux auteurs étudiés

Brachart, Charlotte de, *Harengue faicte par damoiselle Charlotte de Brachart surnommée Aretuze qui s'adresse aux hommes qui veuillent deffendre la science aux femmes: avec quelques poësies faictes par la-dite damoiselle, sur la blessure, mort, & tombeau du Baron de Chantal. Ensemble une elegie sur la mort de madamoiselle de Montaignerat*, À Chalon sur Saone, par Jean Des Preyz Imprimeur & Libraire, 1604. (BNF R. 54526)

Guillaume, Jacquette, *Les Dames illustres, où par bonnes et fortes raisons, il se prouve, que le Sexe Feminin surpasse en toute sorte de genres le Sexe Masculin*, Paris, chez Thomas Jolly, 1665. (BNF microfilm m. 2684)

L'Aubespine, Madeleine de, *Des saines affections*, À Paris, chez Abel L'Angelier, 1584 ou 1594. (Paris, Arsenal 8° S. 2702)

L'Aubespine, Madeleine de, *Des saines affections*, s.l., 1591. (Paris, Bibliothèque Sainte-Geneviève R 8° 702 Rés. Inv. 2759)

L'Aubespine, Madeleine, *Des saines affections*, À Paris, chez Abel L'Angelier, 1593. (Paris, Mazarine 27933)

L'Aubespine, Madeleine, *Le cabinet des saines affections. Derniere edition, augmentée de XII. Discours & quelques Stances sur le mesme sujet*, À Paris, chez Anthoine Du Breuil, 1595. (Paris, Mazarine 27934)

L'Aubespine, Madeleine, *Cabinet des saines affections*, éd. Colette H. Winn, Paris, Champion, 2001.

Le Gendre, Marie, Dame de Rivery, *L'exercice de l'ame vertueuse, dedié à tres-haute, tres-illustre, et tres-vertueuse Princesse, Madame la Princesse de Conty. Reveu, corrigé, & augmenté par elle-mesme d'un Dialogue des chastes Amours d'Eros, & de Kalisti*, À Paris, chez Gilles Robinot [Claude Micard], 1597. (Paris, Arsenal Rés. 8° B. L. 20993) (Paris, Mazarine 27909 & 27909A)

Le Gendre, Marie, Dame de Rivery, *L'exercice de l'âme vertueuse*, éd. Colette H. Winn, Paris, Champion, 2001.

Marguerite de Valois, *Memoire justificatif pour Henri de Bourbon* (1574), in *Mémoires et lettres de Marguerite de Valois*, éd. M. F. Guessard, Paris, Jules Renouard, 1842, p. 185-194.

Marguerite de Valois, *Correspondance (1569-1614)*, éd. Éliane Viennot, Paris, Champion, 1998.

Marguerite de Valois, *Discours docte et subtil dicté promptement par la Royne Marguerite*, in *Les fleurs des secretz moraux concernans les passions du Cœur humain, divisez en six Livres & dediez à la Royne Marguerite de Valois*, À Paris, chez Joseph Cottereau, 1614. (BNF D. 8597)

Marguerite de Valois, *Docte et subtil Discours de la feu Reyne Marguerite, envoyé sur le mesme suject à l'autheur des secretz moraux*, in *L'excellence des femmes, avec leur response à l'autheur de l'alphabet*, À Paris, P. Passy, 1618. (BNF Rés. R. 2187 & microfiche Rp 1623)

Marguerite de Valois, *Docte et subtil Discours*, in *Mémoires et autres écrits*, éd. Éliane Viennot, Paris, Champion, 1999, p. 253-266 ; 269-276.

Marguerite de Valois, *Les mémoires de la roine Marguerite*, par Mauléon de Granier, Paris, Claude Chapellain, 1628.

Marguerite de Valois, *Mémoires et lettres de Marguerite de Valois*, éd. M. F. Guessard, Paris, Jules Renouard, 1842.

Marguerite de Valois, *Mémoires de Marguerite de Valois (la reine Margot) suivis de Lettres et autres écrits*, éd. Yves Cazaux, 1971, Paris, Mercure de France, "Le temps retrouvé", 1986.

Marguerite de Valois, *Mémoires et autres écrits*, éd. Éliane Viennot, Paris, Champion, 1999.

Miremont, Jacqueline de, *Apologie pour les Dames, Où est monstré la précellence de la femme en toutes actions vertueuses. Dedié à Madame la Comtesse de Montgommery, Par Damoiselle Jacqueline de Miremont*, À Paris, chez Jean Gesselin, 1602. (Paris, Arsenal Rés. 8° B. L. 11.012)

Nervèse, Suzanne de, *Apologie en faveur des femmes*, in *Œuvres spirituelles et morales*, Paris, Jean Paslé, 1642. (BNF Rés. Z. 3208 ; microfilm m. 20038)

Nervèse, Suzanne de, *Le resonnement chrestien sur les vertus cardinales. Dedié à Msgr le Cardinal Mazarin par Mademoiselle de Nerveze*, Paris, Jean Paslé, 1643. (Paris, Mazarine Rés. 32008)

Nervèse, Suzanne de, *Les genereux mouvemens d'une dame heroïque et pieuse*, Paris, Jean Paslé, 1644. (BNF D. 45528)

Nervèse, Suzanne de, *La nouvelle Armide, dediée au Roy. Par Mademoiselle de Nerveze*, Paris, Jean Paslé, 1645. (Paris, Mazarine Rés. 22267)

Nervèse, Suzanne de, *Te Deum des dames de la cour et de la ville en actions de grâce de la paix et l'heureuse arrivée de Leurs Majestez dans leur bonne ville de Paris, presentée à la Reyne par Mademoiselle [Suzanne] de Nerveze*, Paris, Jean Brunet, 1649.

Nervèse, Suzanne de, *Lettre de consolation à la Reyne d'Angleterre sur la mort du Roy son mary, et ses dernieres paroles*, Paris, G. Sassier, 1649.

Nervèse, Suzanne de, *Lettre de consolation à Msgr le duc de Vantadour sur la mort de Msgr le duc de Vantadour, son frere*, Paris, G. Sassier, 1649.

Pringy, Madame de, *Les differens caracteres des femmes du siecle, avec la description de l'amour propre, contenant six caracteres et six perfections*, À Paris, chez la Veuve de Charles Coignard et Claude Cellier, 1694.

Pringy, Madame de, *Junie, ou les sentimens romains*, Paris, 1695.

Pringy, Madame de, *L'amour à la mode, satyre historique*, Paris, 1695.

Pringy, Madame de, *À la Gloire de Msgr le Dauphin. Discours academique sur son retour d'Allemagne*, in Claude-Charles Guyonnet de Vertron, *La nouvelle Pandore, ou les Femmes illustres du siecle de Louis le Grand, recueil de pièces académiques, en prose et en vers, sur la préférence des sexes, dédié aux Dames*, 2 vol., Paris, 1698. (BNF R. 24082-24083)

Pringy, Madame de, *Les differens caracteres des femmes du siecle, avec la description de l'amour propre, contenant six caracteres et six perfections*, 2ᵉ éd. augmentée, À Paris, M.-M. Brunet, 1699. (BNF R. 21595 ; microfiche m. 18815)

Pringy, Madame de, *Critique contre la prevension*, Paris, J. Musier, 1702.

Pringy, Madame de, *La vie du Pere Bourdaloue de la Compagnie de Jesus*, Paris, 1705.

Pringy, Madame de, *Traité des vrais malheurs de l'homme*, Paris, 1707.

Suchon, Gabrielle, *Traité de la morale et de la politique, divisé en trois parties, sçavoir la liberté, la science, et l'autorité, où l'on voit que les personnes du Sexe pour en être privées, ne laissent pas d'avoir une capacité naturelle, qui les en peut rendre participantes. Avec un petit traité de la foiblesse, de la legereté, et de l'inconstance, qu'on leur attribuë mal à propos*, Par G. S. Aristophile, À Lyon, imprimé aux dépens de l'Auteur, chez B. Vignieu, 1693. (BNF R. 6220)

Suchon, Gabrielle, *Du célibat volontaire, ou la vie sans engagement*, À Paris, chez Jean et Michel Guignard, 1700. (BNF D. 52764 & R. 24184-24185)

II. Ouvrages ou articles consacrés à ces auteurs ou à ces œuvres

Bourdeille, Pierre de, abbé de Brantôme, *Discours sur la Reyne de France et de Navarre, Marguerite, fille unique maintenant restée et seule de la noble maison de France*, in *Recueil des Dames, Poésies et tombeaux*, éd. Étienne Vaucheret, Paris, Gallimard, Coll. La Pléiade, 1991, p. 119-158.

Castelot, André, *La Reine Margot*, Paris, Perrin, 1993.

Cholakian, Patricia Francis, "Marguerite de Valois and the Problematics of Female Self-Representation", in *Renaissance Women Writers : French Texts/American Contexts*, éd. Anne R. Larsen & Colette H. Winn, Detroit, Wayne State University, 1994, p. 67-81.

Droz, Eugénie, "La reine Marguerite de Navarre et la vie littéraire à la cour de Nérac, 1579-1582", *Bulletin de la Société des Bibliophiles de Guyenne*, n° 80, juillet-décembre 1964, p. 77-120.

Dumas, Alexandre, *La Reine Margot*, Paris, Calmann-Lévy, 1887.

Feugère, Léon, *Les femmes poètes au XVIe siècle*, nouvelle édition, Paris, Didier & Cie, 1860.

Galzy, Jeanne, *Margot, reine sans royaume*, Paris, Gallimard, 1939.

Geffriaud Rosso, Jeannette, "Gabrielle Suchon : une troisième voie pour la femme?", in *Ouverture et dialogue. Mélanges offerts à Wolfgang Leiner à l'occasion de son soixantième anniversaire*, Tübingen, G. Narr, 1988, p. 669-678.

Hoffmann, Paul, "Le féminisme spirituel de Gabrielle Suchon", *Dix-septième siècle*, n° 121, 1978, p. 271-276.

"Jeanne-Charlotte de Brechard", in *Correspondance de Jeanne de Chantal*, éd. M. - P. Burns, Paris, Éditions du Cerf, 1986, t. I, p. 674.

Lazard, Madeleine, "Le *Discours docte et subtil*", in *Marguerite de France, reine de Navarre et son temps*, Actes du colloque Agen-Nérac, octobre 1991, Agen, Centre Matteo Bandello, 1994, p. 227-237.

Le Divorce satyrique, ou les amours de la Royne Marguerite de Valois [sous le nom D. R. H. Q. M.], in *Recueil de diverses pièces servans à l'histoire de Henry III*, Cologne, Pierre Du Marteau, 1660.

Mariéjol, Jean-Hippolyte, *La vie de Marguerite de Valois, reine de Navarre et de France (1553-1615)*, Paris, 1928 ; Genève, Slatkine Rpt., 1970.

Ronzeaud, Pierre, "Note sur l'article de Paul Hoffmann", *Dix-septième siècle*, n° 121, 1978, p. 276-277.

Viennot, Éliane, *La vie et l'œuvre de Marguerite de Valois : discours contemporains, historiques, littéraires, légendaires*, 2 vol., Paris III, 1991.

Viennot, Éliane, *Histoire d'une femme, histoire d'un mythe*, Paris, Payot, 1993.

Viennot, Éliane, "Les poésies de Marguerite de Valois", *Dix-septième siècle*, n° 183, avril-juin 1994, p. 349-375.

Warner, Lyndan, "Marie Le Gendre, the *Saines affections* and Moral Thought in the Late Sixteenth Century", in *Women's Writing in the French Renaissance*, Proceedings of the Fifth Cambridge French Renaissance Colloquium, 7-9 July 1997, éd. Philip Ford et Gillian Jondorf, Cambridge, Cambridge French Colloquia, 1999, p. 221-228.

Winn, Colette H., "Les *discours* de Marie Le Gendre et l'Académie du Palais : quelques repères et définitions", in *La femme lettrée à la Renaissance/De geleerde vrouw in de Renaissance*, éd. Michel Bastiaensen, Bruxelles, Université Libre de Bruxelles, Peeters, 1997, p. 165-175.

Winn, Colette H., "Les femmes et la rhétorique de combat : argumentation et (auto)référentialité", in *Femmes savantes, savoirs de femmes*, Actes du Colloque de Chantilly, 22-24 septembre 1995, études réunies par Colette Nativel, Genève, Droz, Travaux du Grand Siècle, n° XI, 1999, p. 39-50.

III. Sources primaires consultées

Agrippa, Henri Corneille, *Declamatio de nobilitate et praecellentia foeminei sexus* (1529), intr. par R. Antonioli, éd. Ch. Bené, trad. O. Sauvage, Genève, Droz, Travaux d'Humanisme et Renaissance, n° CCXLIII, 1990.

Anthologia Graeca. Anthologie grecque, texte établi et traduit par Pierre Waltz et al., Paris, Les Belles Lettres, 1928-1960.

Apollodore, *La bibliothèque*, trad. annotée et commentée par Jean-Claude Carrière et Bertrand Massonie, Paris, Les Belles Lettres, 1991.

Aristote, *De l'âme*, texte établi par A. Jannone, trad. et notes de É. Barbotin, Paris, Les Belles Lettres, 1980.

Aristote, *Éthique à Nicomaque*, nouvelle traduction avec introduction, notes et index par J. Tricot, Paris, Vrin, 1959.

Aristote, *Histoire des animaux*, t. I (Livres I à IV), texte établi et traduit par Pierre Louis, Paris, Les Belles Lettres, 1964.

Aristote, *La métaphysique*, trad. par J. Tricot, Paris, Vrin, 1991.

Aristote, *Les parties des animaux*, texte établi et traduit par Pierre Louis, Paris, Les Belles Lettres, 1956.

Aristote, *Politique*, texte établi et traduit par Jean Aubonnet, 3 t., Paris, Les Belles Lettres. 1960-1973.

Aristote, *Problèmes*, texte établi et traduit par Pierre Louis, Paris, Les Belles Lettres, 1994.

Aristote, *Rhétorique*, Livres I et II, texte établi et traduit par Médéric Dufour, 1re édition, 1931 ; Livre III, par M. Dufour et A. Wartelle, Paris, Les Belles Lettres, 1973.

Aubignac, François Hédelin, abbé d', *La Pucelle d'Orléans*, Paris, François Targa, 1642. (BNF Rés. Yf. 3955)

Augustin, s., *Confessions*, texte établi et traduit par Pierre de Labriolle, 2 t., Paris, Les Belles Lettres, 1947.

Augustin, s., *La Cité de Dieu*, trad. de Louis Moreau (1846) revue par Jean-Claude Eslin, intr., présentation et notes par Jean-Claude Estin, 3 vol., Paris, Éditions du Seuil, 1994.

Aulu-Gelle, *Les nuits attiques*, éd. René Marache, Paris, Les Belles Lettres, 1967-1989.

Barbier, Marie-Anne, *Arrie et Pétus* (1702), in *Femmes dramaturges en France (1650-1750)*, textes établis, présentés et annotés par Perry Gethner, Paris, Seattle, Tübingen, Biblio 17, *Papers on French Seventeenth Century Literature*, 1993, p. 243-314.

Bary, René, *La rhetorique françoise. Où l'on trouve de nouveaux Exemples sur les Passions & sur les Figures. Où l'on traitte à fond de la Matiere des Genres Oratoires. Et où le sentiment des Delicats est rapporté sur les usages de nostre Langue*, À Paris, chez Pierre Le Petit, 1653. (Paris, Arsenal 4° B.L. 932)

Baudeau, Antoine, sieur de Somaize, *Le dictionnaire des Précieuses*, 2 t., Paris, 1661. (BNF Rés. X. 2034)

Baudeau, Antoine, sieur de Somaize, *Le dictionnaire des Précieuses, nouvelle édition augmentée de divers opuscules du même auteur relatifs aux Précieuses et d'une Clef historique et anecdotique*, par M. Ch. -L. Livet, 2 t., À Paris, chez Jannet, Libraire, 1856.

Bernard de Girard, seigneur du Haillan, *L'histoire de France*, À Paris, L'Huillier, 1576. (Paris, Arsenal Fol. H. 1637)

Billon, François de, *Le fort inexpugnable de l'honneur du sexe femenin*, Paris, Jean Dallyer, 1555 ; éd. Michael A. Screech, Yorkshire, S. R. Publishers Ltd. ; New York, Johnson Reprint Corp. ; La Haye, Mouton, 1970.

Boccace, Jean, *De la louenge et vertu des nobles et cleres dames*, translaté par Laurent de Premierfait, Paris, Antoine Vérard, 1493.

Boccace, *De claris mulieribus. Concerning Famous Women*, trad. , intr. et notes de Guido A. Guarino, New Brunswick, New Jersey, Rutgers University Press, 1963.

Buffet, Marguerite, *Traitté sur les eloges des illustres sçavantes, tant anciennes que modernes*, in *Nouvelles observations sur la langue françoise où il est traitté des termes anciens & inusitez & du bel usage des mots nouveaus*, À Paris, chez Jean Cusson, 1648. (Paris, Arsenal 8° B. L. 1608)

Chappuzeau, Samuel, *Le cercle des femmes*, Lyon, 1656. (BNF R. 24093)

Chassipol, le sieur de, *Histoire des Amazones*, 2 vol., Paris, Claude Barbin, 1678. (Paris, Arsenal, 8° H. 2549 [1-2])

Cicéron, *Œuvres complètes*, éd. C. L. F. Panckoucke, 36 vol., Paris, C. L. F. Panckoucke, 1830-1837.

Cicéron, *Les topiques*, éd. Henri Bornecque, Paris, Les Belles Lettres, 1925.

Cicéron, *Les tusculanes*, texte établi par Georges Fohlen et traduit par Jules Humbert, 5e tirage revu et corrigé par Claude Rambaux, Paris, Les Belles Lettres, 1997.

Clément d'Alexandrie, *Les stromates*, 2 t., intr. et notes de P. Th. Camelot, trad. de Cl. Mondésert, Paris, Éditions du Cerf, 1954.

Crenne, Hélisenne de, *Les epistres familieres et invectives*, éd. Jerry C. Nash, Paris, Champion, 1996.

Des Roches, Madeleine et Catherine, *Les œuvres*, éd. Anne R. Larsen, Genève, Droz, 1993.

Des Roches, Madeleine et Catherine, *Les secondes œuvres*, éd. Anne R. Larsen, Genève, Droz, 1998.

Dinet, le P. François, *Le théâtre françois, des seigneurs et dames illustres. Divisé en deux parties. Avec le manuel de l'homme sage, & le tableau de la dame chrestienne*, N. & J. de La Coste, 1642. (BNF 4° L12. 1)

Diodore de Sicile, *Bibliothèque historique*, texte établi et traduit par Ferd. Hoefer, 2 t., Paris, Librairie Hachette, 1865.

Diogène Laërce, *Vie, doctrines et sentences des philosophes illustres*, trad., notice et notes par Robert Grenaille, Paris, Garnier-Flammarion, 1965.

Diogène Laërce, *Life of Eminent Philosophers*, éd. R. D. Hicks, 2 t., London & Cambridge, Cambridge University Press, 1958.

Du Guillet, Pernette, *Rymes*, éd. Victor E. Graham, Genève, Droz ; Paris, Minard, 1968.

Du Vair, Guillaume, *Le manuel d'Epictète*, À Paris, chez Abel L'Angelier, 1591.

Ésope, *Fables*, texte établi et traduit par Émile Chambry, Paris, Les Belles Lettres, 1927.

Estienne, Charles, *Paradoxes*, éd. Trevor Peach, Genève, Droz, 1998.

Euripide, *Le cyclope, Alceste, Médée, Les Héraclides*, texte établi et traduit par Louis Méridier, Paris, Les Belles Lettres, 1925.

Euripide, *Ion*, General Editor Christopher Collard, with an Introduction, Translation and Commentary by K. H. Lee, Warminster, England, Aris & Phillips, 1997.

Eusèbe de Césarée, *Histoire ecclésiastique*, intr. par Gustave Bardy, index par Pierre Périchon, 4 vol., Paris, Éditions du Cerf, 1960.

Fronton du Duc, *L'histoire tragique de la Pucelle de Don-Remy, aultrement d'Orléans*, Nancy, Janson, 1581.

Gournay, Marie Jars de, *Correspondance*, in Élyane Dezon-Jones, *Fragments d'un discours féminin*, Paris, Librairie José Corti, 1988, p. 185-195.

Gournay, Marie Jars de, *Égalité des hommes et des femmes. Grief des Dames,* suivis du *Proumenoir de Monsieur de Montaigne*, éd. Constant Venesoen, Genève, Droz, 1993.

Guyon, abbé Claude-Marie, *Histoire des Amazones anciennes et modernes*, enrichie de médailles, À Paris, chez Jean Villette, 1740. (Paris, Arsenal 8° H. 2551)

Hérodote & Thucydide, *Œuvres complètes*, intr. par J. De Romilly, éd. A. Barguet et D. Roussel, Paris, Gallimard, Coll. La Pléiade, 1964.

Hésiode, *Théogonie*, texte établi et traduit par Paul Mazon, Paris, Les Belles Lettres, 1947.

Hilarion de Coste, le P. F. , *Les eloges et les vies des reynes, des princesses, et des dames illustres en pieté, en courage & en doctrine, qui ont fleury de nostre temps, & du temps de nos Peres*, 2 t., À Paris, chez Sébastien et Gabriel Cramoisy, 1647.

Homère, *Iliade,* texte établi et traduit par Robert Flacelière ; *Odyssée*, texte établi par Jean Bérard, traduit par Victor Bérard, Paris, Gallimard, Coll. La Pléiade, 1955.

Hyginus, *Fabulae. The Myths of Hyginus*, trad. Mary Grant, Lawrence, Kansas, University of Kansas Publications, 1960.

Jacques de Voragine, *Légende dorée,* trad. Teodor de Wyzewa, Paris, Perrin & Cie, 1920.

Jacques de Voragine, *La Légende dorée*, d'après la traduction de Jean de Vignay (1333-1348) de la *Legenda aura* (c. 1261-1266), éd. Brenda Dunn-Lardeau, Paris, Champion, 1997.

Jean Chrysostome, s., *Les homélies, ou sermons de s. Jean Chrysostome sur les Actes des Apotres*, par Nicolas Fontaine, Paris, A. Pralard, 1703.

Jean Chrysostome, s., *Liber de Virginitate. La virginité*, texte et introduction critiques par Herbert Musurillo, introduction générale, traduction et notes par Bernard Grillet, Paris, Les Éditions du Cerf, "Sources Chrétiennes", 1966.

Jérôme, s., *Divus Hieronymus Ad Eustochium de custodia virginitatis*, in *De Virginitate opuscula sanctorum doctorum, Ambrosii, Hieronymi, et Augustini*, Romae, A. P. Manutium, Aldif, 1562.

Jérôme, s., *Commentaires sur le prophète Ézéchiel en quatorze livres*, in *Œuvres complètes*, traduites en français et annotées par l'abbé Bareille, 18 vol., Paris, Louis Vivès, 1878-1885, vol.VI & VII.

Jérôme, s., *Lettres*, texte établi et traduit par Jérôme Labourt, 8 t., Paris, Les Belles Lettres, 1949-1961.

Jérôme, s., *Vie de s. Hilarion*, À Paris, chez l'éditeur, au Bureau de l'Association Catholique du Sacré-Cœur, Coll. Des Vies des Pères du Désert, 1829.

Justin, *Histoire universelle*, in *Œuvres complètes*, trad. Jules Pierrot et É. Boitard, Paris, Garnier Frères, 1862.

Juvénal, *Satires*, texte établi et traduit par Pierre de Labriolle et François de Villeneuve, Paris, Les Belles Lettres, 1996.

Labé, Louise, *Œuvres complètes*, éd. François Rigolot, Paris, Flammarion, 1986.

La Bibliothèque des Dames, Paris, 1640. (BNF R. 6237)

La Forge, Jean de, *Le cercle des femmes sçavantes, suivi de la Clef des noms des sçavantes de France, dont il est parlé dans ce livre*, Paris, J.-B. Loyson, 1663. (BNF microfiche Ye 35571)

La vie de s. Silvestre en vers français, éd. P. Meyer, *Romania*, 28, 1899, p. 280-286.

Le Poulchre, François, sieur de La Motte-Messemé, *Le passe-temps de Monsieur de La Motte-Messemé, dedié aux Amis de la Vertu. Plus un Songe faict à l'antique dedié à Monsieur Ayraut, Lieutenant criminel d'Angers*, À Paris, chez Jean Le Blanc, 1595. (BNF Rés. Y^2 2039)

Loryot, François, P., *Les secretz moraux concernans les passions du Cœur humain, divisez en cinq Livres*, À Paris, chez Joseph Cottereau, 1614. (BNF Inv. D 8597)

Loryot, François, *Les fleurs des secretz moraux concernans les passions du Cœur humain*, Paris, Desmarquetz, 1914.

Lucien, *Essays in Portraiture*, in *Lucian*, trad. anglaise par A. M. Harmon, 8 vol., Cambridge, Mass., Harvard University Press ; Londres, William Heinemann Ltd, 1961, vol. 4, p. 257-295.

Ménage, Gilles, *Historia mulierum philosopharum*, Lugduni, apud Anissonios, J. Posuel et C. Rigaud, 1690.

Montaigne, Michel de, *Œuvres complètes*, éd. Albert Thibaudet et Michel Rat, Paris, Gallimard, Coll. La Pléiade, 1962.

Olivier, Jacques (pseud. d'Alexis Trousset), *L'alphabet de l'imperfection et malice des femmes* (1617), 5ᵉ édition augmentée, À Rouen, chez R. Féron, 1630. (BNF R. 24095)

Ovide, *Les amours,* traduits du latin en français par J. Mangeart et illustrés de lithographies originales par Blasco Mentor, préface par Raymond Cogniat, Paris, Club du Livre, 1970.

Ovide, *Les héroïdes*, texte établi et traduit par Marcel Prévost, Paris, Les Belles Lettres, 1965.

Ovide, *Les métamorphoses*, texte établi et traduit par Georges Lafaye, 3ᵉ éd., Paris, Les Belles Lettres, 1961-1965.

Papillon, abbé Philibert, chanoine de la Chapelle au Riche de Dijon, *Bibliothèque des auteurs de Bourgogne*, 2 t., Dijon, chez Philippe Marteret, 1842.

Pasquier, Estienne, *Recherches de la France*, in *Œuvres choisies d'Étienne Pasquier, accompagnées de notes et d'une étude sur sa vie et sur ses ouvrages* par Léon Feugère, 2 t., Paris, Librairie de Firmin Didot Frères, 1849.

Pausanias, *Description de la Grèce*, texte établi et traduit par Georges Roux, Paris, Les Belles Lettres, 1990.

Petit, Pierre, *Traité historique sur les Amazones, où l'on trouve tout ce que les auteurs, tant Anciens que Modernes ont écrit pour ou contre ces Heroïnes. Et où l'on apporte quantité de medailles & d'autres monumens anciens, pour prouver qu'elles ont existé*, 2 t., À Leide, chez J. A. Langerak, 1718. (Paris, Arsenal 8° H. 2421)

Philostrate, *Les images*, trad. Blaise de Vigenère (1614), New York & London, Garland Publishing, 1976.

Pisan, Christine de, *Epistre Othea*, éd. Gabriella Parussa, Genève, Droz, 1999.

Pisan, Christine de, *La Cité des Dames*, texte traduit et présenté par Thérèse Moreau et Éric Hicks, Paris, Stock Moyen Âge, 1986.

Pisan, Christine de, *Le livre de la Mutacion de Fortune*, publié d'après les manuscrits, éd. Suzanne Solente, 4 t., Paris, Éditions A. et J. Picard & Cⁱᵉ, 1964.

Platon, *Œuvres complètes*, trad. et notes par Léon Robin avec la collaboration de M. - J. Moreau, 2 t., Paris, Gallimard, Coll. La Pléiade, 1950.

Pline l'Ancien, *Histoire naturelle*, texte établi et traduit par Robert Schilling, Paris, Les Belles Lettres, 1997.

Pline le Jeune, *Choix de lettres*, trad. fr. par A. Waltz, Paris, Librairie Hachette et Cⁱᵉ, 1884.

Plutarque, Quaestiones Romanae. *The Roman Questions*, trad. angl. par H. J. Rose, Oxford, The Clarendon Press, 1924.

Plutarque, *Les vies des hommes illustres*, trad. Jacques Amyot, éd. Gérald Walker, Paris, Gallimard, Coll. La Pléiade, 1951.

Plutarque, *Œuvres morales & meslées*, trad. Jacques Amyot ; Rpt. M. A. Screech, Yorkshire, S. R. Publishers Ltd., 1971.

Postel, Guillaume, *Les tres-merveilleuses victoires des femmes du nouveau monde, & comment elles doivent à tout le monde par raison commander, & mesme à ceulx qui auront la monarchie du monde vieil*, À Paris, chez Jehan Ruelle, 1553; Genève, Slatkine Rpt., 1970. (BNF 8° D² 834)

Poullain de La Barre, François, *De l'éducation des Dames pour la conduite de l'esprit dans les sciences et les mœurs. Entretiens*, Paris, 1671. (BNF R. 47377)

Poullain de La Barre, *De l'égalité des deux sexes, discours physique et moral où l'on voit l'importance de se défaire des préjugés* (1673), Paris, Fayard, 1984.

Ronsard, Pierre de, *Œuvres complètes*, éd. Jean Céard, Daniel Ménager et Michel Simonin, 2 t., Paris, Gallimard, Coll. La Pléiade, 1994.

Saint Balesmont, Barbe d'Ernecourt, Madame de, *Les jumeaux martyrs*, éd. Carmeta Abbott et Hannah Fournier, Genève, Droz, 1995.

Sénèque, *Consolations*, texte établi et traduit par R. Waltz, Paris, Les Belles Lettres, 1961.

Sénèque, *De la providence. De la tranquillité de l'âme. De la vie heureuse*, in *Les Stoïciens*, sous la dir. de Pierre-Maxime Schuhl, trad. Émile Bréhier, Paris, Gallimard, Coll. La Pléiade, 1962.

Sénèque, *Œuvres complètes*, avec la traduction en français, publiées sous la direction de M. Nisard, Paris, J. - J. Dubochet et Cie, 1842.

Souci, François de, sieur de Gerzan, *Le triomphe des Dames*, À Paris, chez l'auteur, 1646.

Tacite, *Annales*, in *Œuvres complètes*, éd. Pierre Grimal, Paris, Gallimard, Coll. La Pléiade, 1990.

Tallemant des Réaux, *Historiettes*, éd. Antoine Adam, Paris, Gallimard, Coll. La Pléiade, 1960.

Textor, Ravisius, *De memorabilibus et claris mulieribus aliquot diversorum scriptorum opera*, Parisiis ex aedibus S. Colinaei, 1521.

Thomas, Arthus, sieur d'Embry, *Discours contre la mesdisance. Si l'on peut dire que la vertu soit plus rigoureusement punie que le vice, dialogue. Qu'il est bien séant que les filles soyent sçavantes, discours*, À Paris, chez L. Breyel, 1600. (BNF R. 24408 [3])

Tite-Live, *Histoire romaine*, texte établi par Jean Bayet et traduit par Gaston Baillet, 2 t., Paris, Les Belles Lettres, 1947.

Tragédie de Jeanne d'Arques, dite la Pucelle d'Orléans, native du village d'Emprenne, pres Voucouleurs en Lorraine, À Rouen, par Raphaël du Petit-Val, 1606. (BNF Rés. Yf. 2954)

Valère Maxime, *Actions et paroles mémorables*, trad. nouvelle de Pierre Constant, 2 t., Paris, Garnier Frères, 1935.

Varron, Marc, *De re rustica*, éd. Jacques Heurgon, Paris, Les Belles Lettres, 1978-1997.

Vernon, le P. Jean-Marie de, *L'amazone chrétienne, ou les aventures de Madame de Saint-Balmont*, Paris, Gaspar Meturas, 1678.

Virgile, *L'Énéide*, texte établi et traduit par M. Rat, Paris, Garnier-Flammarion, 1965.

Vives, Juan Luis, *Livre de l'institution de la femme chrestienne* (1542), trad. P. de Changy, Genève, Slatkine Rpt., 1970.

Volaterranus, R., *Raphaelis Volaterrani Commentariorum urbanorum libri XXXVIII*, Rome, 1506.

IV. Sources secondaires

Abel, G., "Juste Lipse et Marie de Gournay", *Bibliothèque d'Humanisme et Renaissance*, 35, n° 1, 1973, p. 117-129.

Abensour, Léon, *La femme et le féminisme avant la Révolution*, Paris, Ernest Leroux, 1923.

Adam, Antoine, *Histoire de la littérature française au XVII* siècle, 5 t., Paris, Domat-Montchrestien, 1948-1956.

Albistur Maïté et Daniel Armogathe, *Histoire du féminisme français*, 2 vol., Paris, Des Femmes, 1977.

Angenot, Marc, *Les champions des femmes. Examen du discours sur la supériorité des femmes, 1400-1800*, Montréal, Les Presses de l'Université du Québec, 1977.

Angenot, Marc, *La parole pamphlétaire. Typologie des discours modernes*, 1982, Paris, Payot, 1995.

Aulotte, Robert, *Amyot et Plutarque. La tradition des Moralia au XVI* siècle, Genève, Droz, 1965.

Beasley, Fay E., "Rescripting Historical Discourse : Literary Portraits by Women", *Papers on French Seventeenth Century Literature*, n° 27, 1987, p. 517-535.

Beaune, Colette, *The Birth of an Ideology. Myths and Symbols of Nation in Late-Medieval France*, trad. Susan Ross Huston, éd. Fredric L. Cheyette, Berkeley, California, University of California Press, 1991.

Berriot-Salvadore, Évelyne, "Les femmes et les pratiques de l'écriture de Christine de Pisan à Marie de Gournay", *Bulletin de l'Association d'Étude sur l'Humanisme, la Réforme et la Renaissance*, 9e année, n° 16, janvier 1983, p. 52-69.

Berriot-Salvadore, Évelyne, *Les femmes dans la société française de la Renaissance*, Genève, Droz, 1990.

Boureau, Alain, *La Papesse Jeanne*, Paris, Aubier, 1988.

Butler's Lives of the Saints, éd. complète et révisée par Herbert Thurston, S. J. et Donald Attwater, New York, P. J. Kenedy & Sons, 1956.

Carlier-Détienne, Jeannie, "Les Amazones font la guerre et l'amour", *L'Ethnographie*, 76, n° 1-2, p. 11-33.

Céard, Jean, "Listes de femmes savantes au XVIe siècle", in *Femmes savantes, savoirs de femmes*, p. 85-94.

Chéruel, A., *Dictionnaire historique des institutions, mœurs et coutumes de la France*, Paris, Librairie Hachette, 1855.

Chocheyras, J., "Le redoublement de termes dans la prose française du XVIe siècle: une explication possible", *Revue de Linguistique Romane*, 33, 1969, p. 79-88.

Ciletti, Elena, "Patriarchal Ideology in the Renaissance Iconography of Judith", in *Refiguring Woman. Perspectives on Gender in the Italian Renaissance*, éd. Marilyn Migiel et Juliana Schiesari, Ithaca & London, Cornell University Press, 1991, p. 35-70.

Colie, Rosalie, *Paradoxia Epidemica*, Princeton, Princeton University Press, 1966.

Collignon, Maxime, *Histoire de la sculpture grecque*, in Georges Perrot et Maxime Collignon, *Études d'archéologie grecque*, 2e partie, Paris, Picard, 1892.

Combes Taylor, Judith, *From Proselytizing to Social Reform. Three Generations of French Female Teaching Congregations, 1600-1720*, thèse non publiée, Arizona, Arizona State University, 1980.

Condeescu, N. N., "Le paradoxe bernesque dans la littérature française", *Beiträge zur romanischen Philologie*, II, 1963, p. 27-51.

Crozet, René, *La vie artistique en France au XVII⁰ siècle (1598-1661)*, Paris, 1954.

Cuénin, Micheline, *La dernière des Amazones. Madame de Saint Baslemont*, Nancy, Presses Universitaires de Nancy, 1992.

Curtius, Ernst R., *La littérature européenne et le Moyen Âge latin*, trad. J. Bréjoux, Paris, 1956.

Davis, Natalie Zemon, "Women's History in Transition : The European Case", *Feminist Studies*, t. III, n° 3-4, 1976, p. 83-103.

De Baar, Mirjam, et al., *Anna Maria van Schurman (1607-1678). Een uitzonderlijk geleerde vrouw*, Utrecht, Walburg Pers, 1992.

Declercq, Gilles, *L'art d'argumenter. Structures rhétoriques et littéraires*, Paris, Éditions Universitaires, 1992.

Declercq, Gilles, "Représenter la passion : la sobriété racinienne", *Littératures Classiques*, 11, 1989.

Devos, R., *Vie religieuse féminine et société. L'origine sociale des Visitandines d'Annecy aux XVII⁰ et XVIII⁰ siècles*, Annecy, Académie salésienne, 1973.

Diller, George, *Étude sur la vie littéraire à Poitiers dans la deuxième moitié du XVI⁰ siècle*, Paris, Droz, 1936.

Dixon, Laurinda S., *Perilous Chastity. Women and Illness in Pre-Enlightment Art and Medicine*, Ithaca & London, Cornell University Press, 1995.

Duchêne, Roger, *Écrire au temps de Mme de Sévigné. Lettres et texte littéraire*, 2ᵉ éd. augmentée, Paris, Vrin, 1982.

Fontanier, Pierre, *Les figures du discours*, Paris, Flammarion, 1977.

Frémy, Édouard, *L'Académie des derniers Valois (1570-1585) d'après des documents nouveaux et inédits*, Paris, Ernest Leroux, 1887.

Fumaroli, Marc, *L'âge de l'éloquence. Rhétorique et "res literaria" de la Renaissance au seuil de l'époque classique*, Paris, Albin Michel, 1994.

Gazier, Cécile, *Les belles amies de Port-Royal*, 1930, 8ᵉ éd., Paris, Perrin, 1950.

Geffriaud Rosso, Jeannette, *Études sur la féminité aux XVIIe et XVIIIe siècles*, Pisa, Editrice Libreria Goliardica, 1984.

Gout, Raoul, *Le miroir des dames chrétiennes. Pages féminines du Moyen Âge*, Paris, Éditions "Je sers", 1935.

Grimal, Pierre, *Dictionnaire de la mythologie grecque et romaine*, 11e éd., Paris, Presses Universitaires de France, 1991.

Harth, Erica, *Ideology and Culture in Seventeenth-Century France*, Ithaca & London, Cornell University Press, 1983.

Hyde, Elizabeth, " Royaume de fleurs/royaume de fémynie : fleurs et *gender* en France à la fin de la Renaissance", trad. Ariane Hudelet, in *Royaume de féminye. Pouvoirs, contraintes, espaces de liberté des femmes, de la Renaissance à la Fronde*, sous la dir. de Kathleen Wilson-Chevalier et Éliane Viennot, avec la collaboration de Michel Melot et Céleste Schenck, Paris, Champion, Coll. "Colloques, Congrès et Conférences sur la Renaissance", n° 16, 1999, p. 275-287.

Isley, Marjorie, *A Daughter of the Renaissance. Marie le Jars de Gournay*, The Hague, Mouton, 1963.

Keating, Clark, *Studies on the Literary Salon in France, 1550-1615*, Cambridge, Mass., Harvard University Press, 1941.

Lafond, Jean, "Les techniques du portrait dans le *Recueil des portraits et éloges*", *Cahiers de l'Association Internationale des Études Françaises*, n° 18, 1966, p. 139-148.

Le Corsu, François, *Plutarque et les femmes dans Les vies parallèles*, Paris, Les Belles Lettres, 1981.

Le paradoxe au temps de la Renaissance, Paris, Jean Touzot, 1982.

Les droits des femmes et la loi salique, avec une introduction par Sarah Hanley, Paris, Côté femmes, 1994.

Les religieuses enseignantes, XVIe-XXe siècles, actes de la 4e rencontre d'histoire religieuse à Fontevraud le 4 octobre 1980, Angers, Presses Universitaires d'Angers, 1981.

Maclean, Ian, *Woman Triumphant. Feminism in French Literature, 1610-1652*, Oxford, The Clarendon Press, 1977.

Maclean, Ian, "Marie de Gournay et la préhistoire du discours féministe", in *Femmes et pouvoirs sous l'Ancien Régime*, sous la dir. de Danielle Haase-Dubosc et Éliane Viennot, Paris-Marseille, Rivages, 1991, p. 120-134.

Malloch, A. E., "The Technique and Function of the Renaissance Paradox", *Studies in Philology*, III, 1956, p. 191-203.

Mason, Arthur James, *The Historic Martyrs of the Primitive Church*, London, Longmans, Green & Cie, 1905.

Matthews-Grieco, Sara F., *Ange ou diablesse. La représentation de la femme au XVIe siècle*, Paris, Flammarion, 1991.

Matthieu-Castellani, Gisèle, "Le cas Cornelia. Métamorphoses d'une figure dans le discours féministe", in *Women's Writing in the French Renaissance*, p. 171-186.

Moss, Ann, *Printed Commonplace-Books and the Structuring of Renaissance Thought*, Oxford, The Clarendon Press, 1996.

Pernoud, Régine, *Jeanne d'Arc*, Paris, Fayard, 1986.

Plantié, Jeanine, *La mode du portrait littéraire dans la société mondaine (1641-1681)*, thèse Paris-Sorbonne, 1975.

Quérard, J. M., *La France littéraire, ou dictionnaire bibliographique des savants, historiens et gens de lettres, ainsi que des littérateurs étrangers qui ont écrit en français plus particulièrement pendant les XVIIIe et XIXe siècles*, Paris, Firmin Didot père & fils, 1827-1864.

Rasmussen, Jens, *La prose narrative française du XVIe siècle*, Copenhague, Ejnar Munksgaard, 1958.

Sealy, Robert J., *The Palace Academy of Henri III*, Genève, Droz, 1981.

Showalter, Jr. English, "Writing off the Stage : Women Authors and Eighteenth-Century Theater", *Yale French Studies*, n° 75, 1988, p. 95-111.

Sonnet, Martine, "Une fille à éduquer", in *Histoire des femmes*, éd. Georges Duby et Michèle Perrot, vol. 3, *XVIe-XVIIIe siècles*, sous la dir. de Natalie Zemon Davis et Arlette Farge, Paris, Plon, 1991, p. 111-139.

Steinberg, Sylvie, "Le mythe des Amazones et son utilisation politique de la Renaissance à la Fronde", in *Royaume de féminye*, p. 261-273.

Stocker, Margarita, *Judith Sexual Warrior. Women and Power in Western Culture*, New Haven, Yale University Press, 1998.

Targosz, Karolina, *La cour savante de Louise Marie de Gonzague*, trad. du polonais par Violetta Dimov, Wrocaw, Zakad Narodawy im-Ossalinskich, 1982.

Timmermans, Linda, *L'accès des femmes à la culture (1598-1715)*, Paris, Champion, 1993.

Tomarken, A. M., *The Smile of Truth. The French Satirical Eulogy and its Antecedents*, Princeton, Princeton University Press, 1990.

Vapereau, G., *Dictionnaire universel des Littératures*, 2ᵉ éd., Paris, 1884.

Venesoen, Constant, "Mademoiselle de Gournay et l'érudition classique", *Les Lettres Romanes*, t. XLIII, n° 4, 1989, p. 283-296.

Warner, Marina, *Joan of Arc. The Image of Female Heroism*, New York, Knopf, 1981.

Yates, Frances A., *The French Academies of the Sixteenth Century*, London, The Warburg Institute, 1947.

Zanta, Léontine, *La renaissance du stoïcisme au XVIᵉ siècle*, Paris, Champion, 1914.

TABLE DES ILLUSTRATIONS

TABLE DES MATIÈRES

Dans la même collection (suite)

41. BELLEAU, Remy. *Œuvres poétiques II*. Publiées sous la direction de Guy Demerson, Marie-Madeleine Fontaine. 2001.

42. MARGUERITE DE NAVARRE. *Œuvres complètes*. Sous la direction de Nicole Cazauran. Tome III. *Le Triomphe de l'Agneau* (éd. Simone de Reyff). 2001.

43. PÉTRARQUE. *Bucolicum Carmen*. Texte latin, traduction et commentaire par Marcel François et Paul Bachmann. Avec la collaboration de François Roudaut. Préface de Jean Meyers. 2001.

44. PASQUIER, Étienne. *Les Jeus Poetiques (1610)* (éd. Jean-Pierre Dupouy). 2001.

45. GARZONI, Tomaso. *L'hospidale de' pazzi incurabili. L'hospital des fols incurables*. Traduit par François de Clarier. Texte et traduction princeps présentés et commentés par Adelin Charles Fiorato. 2001.

46. CAUCHIE, Antoine (*Caucius*). *Grammaire française (1586)*. Texte latin original. Traduction et notes de Colette Demaizière. 2001.

47. BELLEAU, Remy. *Œuvres poétiques*. Publiées sous la direction de Guy Demerson. *IV : La Bergerie, divisee en une Premiere & Seconde Iournee (1572)*. Édition critique par Guy Demerson et Maurice-F. Verdier. 2001.

48. BÉROALDE DE VERVILLE. *L'Histoire des Vers qui filent la Soye*. Texte établi, présenté et annoté par Michel Renaud. 2001.

49. PONTUS DE TYARD. *Œuvres complètes*. Tome I : *Œuvres poétiques*. Édition critique sous la direction d'Eva Kushner.

50. *Protestations et revendications féminines. Textes oubliés et inédits sur l'éducation féminine (XVI*e*-XVII*e* siècle)*. Édition critique par Colette H. Winn.

Achevé d'imprimer en 2002
à Genève (Suisse)